さ の ね 下巻

助　六

八月十五日、母屋《おもや》のラジオの前に全員集まり、いずれも生まれてはじめての天皇の声を聞き、日本が無条件降伏したことを知った。

誰も彼《か》も戦い疲れており、降伏によって如何《いか》なる事態になるやも判《わか》らないまま、ともかく今夜からは、空襲のサイレンにおびえることがなくなったという安堵感《あんどかん》はあった。

その後は流言飛び交い、国土はいくつにも分断されて米英ソ中、などに占領され、男は全員銃殺か奴隷《どれい》、女はなぐさみものになるという噂《うわさ》がいちばんおそろしく、寄るとさわるとこの話ばかり、それだけにラジオと新聞には注意を怠らないようになっている。

雪雄は、敗戦のニュースの直後は、

「ばかめ、何てこった」

と怒りを露《あら》わにし、母屋の主《あるじ》とともに悲憤慷慨《こうがい》していたが、日が経《た》つにつれて深い憂《ゆう》鬱《うつ》に襲われて来、一日中、口もきかないで寝転んでいることが多くなった。

それというのも、戦時中から大劇場が閉鎖になり、やっと開けても不入りで打ち切られてしまう羽目に行き会っている身としては、敗戦国にもはや芝居はあるまい、と観念していたからだが、その復興は意外と早かった。

新聞によれば、終戦詔勅のあと、全国興行界は一せいに、七日間の営業停止を申しあわせただけで、ふたたび焼土の町によみがえっているという。

歌舞伎《かぶき》の上演できる大きな小屋は、東京劇場と帝国劇場だけが焼け残り、そのうち東劇は八月から引き続いて同じ松川系の象之助一座が「弥次《やじ》喜多」を出しており、九月も演目に「黒塚」を加え、十月は新生新派で「滝の白糸」と、すでに新聞広告も出ている。

帝劇も現代劇で開けており、遠くへ疎開《そかい》していた役者たちもぼつぼつと戻ってきて、芝居興行はインフレとともに活況を呈してきている様子であった。

戦争末期、疎開先に八王子を得たことを、松川家先霊のお導き、と喜んだものの、ふたたび芝居もよみがえれば、雪雄の胸にさまざまの思いが湧《わ》き上がるのも当然であったろう。

もし都落ちなどしないでいれば、父宗四郎などと語らって先陣争いもできたろうに、と思えば、島流しの自分がしみじみとさびしく、粥《かゆ》ばかりの膳《ぜん》を眺めては、

「まるで俊寛だよ」

と呟《つぶや》き、〽思い切っても凡夫心、と鼻でうたって、

「食欲もねえし」

と箸《はし》もつけないで、またごろりと横になる。

終戦後の食糧難は以前よりもっときびしいが、金を出せばヤミ市で何でも手に入るという世の中になれば、光乃《みつの》のやりくりもいよいよむずかしくなっている。

その日、光乃は土間にしゃがみ、洗った南瓜《かぼちゃ》の種を新聞紙にひろげ、干そうとしているところであった。あの八月十五日からおよそ一カ月後のことで、戻ってきた平和は何よりうれしいが、このごろの物価はうなぎ上り、終戦以前の金は日に日に使いでがなくなり、食糧と取り換えるべき衣類もあらかた焼き尽くしているのでは、雪雄にさし出す三度の膳の工面は、光乃にはなかなかにむずかしい。

新聞は毎日のように餓死者の数を報じており、のちには日比谷公園で餓死対策国民大会がひらかれ、せめて一日三合の配給を、というスローガンが掲げられているのを読み、光乃は心から共感を抱いたものであった。

雪雄の機嫌は一向によくならず、その胸のうちには身の不運をかこち、孤立のわびしさを嘆き、そして前途も見えぬ苛立《いらだ》ちが渦をなしているにちがいないと判るだけに、めったな言葉もかけられず、日々、腫《は》れ物にさわるようにすごしている。

光乃にしても、この先どうなるか、じっと考えているとしみじみと心細いが、いまはそれよりも、如何にして雪雄と二人口を養えるか工夫しなければならぬ羽目なのであった。

南瓜の種は、フライパンで煎《い》れば香ばしく食べられると聞き、一粒も捨てられまいと新聞の上に拡《ひろ》げているとき、門を過ぎて坪庭を渡ってくる人影があった。

この頃たびたび来るもの売りだろうと、よく見ないで手もとを動かしていたところ、その手もとに影がさし、

「よう、おきのさん」

と呼ぶ声に顔を上げると、それは何となつかしいこと、桜上水の家であわただしく別れた太郎であった。

「まあ、太郎しゅうさん」

と光乃も思わず大声を挙げ、

「ようこそ、ここへ。道がお判りでしたか」

といいつつ、手をはたき、エプロンを払って二階へ案内した。

見れば雪雄は、雑誌で顔をおおい、胸に手を組み、仰臥《ぎょうが》して昼寝をしている。狭い上下で、光乃の高声の聞こえぬはずはないのに、太郎と知ればやはり、胸中のわだかまりも噴き上げてくるのだろうか。

光乃が声をかけようとすると、太郎は手ぶりで押しとどめ、その場に坐《すわ》って、ぐるりを見廻した。

むき出しの梁《はり》、一間っきりの部屋、黄ばんだ障子など、ひとつひとつ目を当て、うな

ずいているのを見て、光乃は身のすくむような感じがあった。

この様子を見れば、言葉は何もいらず、雪雄と光乃のいまの関係はすっかり呑《の》み込めるはず、と思うと光乃はその場にいたたまれず、せめてお茶など、と呟いて下へ降りた。

光乃のいれた渋茶を一口すすったころあい、雪雄が顔の雑誌を除いて起き上がり、いきなり、

「太郎しゅう、ご赦免状は持ってきたか」

と浴びせ、膝《ひざ》を組んだ。

互いに大空襲を挟んでの一別以来の邂逅《かいこう》なのに、久闊《きゅうかつ》を叙すべき言葉を排しての詰問《きつもん》を聞いて光乃ははっとしたが、そこはこのひとを襁褓《むつき》の時分から育てあげた太郎のこと、一切を呑み込んで、

「へい、へい、持って参りやしたとも。大きく背負って参りやした」

となだめ、オホンと咳払《せきばら》いして、

「『白浪《しらなみ》五人男』も首領の日本駄右衛門からのお召しでござんす」

と見得《みえ》を切って告げた。

「ええ、そりゃほんとかい？」

ととたんに雪雄の目が輝き、

「しかし焼け残った東劇の十月までの外題《げだい》は新聞で見たが、『白浪五人男』なんてなか

ったぜ。また戦争中の慰問興行みたいに、テントを張ってやるんだろう。それとも一時のおなさけで公民館でも借りるのかね」

という口調は、軍に協力するため戦時中はあんなみじめな目にも遭ったが、いまさらそれはまっぴらだ、という思いにあふれており、

「坊ちゃん、それは先刻ご承知だ。いいですかい、『問われて名乗るもおこがましいが、生まれは遠州浜松在、十四のときから親に放れ、身のなりわいも白浪の、沖を越えたる夜働き、盗みはすれど非道はせず』とこう日本駄右衛門に大きく啖呵《たんか》を切らせるにゃ、ちゃちな板の上じゃまに合いません。

戦争中、一時映画館に使っていた新宿第一劇場、これならどうです、この小屋のそもそもの起こりは新歌舞伎座という名だった。

ここなら東劇に見劣りはしやしません。座頭《ざがしら》は十二世徳左衛門さんと六世喜美蔵さんの一座です。ぜひ坊ちゃんに参加してもらいたい、とたってのお望みで、おいらが全権大使ってこってさあ」

と太郎が説明すると、徳左衛門は仁雀の父親ではあり、久しぶりに仁雀と再会できる喜びもあって、雪雄の眉《まゆ》はすこしずつ開いてゆき、

「しかし裏方さんは揃《そろ》うかい。道具類はどうだろう。弁天小僧の煙草盆《たばこぼん》がボール紙ででできていたり、衣裳《いしょう》が人絹のぺらぺらだったりするとすこぶるのらないんだがねえ」

といいつつも、心は早くも稽古《けいこ》場へ飛んでいるようで、一しきり芝居の話に花が咲いたあとで、一族の安否をたずねる次第になってしまった。

「いやあ、皆さん意気軒昂《けんこう》でいなさいますよ。優《まさる》さんも復員なすっておいでだし、新二郎さんも海兵団からはすぐ帰って来なすった。

大旦那《おおだんな》は、芝居はこれからだ、息子どもに負けはせん、と元気いっぱいですぜ」

と太郎しゅうは雪雄の気持ちを煽《あお》り立てる。

桜上水の家は広いので、一まずこちらへ落ち着くように、との宗四郎の言伝《ことづ》てもあり、そうと決まれば、もうこんな鬼界ヶ島では暮らせやしない、とばかりに、雪雄は翌日、さっそく八王子を引き揚げることにした。

現金なもので、一日中鬱《ふさ》ぎ込み、横のものも縦にしなかった雪雄が、見違えるように元気に立ち働き、先に立ってきぱきと荷造りなどをする。

八王子の暮らしは四カ月足らずではあったけれど、奥田家からもらった道具類や、宗四郎の親心で送って来てくれた物がいつのまにか溜《た》まっており、それらは整理したのち、またトラックの便でもあれば取りに来る、という約束で、とりあえず三人が背負えるだけ、持てるだけで、東京へ帰ることになった。

ここへ来たときは初夏、そして暑い夏を過ごしていまは初秋、と光乃はさまざまの思いを胸に、雪雄、太郎について奥田家のひとたちに別れの挨拶《あいさつ》をした。母屋の女性には白い目で見られ、また思いもかけず爆撃にも遭ったけれど、この納屋《なや》の二階の月日は、完全に雪雄は自分ひとりのものであった、と光乃は思った。夜も二人、昼も二人、何をしても二人、しかも東京は遠く、訪ねてくるひとも無く、全く雪雄のいう島流しの暮らしだったが、心だけは足り、この生活がいつまでも続くようにひそかに祈ったことを決して忘れまいと思うのであった。

この先、ふたたび二人だけの月日がめぐってくるかどうかそれは判らないが、いままでどおり運命の流れに従ってゆくしか、光乃の生きる道はなかった。

駅までは近道を選び、すすきの揺れている野の道を歩いているとき、太郎が前の雪雄に聞こえないよう、小さな声で突然、

「つけ打ちの久吉どん、死んじまったよ」

と告げた。

え？　と一瞬足をとめた光乃を促して、

「あいつもよくよく運の悪いやつだと思うね。お前さんには振られるし、行かないでもいい蒲田《かまた》まで出かけて行って、しかもたったの二機で爆弾攻撃にやって来たB29のために、ドカンとやられちまった。七月十三日のことだった。

いままで兵役を逃れていたものが、終戦間際《まぎわ》に死ぬなんて、もし久吉どんの幽霊が出るとしたら、きっと目にいっぱい涙を溜めてるぜ」

という太郎の言葉を聞いて、光乃はしんとし、何とむごいこと、と目を落とした。

「弁慶のつけ打ちになるのが念願だった。まさか宗四郎旦那とはいくめえが、そのうち若手の新弁慶がつぎつぎと現れたら、一人くらいはきっとおいらが打たせてもらうぜ、とそればっかりいっていたっけなあ」

と太郎は淡々と語ったが、それだけに光乃は胸が痛かった。

運命とは明日知れないもの、一時は傾いていた久吉との縁談がもし成立していたら、いまごろ自分は後家、と思うと、やっぱり雪雄に従うのが定められた道なのか、とも考えられる。それにしても、十五円と気張った拍子木を、大事な宝物のようにしっかりと抱いていた久吉の姿が、すすきの道を歩きながら光乃の脳裏にちらついてならなかった。

桜上水の成井邸は、邸《やしき》うちに大きな藪《やぶ》もあるほどの家で、ここに住む宗四郎一家のもとへ雪雄がたどりついた夜、同族皆集まり、無事再会を喜びあった。

このたびの激しい戦火で、男の子の欠けない家はないといわれているなかにあって、三兄弟ともかすり傷ひとつ受けず、ふたたび舞台に立てることになったのは、菊間家にとってどれほどの喜びだったろうか。

そして当然芝居の話になれば、翌十月、ただちに出演することが決まっているのは雪雄の新宿第一劇場と、優の帝劇とがある。

とすると、この桜上水からは京王線だけれど、新宿──八王子の長い路線だけにいつも満員の上に遅延もひどく、決まった時間に通勤するには、まだひどく事情が悪かった。

このあと十一月に東劇に出演する宗四郎も、築地《つきじ》の焼け残り旅館に宿を取って舞台を勤めたほどだったから、先ざき、役者は都心に住まうのも条件に加えなくてはならず、そんな相談をしているうち、気のいい優が、

「兄貴はおれの家においでよ。桜上水から通うのは無理だろう」

と誘い、雪雄はさっそく、

「そいつは有り難えや。たのむぜ」

と話はまとまってしまった。

優はこの当座、蝶子《ちょうこ》の縁につながるひとの世話で赤坂氷川《ひかわ》町に住んでおり、決して広くはないが、このせつは焼け残りの家に、焼け出されが身を寄せている風景は常識で、どこの家も溢《あふ》れるほど満員なのはちっとも珍しくはなかった。

そのとき新二郎が笑いながら、

「兄貴も優も、喧嘩《けんか》しねえよう、祈ってるよ」

といい、優は返して、

「もうお互いに子供じゃねえよ。心配ご無用さ」

といったが、一カ月ののちには新二郎の言葉どおりになろうとは、このとき誰も予測はできなかった。

翌日、雪雄は光乃とともに氷川神社のそばの優宅に移って二階に陣取り、階下は生後一年の長女万喜子《まきこ》と三人、優一家が住むことになった。

雪雄は、稽古が始まるまでの日、東京へ戻って来たことの挨拶廻りに方々を訪ねて行ったが、このときから国民服は脱ぎ捨て、好んで刺子《さしこ》の袢纏《はんてん》を着るようになった。

これは宗四郎からもらったもので、

「雪雄、鳶《とび》の頭《かしら》ってのはどうだ。粋《いき》だろう。お前に似合うかも知れねえ」

と、桜上水の家の行李《こうり》から紺の腹掛け股引《ももひ》きも添えて出されたとき、一目で気に入り、

「はだし足袋が無《ね》えな」

と思案していたが、光乃に命じてふつうの足袋の雲斎底《うんさいぞこ》をさらに木綿糸で縦横に固く刺させ、それを履いて歩くようにしている。

すらりと姿のよい雪雄に、粋な鳶頭の袢纏姿はよく似合い、大部分の男たちがまだ軍服や、戦時中のものを着ている町では一きわ目立ったが、それにかまわず雪雄はどこへでもこの服装で出歩いた。

戦争が終わってみれば、すっかり焼土と化した町の姿に深い感慨をもよおさない日本人はなかったと思われるが、とりわけその焼け跡に立って雪雄が胸打たれたのは、歌舞伎座であった。

数カ月前までは、陽明門か竜宮城かといわれた華麗この上ない建物のなかで、煌々《こうこう》た

るライトを浴びて自分たちがせいいっぱいに演じたことがまるで嘘《うそ》だったように、いまはただ、黒い醜い残骸《ざんがい》をさらしているばかり、かねて宗四郎から、

「焼け跡は見るな。いうな」

といわれていたのが、身に沁《し》みて判るのであった。

「ともかく、やらなきゃならねえ。愚痴はこぼすな。文句もいうな。黙ってやるしかねえんだ」

という、七十翁《おう》宗四郎の叱咤《しった》を受けて、いまはただ、焼け残りの舞台に立つことから始めなければならなかった。

十月、蓋《ふた》を開けた「白浪五人男」は、案の定ないないづくしのまっ只中《ただなか》で裏方も役者も苦労の連続で、たとえば弁天小僧がかぶる豆絞りの手拭《てぬぐ》いがなくて、小道具方一計を案じ、白い晒《さらし》にインクで豆型のハンコを押したのはいいものの、それを口にくわえる役者としては少しでも濡《ぬ》らせばインクがにじんで唇につき、毎日ひやひやしながら演じたという話、また役者一同、芋腹、粥腹ではまことにかったるく、大音声《だいおんじょう》の啖呵は息が切れるという話、それを戒めた先輩は、

「バカやろう。千松を見てみろ。腹がへってもひもじゅうない、とこう演じるのが役者じゃねえか。お前たち、おいらはいつも満腹でございって大きな顔をしてろよ」

といったあとで、

「ところで、何かねえかい?」

と、食い物をせがみ、大笑いになった話などさまざま珍奇な例には事欠かなかった。

しかし、もののあるところにはふんだんにあり、方々に立つヤミ市で求めれば、贅沢《ぜいたく》な輸入品でも何でも手に入り、一般観客も空《す》きっ腹のひとが多いなかで、豪勢な弁当持参で見物するひともあり、ヤミ成り金も擡頭《たいとう》してきている。

雪雄と優の共同生活が始まった翌十一月は、雪雄はひき続いて新宿第一劇場へ出、優はその月は休みであった。そして十五日、GHQから、宗四郎が菅丞相《かんしょうじょう》を勤めていた東劇の「寺子屋」に中止命令が出たことから発し、兄弟の意見がくいちがうことになってしまった。

GHQは、「寺子屋」の内容が民主化路線に反するという理由から中止の勧告を出したのだが、現在上演しているものを変更するというのは大へんなことで、経営母体の社はだいぶん混乱したらしい。

兄弟の口論は、天下国家を論じるほどのものではなく、いわばごく些細《ささい》なことから始まり、というのは、「寺子屋」は夜の部だが、宗四郎は昼の部の「吉野山」で忠信を踊っており、「寺子屋」が中止となれば、夜にもう一度「吉野山」を出す話が流れて来ている故《ゆえ》に、そうなれば七十六歳の宗四郎が昼夜、忠信を踊らねばならなくなる。

現在、心身ともにいまだ壮健だとはいえ、過去に一度、心臓病で倒れた例もあることとて、やはり子としては親の身を案じるのも当然のことであろう。

しかし、そばで聞いていた光乃でさえ、兄弟のどちらがどういったかよく呑《の》み込めないまま、苛立《いらだ》った雪雄が、とうとう、

「お前なんかの顔は見たくもねえ。とっとと出て失《う》せろ」

をいってしまい、そうすると優も気色《けしき》ばんで、

「何いってるんだ。ここはおれんちだぜ。出て行くのは兄貴のほうじゃねえのかい」

と応酬、たしかに優の方が理にかなっているが、そういわれると意地を張って横車押すのは雪雄の子供のときからのくせで、

「何が何でも出てゆけ。おれは芝居があるからここは動けねえ」

というところへ追い詰めてしまった。

昔、優が三つのとき、雪雄と新二郎がノミを使って遊んでいるところへチョコチョコと寄って行き、邪魔になった雪雄が、

「あっちいってろ」

と振りまわしたノミが優の鼻にもろに刺さったことがある。

顔中血だらけになった優を見て、雪雄のほうが青くなってしまい、母親が急いで医者を呼んだのだったが、優は、いまでもうっすらと残っている鼻の頭の傷痕《きずあと》を見るたび、

「全く、兄貴には参るよ」

と呟《つぶや》いているのに、またもやこういう事態になってしまった。

誰が考えても、ここは優の家、しかも子連れで出て行かなくてはならぬ筋ではないが、現在舞台のある雪雄には優のほうがやはり歩を譲り、優はただちに荷物をまとめ、妻子をひきつれて桜上水の宗四郎の家に身を寄せた。

喧嘩をする兄弟はかえって仲がいい、という説もないではないが、昔どおり雪雄が長男の風を吹かせば、それは優のみならず、蝶子まで被害を受けねばならなくなり、当時築地の旅館住まいをしていた宗四郎は、嫁に、「すまないねえ」と謝ったという。

雪雄の人あしらいの不器用さは、年とともになおるかといえばその兆《きざ》しは一向になく、優が自分の家を出てゆくさまを見て、きりきりと胸を刺されてはいても、

「優、おれが悪かった」

とも、

「おれの方が出てゆくから」

とも、いえないのであった。

光乃にそれが手に取るように判《わか》るのは、引っ越しの日にわざと家に戻らなかったり、やけに光乃に当たり散らしたりするためであって、わきから見ていると、何故一こと、ごめんよ、をいえないのかしら、とその故ない意地の張りようがはがゆいほどに思える。

そして弟を追い出したという悔いに日夜責めたてられ、いらいら、いらいら、苦しん

だ果て、

「お光、こんな家はもう嫌だ。宗家へ行こう」

といい出したのは、師走《しわす》も半ばすぎのことであった。

十二月は、優は京都南座に出ていて留守だが、雪雄に舞台はなく、またもや、光乃はリュックをかつぎ、しっかりと氷川町の家の戸締まりをして祐天寺《ゆうてんじ》へと向かった。

チラチラと雪の舞う日で、地下鉄の赤坂見附駅へ向かいながら、光乃は胸で指折りかぞえ、こうして住む家を求めてふたりでさまようのは何度目かと思った。

山王下から新町へ、新町から一旦《いったん》渋谷へ戻り、そして築地へ、築地から渋谷を経て八王子へ、八王子から氷川町を通って祐天寺へと、何と落ち着かないこと、としみじみ思う。

優がいつか、

「上の兄貴は年中バタバタの、飛べない酉年《とりどし》だ。次の兄貴は戌年《いぬどし》だが、これは秋田犬か、艱難辛苦《かんなんしんく》に強いってそんな感じだな。おれは丑《うし》で、めったとは怒らないが、一旦怒れば闘牛士殺しになるかもしれねえぜ。三人とも性格容貌《ようぼう》とも一目瞭然《りょうぜん》ってところだろう」

といい、同座の皆、なあるほど、と大笑いをしたことがあったが、いま光乃はその言葉を改めて思い返しているのであった。

そういえば、目は猛禽《もうきん》の目、嘴《くちばし》は牢固《ろうこ》として人を攻撃するものの、飛べない鳥は地上を空《むな》しくうろつくのみ、とそのときいった優の占いは正しく図星だという気がする。

祐天寺は、八王子から戻ったとき一度、ご機嫌伺いに訪ねているが、あの狭い家の、気性からいって合うはずもない六円のもとへ身を寄せても、うまくいく道理がない、とほとんど確信に近く、光乃は考えるのであった。

苦しまぎれに、自分は本来松川家の人間だと思い出しても、一緒に住めないことは築地の家で経験ずみなのに、もうこれ以上、氷川町にはいられないと雪雄は思いつめているらしかった。

祐天寺に着いてみると、好都合というべきか、二階の一間に陣取っていた勘之助、麗扇父子が伝手《つて》を頼って引っ越しており、はっきりと、

「お父さん、しばらくご厄介になりとうございます」

ともいえず、もじもじしている雪雄を見て六円が、

「ここも狭いが、よかったら二階をお借りしたらどうです？　氷川町を引き払って来たのなら、今夜の宿からも困るでしょう」

と助け舟を出してくれ、家主の北山家にも承知してもらって居付くことになった。

しかしまあ何と窮屈なこと、階下には六円としのの一家、北山家の三人、二階にはもう一家族住みついており、家中人間が溢れ、身動きも出来ないという感じであった。

雪雄たちの主な荷はまだ八王子に置いてあり、手ぶらでやって来た者なら、煮炊《にた》きす

るには北山家で鍋釜《なべかま》を借り、洗濯するにはたらいを借り、夜になれば蒲団《ふとん》を借り、という有り様で、こんな暮らしが如何《いか》に肩身の狭い不自由なものか、家事担当の光乃にはしみじみと身に沁みてくる。

六円は見かけによらず賑《にぎ》やか好きで、一日中本を読んだり絵を描いたり、あいまには同居のひとや近所隣を招いて、ゆったりと茶飲み話を交わし、この暮らしを楽しんでいるかのように見える。

雪雄としては、六円を八王子に迎えもせず、逆に厄介になりに来た自分の不甲斐《ふがい》なさにいたたまれない気持ちもあると見えて、毎日のように外出していたが、雪雄と六円が話しているのをわきから聞いて、光乃は、雪雄がそのうち東劇の正月興行「茨木」の士卒に優とともに出演することになったのを知った。

「そうですか。これは六代目さんが復活させた舞踊劇ですね。綱と真柴が引っ込んだあとの間《あい》の、士卒の踊りを踊るんですね。しっかりおやんなさい。優さんに負けないように」

と六円が励ましている。

その二、三日後、稽古《けいこ》から戻った雪雄が明るい顔つきで、

「お光、荷物をまとめろ。引っ越しだ」

といい、これも光乃は、雪雄が六円に報告しているのを聞いて行き先を知った。

場所は都の西郊、世田谷区野沢で、雪雄の古くからの知己、川田章一郎の離室《はなれ》だという。

川田家は、ここがまだ世田谷村だったころからの地主で、邸を含めて付近一帯に広汎《こうはん》な土地を持っており、章一郎は雪雄とおっつかっつの年頃だが、父の章太郎は当時、土地の管理の他に建材も扱っていたらしい。

章一郎はなかなかの趣味人で、大の芝居好きの他に書画骨董《こっとう》にも目が利《き》き、また釣りにかけては玄人《くろうと》の域に達しているひとであった。

あるとき、Q新聞社主催で、日本橋白木屋において釣りの講習会が開かれたことがあり、そのときの講師が章一郎、雪雄が聴講者のひとりだったという縁から二人の関係は始まっている。

もちろんこのとき、講義を聞いただけで雪雄が帰ってしまえば、いまもって二人は見知らぬ他人同士だが、話の内容にいたく感動した雪雄が終了後、名刺を差し出して自己紹介したところ、逃さず芝居を見ている章一郎とすっかり意気投合してしまい、その後しばらくのあいだ連れ立って遊んだという仲なのであった。

これが昭和十年の秋で、当時雪雄は亮子との結婚が破綻《はたん》し、その後遺症に悩まされ続けていたころであって、章一郎の出現は何よりの救いであったに違いなかった。

二人はずっとつかず離れずの付き合いを続けていたが、戦争末期からは途絶えており、それが偶然再会したのが、東劇の近くだったという。

章一郎は芝居を見ての帰り、ばったりと築地川の上で出会い、互いによう、ようと肩を叩《たた》き合ってから、雪雄が、

「この近くにほんもののコーヒーを飲ませる店があるんですよ」

と誘った。

戦争末期以来、大豆を炒《い》って挽《ひ》いたのをコーヒーと称して出す店もあらわれており、このせつ正真正銘とは有り難い話、とばかり章一郎も従い、その店での四方山《よもやま》ばなしのなかに出たのが、住むに家なしの雪雄の現況というわけであった。

川田家の野沢の家は、敷地四百坪以上もあり、そのなかに母屋とは渡り廊下で続いているものの、独立した離室が空いていて、章一郎はそこへ雪雄を誘ってくれた。

いちばんの気がかりは、銀座新宿の、小屋のある盛り場への足なのだけれど、これも五、六分歩けば玉川電車があり、これに乗って渋谷にまで出れば、あとは山手線なり地下鉄なり自由だという。

雪雄が飛びついたのはいうまでもなく、六円に報告するとすぐその足で光乃を伴い、野沢へ向かったのであった。

祐天寺には結局八日間、滞在させてもらったが、光乃は、一日たりとくつろいだ日はなかったと思った。誰がどうということはないけれど、計十一人の大世帯への後入りで

は、一日中身を縮めていなくてはならず、ずい分と息苦しい日々だったと振り返られるのであった。

ゆくての宿は吉か凶か、またもや十日くらいで飛び出すのか、或《ある》いは今度こそ腰が据えられるのか、神以外には誰も判らないが、とにかく祐天寺を出られたことを幸運と思わねばならなかった。

頂く主《あるじ》は至って無口、従う自分も言葉は苦手、と来ていれば、さまざまの感慨が胸に去来しても口に出すことはなく、玉川電車の上馬《かみうま》の駅から川田家までのあいだ、二人は無言のまま、足を早めた。

この辺りは戦災を受けなかったらしく、古い家がぽつぽつと残っているが、大部分はまだ畑で、師走の弱い陽ざしを受けて、いちめんに広がる冬野菜の緑が目に眩《まぶ》しい。

川田家の構えはまことに立派で、四方に柴垣《しばがき》をめぐらせてあり、門をくぐって当主の章太郎に挨拶《あいさつ》したあと、章一郎に案内されてその離室へと通った。

母屋からは二間半ほどの渡り廊下があって、六畳一間の造りだが、これも廊下つづきの雪隠《せっちん》に小さな炊事場、そして有り難いことに、母屋を通らずこの離室だけの出入り口が直接道路に面してついている。邸内樹木多く、障子を開けると、固い蕾《つぼみ》の白梅の古木がいとも風情《ふぜい》よく眺められ、雪雄はすっかり気に入って、

「いやあ、八王子の納屋《なや》に較《くら》べるとこちらは御殿のようですな」

と、世辞の使えない口で、そういって礼を述べた。

これで初めて、雪雄は自分の才覚で住居をみつけたわけで、それも嬉《うれ》しいのか上機嫌で家の内外を見て歩き、

「ここから『茨木』で出発、ということか。居心地よさそうだから根を生やすようになるかも知れんな」

などと呟いている。

光乃はといえば、八王子に次いで、ここでまた二人きりの暮らしになるのに、何故か以前ほど心が浮き立たなかった。

母屋のおかみさんもやさしいひとで、

「足りないものがあったら何でもいって下さい。お風呂《ふろ》はこちらでご一緒にどうぞ」

と親切にいってくれ、ふだんは不干渉、という理想的なかたちだけれど、その心づかいについてもじんと目頭にくるいつもの感覚が無くなっているような気がする。

初めてのその夜、母屋から借りた蒲団に先《ま》ず雪雄を休ませ、灯りを消してのち部屋の隅でもんぺを脱ぎ、光乃もそっと冷たい蒲団に身を横たえた。

あと片手も折らずに、昭和二十年は終わり、新しい年がやってくる。

眠れぬまま闇《やみ》のなかで目を開けて天井を眺めていると、雪雄もいく度も寝返りを打っているらしく、

と呼んで、

「お光」

「章さんが二、三日うちに親父《おやじ》さんにお願いして、トラックを出してくれることになった。おれは稽古があって行けねえから、お前、それに乗って八王子に置いてある荷物を取って来てくれ」


昭和二十年の米作は近ごろ稀《まれ》に見る不作で、農村の供出は割り当て量のかろうじて二三パーセントにすぎず、従って食糧不足は非常に深刻なものがあった。

一例をあげると、四人家族一カ月分の配給量は、米二十四キロ、干しうどん四把《わ》、代用粉四キロ、副食として大根が四日目毎《ごと》に十五匁《もんめ》、魚が月二回百二十匁、これがすべてだが、どんなつましく食べても、これでは十二、三日分しか食いつなげず、残りはヤミ買いするより方法はない。

それ故にヤミ物資の価格は日ましに上がり、政府の決めた公定価格の大体十倍というのが相場だが、ものによってはそれ以上になり、米一升が大の男の一カ月の給料だといわれた時期もあった。

昭和二十年後半から二十一年にかけての爆発的なインフレには国民ひとしく苦しみ、生きんがためには、会社を休んでまで近郊へ買い出しに行くという風景も珍しくはなかった。

光乃の憂鬱《ゆううつ》は、この台所のやりくりに頭を悩ますことに加え、もうひとつはどうも体の調子がすぐれず、昔、雪雄のチフスの治療のため、採血されたときの、あのけだるさがいつもつきまとっている。

物資不足の折柄《おりから》、川田家がトラックを出してくれるのは何より有り難いことだが、高い運転台によじのぼるとき、光乃は少し不安であった。大丈夫かな、大丈夫かな、と思いつつ揺られていると、果たしてものの十五分も走らないうちに胸がむかむかしはじめ、冷や汗がいちめん額ににじみ出ているのが自分でも判る。

多摩川を渡った地点の雑木林にさしかかると、運転手は車をとめて、

「吐いてきなよ。そうすりゃ楽になるよ」

とすすめてくれた。

いわれるとおり落ち葉のなかに入り、胃のなかのものを吐き出してしまうとすうーっと、胸が涼しくなり、気分を取りなおすことが出来たが、しかしやっぱりガソリンの匂《にお》いが駄目なのか、しばらく走るとまたもやもどしそうになり、運転手に頼んでまたしばらく道端にしゃがんでみても、もはや吐き出すものは何もない。

「あんたトラックに乗るのは初めてじゃあねえのかい。初めてはみんな酔うよ。そのうち馴《な》れるがね」

と運転手はこともなげで、そしてよく心得ていてこまめに窓を開けたり、車を止めてくれたりしたが、八王子の奥田家に着いたとき、光乃は半病人であった。

ろくに休むまもなく、残してあった荷物を積み込み、礼の言葉もそこそこにすぐ帰途についたものの、光乃は目も閉じたまま、荷物のように助手席に坐っているだけであった。

何しろ道はごろごろ道ばかり、質の悪いガソリンは一きわ悪臭を放ち、そこへ持ってきて揺られる体は栄養失調に近い状態ときている。これでは屈強の若者でさえきつい行程なのに、ましてかよわい女性の身ではどっと寝込みかねないが、光乃は戻ってのちも、苦しさを格別雪雄に訴えもしなかった。

六

空前のインフレと食糧難の敗戦の年はようやく暮れ、昭和二十一年が明けた。

二日初日の東劇は、六代目と宗四郎の顔合わせ「福沢諭吉」や「茨木」などで幕を開け、新二郎の帝劇出演を除いた他は親子兄弟三人が揃《そろ》ってお目見得《めみえ》した。

観客も娯楽を求めて芝居、映画館に足を向けはじめたころで、近くの三原橋にはヤミ市も立っている。

雪雄は毎日元気いっぱい野沢から東劇へ通い、その帰りにはヤミ市をひやかしてはいろいろなものを買ってくる。もともとお洒落《しゃれ》なひとなのに、戦時中、品がなくて手に入

らなかったものが、どういうルートかここへ来ると輸入品もほとんど揃っており、ある日、光乃に、

「おれはクラヴァット、お前にはアルページュを買って来たぜ」

と、黒い瀟洒《しょうしゃ》な小箱を手渡してくれた。

光乃は息も止まるほど驚き、思わずふるえて手のひらに頂いた小箱が落ちたほどであった。

今日まで長い年月このひとに仕えてきて、何か買ってくれるということはついぞなかったのに、このたびはまたどういう風の吹きまわしか、それにしても嬉しいこと、と押し頂いて懐《ふところ》に入れ、まず雪雄の包みを見ると、

「クラヴァットって何か知ってるかい？　フランス語でネクタイのことさ。

これはイギリスのノーマン・ハートネルだってんで買ったんだが、どうもくさいな。イギリスの超逸品が、流れ流れて三原橋のヤミ市にさらされてたって話が第一眉《まゆ》つばだもんな」

といいつつも、部屋の隅の鏡台をのぞき、胸に当てて眺めながら、

「こいつに合わせて背広も作るか」

と、上機嫌のようすは、借家ながらもやっと自分の住居も定まり、これからはしっかりと気を入れて舞台を勤めようとする思いが漲《みなぎ》っていて、光乃は久々に、こんな雪雄を

見たと思った。

「お前のはランバンの香水だ。開けてみな」

いわれて光乃は胸とどろき、

「私などにこのような」

と呟《つぶや》いてためらっていると、雪雄が手をのばして包み紙を開け、中のかわいい小瓶を取り出してくれた。

「香水の匂いを試すのには、どうするか知ってるかい。くんくん嗅《か》ぐんじゃだめだよ。こうしてね」

とゆっくり蓋《ふた》をあけ、蓋の裏についている少量のしずくを手の甲に取り、それにふうーっと息を吹きかけたのち、ややあって手の甲を鼻に近づける。

「さあどうだ」

と、光乃の鼻さきにもその手の甲を持って来たが、それはまた得もいえぬ芳香であった。

「これはアルページュという名前だよ。気に入ったかい？」

と聞かれ、感激のあまり首を振ってばかりいる光乃に、雪雄は壜《びん》に添えられた小さなカードを読みながら、

「ふむ、ふむ、なるほど。ブルガリア・ローズ、グラースのジャスミン、カメリア、ア

ンバー、ヒヤシンス、とこれだけを混ぜ合わせた香りだってさ。

アルページュってのは、音楽のアルペッジオのフランス語なんだな。道理でアルペッジオの和音の奏法になぞらえているわけだ。

さあ、きのねくん、お使いください」

とカードも差し出され、光乃はもじもじしながら、

「私など、とてももったいなくて。第一これをつける着物もありませんもの」

というと、雪雄は、

「アッハッハ」

と大声で笑いながら立ち上がり、

「香水は着物につけるんじゃないの。裸、裸、裸に直接ですよ。知らないんだな、お光は」

といいすてて庭へ下りて行った。

光乃はその黄いろい透明の液を陽に透かし、しばらくぼんやりと眺め入った。

西洋の貴婦人が美しい夜会服を着るとき、必ず香りのおしゃれも忘れぬという、その高級香水を手にして、光乃はいま、胸がいっぱいであった。

女学校のとき、十銭香水が流行《はや》り、スプレーで下着に吹きかけているのがみつかって先生に叱《しか》られた級友がいたが、そういうときも光乃は全く無縁で、遠くから眺めている

ばかりであったことを思い出す。

この純良のフランス香水は、それとは較べものにならぬほどの高価なものだけに、思い切って自分のために買って来てくれた雪雄の気持ちが何より有り難くうれしく、きっと自分はこれを、お守りのように一生持ち続けようと思った。

一月中のもうひとつ嬉しかった出来ごとは、思いがけず太郎が訪ねて来てくれたことで、粉雪の舞う日の午後、厚ぼったい毛糸の衿巻《えりま》きに顔中すっぽりと埋もれたような姿でやって来、

「これは落ち着いたいい住居だねえ」

と目を細めて見廻した。

「東劇に出ているから元気なことは判《わか》っていても、どんな暮らしやら、この目で確かめねえうちは夢見が悪くていけねえ」

といいつつも、火鉢の火をかき起こしてかじりつくさまは、ひところよりすっかり老《ふ》け、光乃はなけなしの炭を奮発して、部屋のうちをすこしでもあたたかくしてやるのであった。

太郎は火鉢に手をかざし、ときどき揉《も》み合わせながら、

「坊ちゃんもここで腰を据えてじっくり芝居も出来るってもんだ。しかしお光つぁんや、暮らしのほうはうまくやれているのかい？」

と聞いた。

太郎がわざわざ訪ねて来てくれた目的は、このことだったのか、と光乃はすぐ判ったが、何もいえず、

「はい、どうにか」

と俯《うつむ》いて答え、てのひらで火鉢の縁をなでている。

「暮らしにくい世のなかになったもんだねえ、役者のもらう給金だけでは、窮屈で窮屈で、手も足も出やしねえ。しかも悪いことに、日本国中、どこへ行っても皆さまご窮屈かといえば、あるところにはちゃあんとある。

毎晩毎晩、芸者総揚げのお大尽もいるし、チンピラ野郎がポケットから無造作に札束出してパッパッと派手にヤミ市で買い物なんぞしてやがる。そのかたわらで、食いたいもの着たいものぐっとこらえ、歯をくいしばって暮らさなきゃならないのは、口惜《くや》しいもんだねえ。

とりわけ役者にとっちゃあ、我慢は毒だ。舞台の勤めは一カ月貼《は》り付けの箱詰めのようなあんばいだから、その反動ではねたあとはぱあーっとこう発散したい気持ちはよく判るが、いまはそういうことも出来なくなっちまった。

なあお光つぁんや、平たく聞くが、お前さん坊ちゃんから給金はもらってねえんだろう？　いつからなんだ？」

と、太郎に顔をのぞき込まれ、光乃は困り果ててさらに俯くのへ、

「やっぱり聞くのは野暮か。おいらだって身分をいやあ菊間家の使用人だ。このせつ、給金もらったって煙草《たばこ》銭にも足りねえくらいのものだが、ま、おいらは菊間に生涯奉公だと腹をくくっている。

大旦那《おおだんな》も『お前の死に水はおれが取ってやる。安心しろ』なんて、年からいやあまるきりあべこべだが、そうおっしゃってくれているんだ。

そこへいきゃ、お前さんはまだ若い。坊ちゃんとは確か七つ違いだから、ことしは三十一歳か。世間を見る目も少しは出来、これからは何でもできるという、いい年ごろなのに、坊ちゃんのそばでいつまでも苦労させておくのも、あんまり済まないことだと思ってねえ」

太郎の言葉は光乃の不安を急にかき立て、

「そしたら太郎しゅうさん、私はお暇を出されるのでしょうか？」

と問い返した。

そのひびきには切迫したものがあったのか、

「いいや、そういうわけじゃあ毛頭無《ね》えよ。打ち明けた話をすると、役者の台所はいずこも同じで、困ったぶんだけ会社へせっせと借金を申し込むらしい。

会社の会計係が、昨今はどなた様も前借り前借りでございまして、会社は会社でその

ぶん銀行さんに頭を下げてご融通頂かねばなりません。まるで突き鉄砲みたいでございますが、鉄砲の玉の当たり先はやっぱりお客さまの木戸銭ということに相成りますか、頭の痛い話でございます、ってこぼしていたのを聞いたことがあるんだ。

もちろん大旦那も坊ちゃんも、前借申し込みの口でこのところしのいでいるが、旦那は分別ってものを弁《わきま》えていなさるものの、坊ちゃんはこれまでに金の苦労ということはしたことの無《ね》えおひとだから、きっとお前さんにずい分しわ寄せが来ているんじゃねえかと、おいら気になってならなかったんだよ」

という太郎の説明は、そのまま素直に光乃は受け取ることが出来、久しぶりに心もひらいて、

「有り難うございます。太郎しゅうさん。でも私は、坊ちゃまからじきじきお暇を頂戴《ちょうだい》するまでは置いて頂くつもりにしております。

坊ちゃまがチフスに罹《かか》られたときから、私はもうお給金なんて考えたことはありませんし、また坊ちゃまは私がおそばにいなければ用の足りないお方だと思っています。

それに」

と光乃はいいよどんだが、あのうれしさをせめて太郎にだけは告げたくて、

「坊ちゃまは、先日ご自分のネクタイと一緒に私に高価な香水を買って来て下さいました。

何でもフランス製のアルページュという名前の、それはそれはやさしい香りで」

と説明すると、太郎はふっとさえぎり、

「そうかい」

とはいったが、そのあと、

「それはよかった」

とはいわなかった。

その言葉の代わりに、火箸《ひばし》を取って灰をならしながら、

「あのおひとに、金を持たせるとそうなっちまうんだ。

役者の小遣いを、米代にまわせ、というようなことはいいたかねえが、ま、ご時勢だからな」

とぽつんというと、それっきり黙りこんでしまった。

太郎の言葉を、光乃はのちになっていく度も胸に呼び返し、考えることになるが、このときは何よりも雪雄の自分に対するいたわりを太郎にも知ってもらいたく、そしてもうひとつは、

「この頃は、お米は着物となら手に入りやすいそうですけれど、私にはろくな着物もありませんので、坊ちゃまに申しわけなくて」

という自分の気持ちも、太郎にだけは伝えておきたい思いもあった。

太郎は何を思ったか、憮然《ぶぜん》として話題を変え、しばらく世間話ののち、光乃が、

「ぜひ泊まっていらして下さい。蒲団《ふとん》は柏餅《かしわもち》にでもして寝られますから」

という請《こ》いを振り切って、夕方近く、粉雪のちらつく道を、桜上水へと帰って行った。

光乃にすれば、奉公以来、太郎の忠勤ぶりを見倣《みなら》って励んで来ただけに、ここまで雪雄に仕えて来た自分に対して、せめて慰労の言葉でもかけてくれるものと思っていたが、太郎は何もいわず、別れぎわに、

「ま、体に気をつけな」

といっただけであった。

考えてみれば、昔から宗四郎をはじめ役者一般、金はなくても金の話は口にせぬという意気を持っていたが、この頃のように急激なインフレに巻き込まれては誰も虚心でいられず、太郎も何より雪雄の世帯を案じてのことではなかったろうか。

そしてこのインフレ対策として二月半ばには新円発行金融緊急措置令が出され、旧円の預金は封鎖されて一人一カ月五百円ずつ新円で引き出すことを許されるという、極めて不自由な生活を強いられることになった。

この結果、金よりも物がものをいい、食糧と交換するため、農村に向かってどっと衣料が流れ込んだといわれるが、交換すべき衣料を持たない被災者の困窮は底をついた感じであった。

しかも暮れからはじまった天然痘の流行は、春になって発疹《はっしん》チフスとともに猛威をふるい、そのため大阪歌舞伎座では二十日間も興行中止になったほどであった。

東劇一月の「茨木」を勤め終えると、雪雄の二月は休み、三月も役の指名はなく、ときどき時間を持てあますようになった。

母屋《おもや》の章一郎とともに、釣り竿《ざお》を担《かつ》いで出かけるのは雪雄のいちばんの楽しみだが、これも毎日というわけにいかず、あとは、日曜ごとに駅前の煙草屋で売り出される七円のピースか、十円のコロナを手に入れるため、長い行列に加わることもある。

焼け残りの芝居小屋は至って少ないため、役者も毎月出演というわけにはいかないが、それでも二カ月休み、翌月の見通しも立たないとなれば、焦《あせ》りも出てくるのは当然で、三月の半ばごろから、雪雄はときどき大酔して帰るようになっている。

終戦の年から密造酒が横行しはじめ、そのなかにはメチルアルコールをひそかに混ぜて量を増やしてあるのもあり、これを飲んで失明したり死亡したりの事故が相次ぎ、毎日のように新聞紙上を賑《にぎ》わせているのを見て、光乃は心配でたまらなかった。

雪雄は体裁を気にするたちだから、どんなに誘われても、バラックであやしい酒を立ち飲みするような真似《まね》はするまいと思われるが、この頃の酔いかたを見ていると、安心してばかりもいられぬふしがある。

深酒の翌朝はなかなか起き上がれず、やっと目覚めても頭を振って、

「ノーシン！」

などと怒鳴り、薬を飲んでまた寝てしまうというような有りさまで、こんな日ばかり続くと坊ちゃまはまた病気になりゃしないかと気を揉むけれど、意見めいたことは何もいえなかった。

その日は三月十五日、光乃が何故はっきりと覚えているかといえば、この日から都電都バスが一せいに二十銭から四十銭に値上げされたためで、朝、邸内の大根畑の葉を抜いてざるに入れ、届けてくれた母屋のおかみさんが、

「倍に値上がりするなんて、ずい分だわねえ。これではどっこへも行けやしない」

とこぼして行ったのが、妙に耳の底に残っている。

雪雄はおそく起きて朝昼兼用の麦飯を食べたあと、いつものとおり、行き先も帰宅時間も何もいわず、

「ちょっと出かけるから」

と、裏木戸から出て行った。

この木戸わきの白梅がもう散りがてになっており、光乃は母屋のほうをうかがってから、ほんの小枝一ふし折らせてもらい、それを牛乳びんに挿して卓袱台《ちゃぶだい》に置き、眺めた。

この家に越してきてから何故か体がだるく、食欲もずっと無いが、今日は春光うららかのせいか気分が明るく、久しぶりに姉たき子に手紙を書こうと思った。

たき子とは、互いに筆不精故《ゆえ》にまめに便りをやりとりするわけではないけれど、一身上の変化や、住所の移動くらいは葉書で知らせ合ってはおり、つい一週間ほど前、山形からの手紙をもらったばかりであった。

指折ってみると、久吉との縁談の相談のため、寒い日比谷公園で会って以来、顔を合わす機会はないが、その半年ほどあとたき子は結婚し、いまは子供二人に恵まれ、また弟幾也もつい先頃、嫁をもらい、ただいま当歳の赤ん坊がいる。

よいことに、父親も健在で、この姉弟一家とともに戦争中から山形の在の石灰山の仕事に就き、全員無事にすごしている様子であった。

お父さんをはじめ、皆さんお変わりありませんか。私も元気で暮らしております。

と鉛筆でここまで書けば、あとはお決まりの、食糧援軍たのむの文句だけれど、光乃は考えてから鉛筆を置いた。

たき子が小岩にいるときは、一声かけてもらえばまずまず調達もできたのに、いまはもう遠い山形の在にいる。たき子のもとの知り合いとも縁が切れているかも知れないし、連絡の方法もないのかも知れない。

が、光乃がいまもっと心臆《おく》するのは、現在自分の預かる財布の中身のことであった。

太郎と離れ、雪雄と二人暮らしになって以来、ずっと賄《まかな》い費は直接光乃に手渡され、光乃はそのなかでやりくりしていたが、野沢に来てからというもの、その金額はぐっと少なくなり、忘れているかと思えるほど、間遠なときもある。

先ごろ太郎にこぼしたように、こんなとき、ヤミ市へでも上等の着物を持ってゆけば、喜んで米と取り換えてくれるのに、とどれだけ口惜しくなさけなく思ったか知れず、雪雄に好物の膳《ぜん》をととのえてさし出せない自分の不甲斐《ふがい》なさを、毎日のように嘆いているのであった。

以前、日帰りで行徳へ買い出しに行ったときは、たき子の口利《くちき》きでもあったろうが、

「鶴蔵さんに食べて頂くお米だから」

と、どこの農家でも喜んで融通してくれたし、こちらもまた、一升百円の米なら心づけを込めて百二十円、百五十円を手渡したものであった。

そういうときの晴れがましさ、芝居者にはお祝儀《しゅうぎ》がつきもので、手をさし出して釣り銭をもらうなど野暮の骨頂、という気風がいつのまにか身についてしまった自分を誇らしく思ったりした。

しかしいまの光乃の気持ちをいえば、百円の米なら九十五円にでもして欲しいものの、それをたき子にしたためて頼むということはやはり出来兼ねる思いがある。

かつてたき子が、みいちゃんが宗四郎さんちに奉公しているのは、塚谷一家の唯一《ゆいいつ》の自慢だと話してくれたことは光乃の脳裏に灼《や》きついており、手紙には以前にも増して、

お値段はいくらでも結構です。手に入るだけ買って下さい。

と書かねばならないはずであった。

やっぱりいましばらくは我慢しよう、と光乃が便箋《びんせん》をたたんだとき、台所口から、

「ちはっ」

の声がかかり、

「相模《さがみ》屋ですが、こんちご注文は？」

という魚屋の御用聞きの声があった。魚もいまだ配給だから、もちろん相模屋が御用を聞きにくるのはヤミの裏口営業で、しかもそれを警察へ告げる心配のない家に限っている。

「今日はいいわ。頂きものがあるから」

とこのところ毎日のように断りながら、魚ももう久しく料理したことはないと思った。

その夜のこと、小さな茶簞笥《ちゃだんす》の上の置き時計が十二時半をさしたころ、裏木戸を開ける乱れた足音がし、酒気を帯びた雪雄が戻ってきた。

「お帰りなさいまし」

と手をついて挨拶《あいさつ》し、

「何か召し上がりますでしょうか」

と伺うと、雪雄はどっかとあぐらをかき、

「召し上がるってお前、食うもんあるのかい？　おれの好きなフグにこのわた、ずらり

と目の前に並べてみな。いますぐ、出して来な。

このごろのように、いつも真っ黒な麦飯か粥《かゆ》ばかりじゃ、いい加減こちらの了簡《りょうけん》も狭くならあな」

と今夜はまたとくに過ごしているらしい。

ふだん無口の反動からか、一旦《いったん》酒が入るととめどもなくからむくせで、毒のある言葉を次から次へと口にする。

ときどきふーっと吐く息がいつもよりずっと酒の匂《にお》いの濃いのを感じて、光乃はいおうかいうまいか、と迷っていたが、今朝の新聞でまた、メチール混入酒の害が拡《ひろ》がるため検査所開設、という記事を読んだばかりのこともあって、つい、

「悪いお酒が流行《はや》っておりますそうで、坊ちゃまも少しお控えなさいましたら」

といったところ、雪雄のこめかみがみるみる怒張し、あ、いけなかった、と光乃が悔やむより早く、突然立ち上がり、

「おれに意見する気か」

と、頬に平手が来た。

思わず自分のてのひらでかばうと、続けざまに肩を蹴《け》られ、転んだ光乃の体の上から、信じられぬ言葉が降りかかった。

「お光、お前には今日限り暇を出す。どこへなととっとと出て行け」

まあ、悪いおふざけを、と光乃が髪に手をやりながら身を起こすと、青ざめた雪雄の目は据わり、まんざら冗談の雰囲気とは思えなかった。

ゆらゆらとしばらく立っていて、やがて尻餅《しりもち》をついて坐《すわ》り、ふたたび、

「いいか、お光。おれにはもうお前を養う資力はないんだ。明日になったら荷物をまとめて、好きなところへ行け。判《わか》ったな。いいな」

というなり、畳の上にぱたりと倒れ、

「ああ、おれはもう駄目だ」

と、二度ほど投げやりに呟《つぶや》いたと思うと、それっきり軽いいびきをかきはじめた。

光乃は、夜具をかけてやるのも忘れ、その姿をまじまじと眺め続けた。

奉公以来、このひとからは罵《ば》詈《り》讒謗《ざんぼう》雨あられと浴びせられて来たが、いままで暇を出す、などとは一言半句たりともいわれたことはなかっただけに、この言葉は大きな衝撃であった。

何故突然私にお暇を、何故？　何故？　といくら考え直しても格別思い当たるふしはなく、あるとすれば、この頃の世帯の窮乏を救う才覚が自分にないことだけれど、これはもう、いまでせいいっぱいだと自分では思っている。

雪雄もそれを知っているからこそ、先日のように、高価な香水を贈ってくれたのだと考えたく、あれこれ思い合わせると、やはりさっきの言葉は酔ったまぎれのたわむれ、

と取りたかった。

いまは誰も彼《か》も不如意《ふにょい》だし、人の心もずい分と荒《すさ》んでいる、坊ちゃまのように潔癖な気質のひとは何につけ腹立たしいことも多かろう、いちばん当たりやすい身近な自分に、そのうっぷんを晴らしたのだと、光乃は波立っている胸を撫《な》でさするようにして治め、雪雄にそっと蒲団をかけてやるのであった。

しかし、どんなことがあろうと、雪雄のそばを離れる日は来はしまいと固く考えていたものが、さっきの一言でぐらぐらと揺れはじめたのは、光乃にとってこの上もなく悲しいことであった。

不安におびえ、一晩まんじりともせず朝を迎え、昼近く起きて来た雪雄の洗面、食事を手伝いながら、昨夜の言葉のわけをもいちどお伺いしてみよう、といく度思ったことか。

しかし真実であれば何よりも恐ろしいし、たわむれであればもうお忘れのはず、と占って、いつもどおりこちらからものをいいかけることも控えていたが、雪雄もまた何もいわなかった。

もともと用がなければ会話もない二人で、行き先、用件、帰宅時間も、本人の気が向いて話さない限り、光乃が聞くことはない習慣だったから、食事のあと新聞に目を通し、雪雄はまた黙って出かけて行った。

送り出して裏木戸を閉めたあと、光乃はほっとし、昨夜のことは、ひょっとして自分の見た凶夢だったのかも知れないと思った。先日の太郎の言葉もまだ耳に残っており、自分のいちばん怯《おび》えていることが無意識のうちに夢となって脅《おびや》かしたのだと思った。

掃除し、洗濯し、煮炊《にた》きもし、そして何事もなく春の永日が暮れ、時計を見い見い、足音を待っていると、昨夜と同じ時刻、雪雄はまた明らかに酒が入っていると思われる姿で戻って来た。

このところ珍しいことではないが、昨夜と同じく今夜も暗い表情で少しよろめきながら座敷に上がり、

「お光、まだお前ここに居坐っているのか」

と怒鳴った。

「あれほど、今日限り出てゆけ、といったのが聞こえなかったのか。昨夜、おれのいったことを、お前は冗談だと思ったろ。冗談じゃあねえよ」

と雪雄はいい、

「枕《まくら》」

と、光乃に持って来させ、それをあてがってごろりと寝転び、

「おれはもう駄目なんだ」

と、また呟いた。

いま言葉を返してはまた手が飛んでくる、とは思ったが、これだけは確かめたくて、

「何故でございますか」

と聞いた。

「何故ってこたあねえ。おれが暇を出すといったら絶対だ。それ以上聞くな」

というなり横向いてしまった。

気まぐれかと思ったのに、やはり本気だった、と知ると、光乃の胸の底から噴き上げてくる激情があり、それを言葉にするにはあまりに多すぎ、何からいえばよいか判らず、ただ体中わなわなとふるえてくる。

「明日、出てゆけ」

とふたたび雪雄がいったとき、光乃はこらえ切れず、声を挙げて突っ伏した。

「あんまりでございます」

となじろうとして言葉にならず、背を波打たせて泣き続けるのへ、雪雄はなお横向きのままで、

「お前の顔を見るのももう嫌だ。ここから消えてくれ。おれの目の届かないところへ立ち去れ」

と重ねていい、

「判ったな。判ったら灯りを消してさっさと寝ろ」

と怒鳴り、それ以上もう何も聞くなということらしかった。

光乃は泣きながら立ち上がって電灯のスイッチをひねったが、眠るどころではなく、闇《やみ》のなかに坐ったままでいる。

何がお気に障《さわ》ったのか、突然私に暇をやるとは、やっぱり私は女中でしかなかったのか、と考えるのが何よりつらく、我が身のなさけなさに、涙はとめどなくあとからあとから溢《あふ》れてくる。

出てゆけ、といわれても、私にいまさらどこへ行くところがあろう、十八で菊間に来て以来、このひとの影の形に添うようにつき従って来てもはや十三年、この年月はただならず、心身ともにこの家のひととなっているものを、何とむごいことを、と泣き続けている光乃に、眠っているとばかり思っていた雪雄から、闇の中で声があった。

「お前も知ってのとおり、おれは一月の東劇に出たっきり、二月三月、そして来月も声はかからねえ。

金の話を自分からするほどおちぶれたかあねえが、このせつはうちの番頭も取り仕切ってはくれねえ。

仕方なくおいらの手で金の調達もせにゃならぬご時勢になっちまった。

役者が舞台がないときゃあ、会社から休金《やすみきん》がもらえるが、これはほんの涙金さ。考えてもみろ、三月《みつき》も遊んで、どうやって食ってゆけるか。

借金まみれになるのも、しょうがねえだろうが」

と低い呟きだけれど、それはいまの境遇のやるせなさと憤《いきどお》りを込めた声音であった。

しかしこういう事情はほぼ察していたこと、それに「役者子供」のひとたちが、急に世智《せち》に長《た》けてこのインフレをうまく漕《こ》ぎわたれるはずもなし、雪雄に限らず、借金に苦しめられている例は少しも珍しい話ではなかった。

光乃は、自分に落ち度がないのであれば、ここに置いてほしく、何より雪雄の許《もと》を去るつらさを訴えたかったが、それを口ではいえなかった。辛うじて、

「私は貧乏はいといません」

と小さな声でいうと、苛立《いらだ》っている雪雄の、

「お前はやっぱり出ていってくれよ。おれももう役者廃業だ。何をするにも年功序列、若いもんの頭を押さえつけるばかりのこんなイヤな世界にはさっぱり見切りをつけて、どこか遠いところへ行くつもりしている。お前がいれば足手まといだ。自分のことは自分で始末つけてくれよ」

という述懐ははじめて聞くもので、その心根を知ると光乃はいっそう去り難く、

「私もご一緒にお連れ下さいませ。どんな苦労でもいたします」

と、ありったけの真実を込めていったが、それに対して、雪雄は、

「うるせえな」

と一蹴《いっしゅう》し、

「お前のことは、もうめんどくせえよ。いいかい、引導渡したぜ」

と、けりをつけ、その言葉を最後に、厚い闇のなかでいくら呼びかけても、もう雪雄の返事はなかった。

光乃はもんぺの紐《ひも》もゆるめず、正座したまま、雪雄の寝姿にじっと目を当てた。

闇は濃いが、目が馴《な》れてくると、刺子《さしこ》袢纏《ばんてん》のままで横になっている輪廓《りんかく》が浮かび上がって来、寒いのか脛《すね》を曲げているのが判る。このお方はとても照れ性だから、灯りを消してしまったけれど、きっと向こうむいて泣いているに違いないと思った。

戦争末期以来、住所を転々とした挙げ句、借家ながらやっと自分の力で宿も見つけ、「茨木」で出発だと喜んでいたのに、翌月から仕事もなく物価は上がり、預金封鎖で身動きもならなくなってしまった。

この境涯から抜け出したい焦《あせ》りは判るけれど、お前のことはもうめんどくさい、ではあんまりだと、光乃はなさけなかった。

じっと石のように坐って考えていると、光乃の脳裏には雪雄との出会いの日からのさまざまの光景が、つぎからつぎへと浮かんで来る。

渋谷の家の階段下で、はじめて雪雄の顔を見たとき、まるで雷に打たれたような衝撃を受けて以来、ふしぎにもいく度かの危機をのりこえ、ずっと離れることなく雪雄に寄り添い、とうとうここまで来てしまった。

考えればチフスに倒れたときから、このひとのために一命を捧《ささ》げ、ここより他、生きる場所はないと決めて従って来た身が、いまになってお暇とは、いかにもむごい仕打ちだと思う。

築地の家の二階で、あの思いがけない一夜を迎えたあと、光乃はすぐ圭子のことを思ったが、それは決して、彼女と肩を並べる身分になったことを喜ぶ気持ちではなくて、むしろ自戒の念であった。

どうかして人に知れずにいたいと思い、太郎にさえ隠しとおし、八王子の暮らしから給金が途絶えても、それはこうなった身の当然、と受け取り、催促どころか、ヤミ米のやりくりにまで自分の郵便貯金の通帳からおろしては補い、愚痴もこぼさず、むろんそのことは雪雄には何も知らせずに来ている。

かたちからいえば正しく夫婦、しかも毎月お手当てをもらっていた圭子よりももっと確かな夫婦にちがいないけれど、そういうことを考えるさえもったいないと思い、まして口にするなど、夢にさえ浮かんだこともない。

いま光乃の思うのは、雪雄は、一見放埒《ほうらつ》とは見えてもその実とても几帳面《きちょうめん》だし、もう五、六カ月も光乃に給金を払ってないのを、内心ひどく気に病んでいると考えられ、それでやむなく暇を、といい出したに違いないと察せられるのであった。

光乃は、目の前に横たわっている雪雄に向かって、ありったけの声を挙げて叫びたかった。

「坊ちゃま、何のご斟酌《しんしゃく》が要りましょうか。私は坊ちゃまに命を預けてある身でございます。いまさら給金などにこだわるのは水くさいではございませんか。たとえ二人で乞食しても、私はどこまでも坊ちゃまのお供をいたしとうございます」

しかしそれは胸のうちで繰り返すだけで、相手には届きようもないものであった。

また光乃は、一旦《いったん》いいだしたら後へひかない雪雄の気質も十分呑《の》み込んでいるだけに、

「そうかい、そんならいまの言葉は引っ込めるよ」

などと、どう間違っても意気地のない弱音は吐かないことを知っており、やはり、明日になれば必ず、無慈悲な別れを強いられることになると思った。

雪雄は眠っているのかどうか、寝息さえ立てず、置き時計の時を刻む音だけが部屋中にひびいているなかで、やがてしらじらと夜が明けた。

いくら考えても考えてもどうどうめぐりの長い夜だったとも、或《あ》いは、何を考える暇もない短夜《みじかよ》だったとも感じられたが、長いあいだの習慣から朝が来れば立ち上がり、家のまわりをまず箒《ほうき》で掃き清める。

自分でも判るほど目が腫《は》れているのに、いまだ涙はじとじととにじみ、ともすれば、その場にしゃがみ込んで泣き声を挙げたくなるが、それは思うだけで、外から見ればい

とも平静に、ふだんどおり立ち働いているかのようであった。

しょせんは雇われている身のこと、突然別れが来たとてどうして主《あるじ》を怨《うら》むことが出来よう、と自分にくり返しいい聞かせながら、光乃はせめてもの心づくしに米櫃《こめびつ》をさらって白米を炊き、とっておきの煮干しや味噌《みそ》も出して、味噌汁も作った。

雪雄が起き上がり、庭に出てのびをしながら、

「今日はいい天気だな」

といっているのが、光乃の耳にはわざと上機嫌を装《よそお》っているように聞こえる。

天気の日はいつもそうするように、ホウロウの洗面器になみなみと水を張り、それを梅の木のもとに運んで歯ブラシをつかっている姿を見て、光乃は熱いものがのどもとにこみあげてくる。

このお方とのいく夜、いく十夜の臥床《ふしど》の思い出、あれはやっぱり幻だったかも知れない、とそんなことを思いながら、膳《ぜん》の上に茶碗《ちゃわん》を並べているとしばしば手もとが狂い、このせつ貴重な、湯呑みひとつ、床に落として割ってしまった。

膳の前に坐った雪雄は、

「今日は章さんと釣りに出かけるからな」

といい、ひょっとしてお気が変わったのでは、と万にひとつの望みをつないで、

「遅くおなりでございますか」

と小さな声で伺うと、さすがに雪雄は茶碗をおいて、

「すまねえがお光、昨夜いったとおりだ。おれが帰るまでには、出てってくれ。行き先の手当てもしてやれねえが、おれ自身さえこれからどこへ流れつくか知れねえ境涯だ」

と憮然《ぶぜん》と呟《つぶや》き、涙を拭《ぬぐ》う光乃に向かって、

「泣くな、ここを出ればお前にはいい道が開けるかも知れねえじゃねえか」

泣きつづけている光乃のわきで、雪雄は自分で釣り竿、魚籠《びく》、などの用意をし、最後に跣足袋《はだしたび》の小はぜをかけ、わざと光乃の顔を見ずに、

「お前には何もしてやれなかったな。出てゆくときには、この家のなかにあるもの、何でもいいから持って行きな。どうせろくなものもありゃしないが。

それがおれの餞別《せんべつ》だ」

といったとき、光乃はとうとうこらえ切れず、大声を挙げて泣き崩れた。

別れるなんて嫌です、嫌です、と心では絶叫しているのに、雪雄の背にとりすがることも出来ず、ただ泣くより他になすすべのない自分を、どれだけはがゆく思ったか。

釣り竿を担《かつ》いで母屋《おもや》のほうへ去った雪雄の後ろ姿を、光乃は長いあいだ、放心状態で見守っていて、ふと気がつくと全身から力が脱け切っており、ようやく座敷に戻ったとき、まず、思ったのは、自分が去ったあと、坊ちゃまはいったいどうなさるかしら、と

いう心配であった。足かけ十四年、そばに仕え、雪雄の顔いろを見れば欲していることが判り、すべて先に廻って用を足して来た自分が、今日から突然いなくなれば、ちり紙の置き場所ひとつさえ判らないのではないかと思うのであった。

光乃の脳裏には瞬間、家のなかの整理を理由に、せめてもう一晩、ここにいたい、という考えが浮かんだが、しかしそれは、雪雄をよく知る者としてはできない話であった。朝、餞別の心づかいまでして出ていった男が、今日からは一人、ときっぱり定めて戻ったところ一切は元の木阿弥《もくあみ》、となっているのであれば、どれほどに怒り狂うか、これは容易に想像ができる。

その挙げ句には殴る蹴《け》ると荒れかねず、いままでその被害を受けている身にすれば、考えただけでおそろしい。

やっぱり今朝のうしろ姿が別れだった、と光乃は涙を拭い、台所を片づけ、ていねいに掃除し、簞笥《たんす》のなかを整理した。家事をしているあいだはいく分悲しみも薄らいでいるが、すべてを終えたとき、光乃はあらためて、途方に暮れる想《おも》いであった。

あまりにも唐突だし、いままでこの家より他の暮らしなど念頭にもなかっただけに、さてどこへ行けばいいやら、思案は浮かばず、涙だけが体のどこかに泉でもあるかのように流れ落ちてくる。

とりあえず貯金帳をひらいてみると、毎月給金をいただいていたころ、十円、十五円、とそのほとんどを積み立てて来たものが、ここのところ、食糧の調達に桁《けた》ちがいの金額でときどきおろされているものの、それでもまだ一日や二日、旅館でゆきさきの方針を定めるだけの準備金としては残っている。

はや陽は西に傾き、時計を見ると四時に近い。郵便局で金をおろす締切りの時間は迫っており、光乃は急いでよそゆきのもんぺに着替え、わずかな荷物をトランクに詰め、裏木戸から出た。

家を出るとき、六畳のまんなかに立ってもういちど見廻し、雪雄が帰って来て、着替える浴衣《ゆかた》は乱れ籠《かご》にきちんとはいっているか、茶箪笥のなかの茶缶に茶の葉は入れたか、鏡は曇っていないか、卓袱《ちゃぶ》台《だい》に埃《ほこり》はないか、ひとつひとつ目を当ててから、最後に、神棚のわきに幾重にもハンカチで包んでおいてあった、香水を押し戴《いただ》いてからトランクの隅に入れた。

いまはこれだけが雪雄の形見、と思い返すとまたせつなく、ともすればまた坐り込みたくなる自分を叱《しか》りながら、駅の方向に向かう。駅前の小さな郵便局で金をおろし、仕方なく玉電に乗りはしたものの、後ろ髪引かれるとはこのことか、体は鉛のように重く、足はほとんど前に進まなかった。

渋谷に着き、あてどもないまま、ハチ公前のベンチに腰をおろし、考えてはみたが、いくたび思案を重ねても、光乃が頼る先といえば身内より他にはない。

太郎の顔も浮かばないわけではないけれど、彼とて同じ雇われびと、昔は太郎の言葉を雪雄も素直に聞いたのに、老いた太郎の意見では逆に告げ口した自分が激しい叱責《しっせき》を受けるのは見えている。

そしてつい三日前、山形のたき子に向かって手紙を書こうとしたことを思い出し、これもやはり縁か、と光乃は自分にいい聞かせた。しかし、雪雄のお付き女中としての身なら、身内も歓迎してはくれるだろうが、暇を出されて何の後ろ楯《だて》もなくなった自分を、父や姉がどんな気持ちで迎えてくれるだろうかと考えると、目の先はたちまち暗くなる。

やっぱり山形へは行けない、と思いつつ立ち上がり、そのあたりを歩いてみたが、つぎに光乃が足を向けたのは郵便局であった。

アシタソチラヘユク、ムカエタノム」ミツノ

という電報を山形へ向けて打ったとき、全く支離滅裂の自分に呆《あき》れる思いだったが、いまはそういう我が身を叱る気力はなかった。

そしてふらふらと上野駅まで行ったものの、また心臆《おく》し、あと退《ずさ》りする思いで駅のなかをうろうろし、気がついたときには不忍池《しのばずのいけ》のそばに立っていた。

ああ、ここは十八歳の春、桂庵《けいあん》を訪ねて考え惑い、柳の木のわきに佇《たたず》んで決心を呼び起こしていた場所だった、とたちまち十三年前の記憶がよみがえり、いまふたたび、迷い、悩んでここに立っている自分の運命を、また振り出しに戻ってしまった、と思うの

であった。

その夜光乃は、池《いけ》の端《はた》のバラック建ての旅館を捜し、宿泊の目的をさんざん根問いされた挙げ句、玄関わきの狭い一室をあてがわれ、ようやく身を横たえた。

あとで考えれば、ここはこの頃流行《はや》りのパンパン宿のひとつであったらしく、夜更《よふ》けて二階からはときどき嬌声《きょうせい》が聞こえてきたりしたが、光乃にとっては、旅館でたったひとり泊まるなど初めての経験だっただけに、こんなものかと思ったし、それに他の部屋のもの音に聞き耳をたてるほどの気分のゆとりは全くなかった。

素泊まりという約束で、白湯《さゆ》一杯もらっただけで、固い蒲団《ふとん》にもぐり込むと、このところ二晩ほどほとんど寝てはいないこともあって、すぐさま眠りに落ちたらしい。

何時ごろか、光乃は突然、腹部に異常な衝撃を受けて目が覚めた。はっと意識が鮮やかになったとき、ふたたび腹の内部から生きているものの動きがあり、

「胎動!!」

と思うなり、蒲団の上に飛び起きた。

何という迂闊《うかつ》さ、赤坂以来、月のものも滞っていたのに、単なる体の変調とのみでやりすごしていたが、自分の胎内には新しい生命が芽生えていたのか、と思うと、顔からは一時に血の気が引き、脂汗《あぶらあせ》が噴き出ているのが判《わか》る。

いまにして思えば、野沢に移ったころから、何をするのもものうく、めんどうになっ

て来ており、そういう自分を、怠けぐせだとばかり、叱りつけながら働いていたことも よみがえってくる。

何よりも、八王子へ荷物を取りに行ったときの、あの激しい車の酔いもいまにしてう なずかれ、そういうあれやこれやの事実を、妊娠とは全く結びつけずにいた自分が、ひ どく悔やまれるのであった。

そうだったのか、子供が宿っていたのか、と、体調の不審はいちどきに解けたものの、 重い困惑が暗黒の壁となってのしかかってくる。

どうしよう、どうしたらいいのか、とおののく我が身を両腕で押さえて頭を垂れてい るとき、三たび胎内の生命は存在を告げ、それを感じたとき、光乃の頭にいや応なく浮 かんだのは、もう死ぬしかないということであった。

自分ひとりの体でさえもてあまし、これから先の生きるあては全くないのに、どうし て子供など産むことができよう、と思うと、折角芽生えた生命とはいいながらも、陽の 目を見ないうち、自分と運命をともにするほうがかえってしあわせかと思うのであった。

死ぬとしたら、どこでどうやって死のうか、と光乃は両手を腹部に当て、暗い部屋の 隅に目を据えながら、考えつづけた。

ここでこのまま、すうーっと意識がうすれて息絶えたらどんなに楽か、と思ったが、 光乃の頭にはまだまだ理性は残っているとみえて、この旅館に迷惑をかけてはいけない、という感覚が頭を擡《もた》げてくる。

考えあぐねて再び横になると、腹のなかには明らかに生きものの住んでいる重さが感じられ、ふっと一瞬、光明に似た感じが過《よぎ》ったが、すぐまたもとの困惑が立ち塞《ふさ》がってしまう。

昔、圭子が肩を聳《そび》やかしながら、

「女は子供を産むのがいちばんよ。強い味方よ。何しろ男には出来ないことなんだから」

と光乃にいい、丈一、笑子をかすがいに雪雄を自分にひきつけておく効果を話したが、光乃は、雪雄の臥床《ふしど》に呼ばれた夜も、ただの一度として、子供が産みたいなどと企《たくら》んだおぼえはなかった。

神の摂理とはほんとうに人間の考える以上のもの、こうして意外にも授かった子供だけれど、手放しで喜べないのは、ひょっとしてこれは罰ではないかとも思う。

光乃の頭の隅には、荘厳《そうごん》なあの霊南坂教会と清純な亮子の面影が深く彫り込まれており、なりゆきとはいいながら亮子を斥《しりぞ》けてしまった罪を、いま問われているのではないかとさえ感じられるのであった。

光乃は、暗い部屋の一隅から、

「えらけりゃ、その子供を産んでみろ。産んで松川鶴蔵の子だと世間に触れて、立派に育ててみろ」

と嘲笑《ちようしよう》に似た声が湧《わ》き出てくるような感じがし、蒲団にひれふして許しを乞《こ》いたい気持ちであった。

光乃は、心なしか少しふくらんだ腹部に両てのひらを当て、口のなかで呟きつづけた。

「ごめんね。ごめんね。一しょに死んでね。許してね。仕方ないの。生きて行けないの」

と、まるで呪文《じゆもん》のように唱えていると、小さな生命は、あわれな母親に同意するかのようにとき折ぴくりと動きを伝えてくる。

夜のしらじら明け、光乃はふっと閃《ひらめ》き、線路に飛び込もう、と思った。

あの巨大な鉄車なら、轟音《ごうおん》とともに一瞬にして自分を死の彼岸に渡してくれるにちがいなく、苦痛もなく目を閉じられる方法としてはこれがいちばんだと考えられるのであった。

そう気付くと、いくぶん気が軽くなり、どうせ死ぬのなら、昨日電報を打ったとおり、やっぱり山形に行き、せめてこの世の名残に親兄弟にそれとなく別れを告げて来よう、と思った。

もはや先のない死出の旅、と思いながら光乃は旅館を出、上野駅から山形までの切符を買った。

駅には浮浪者やもの乞いがあふれており、それらを見て一瞬、何の脈絡もなく雪雄の顔が目の先を過ったが、ふしぎに今朝は、はるかに遠いひとのように感じられた。

さようなら坊ちゃま、さようなら坊ちゃま、と胸のうちで繰り返し、長い行列になってホームで乗車を待っている。が、列車が入ってくると、屈強の男たちは我先に窓から荷物を投げ込んで席を取り、光乃のように考えごとをしながらふらふらしている女が乗り込んだときには、空席など一つもなかった。

それでも座席の枠につかまって直立できているのはいいほうで、発車するとまもなく、揺られて詰められ、まわりのひとたちと団子のように折り重なってかろうじて斜めに立っていなければならなかった。

こんな姿勢でいて、ふと気がつくと光乃は手を当てて腹部をかばっており、死にゆく身の、と自嘲的な苦笑で手を離すのだけれど、またいつのまにか肘《ひじ》を張り、両隣からの圧力に対し、壁を作っているのであった。

東北本線を福島で乗り換え、またもや人波に押しひしがれながら、ようやく山形の駅に着いたのは、午後三時頃ではなかったろうか。

東京に較《くら》べると、こちらの三月はまだまだ寒く、身をすくめながら改札口を出ると、一どきにわあーっと歓声が上がって取り囲まれ、その中心になつかしいたき子の顔があった。

一連隊は、光乃とは初対面のたき子の夫、勝《まさる》をはじめ、六歳、五歳の二人の男の子、それにすっかり大人になった幾也《いくや》と、赤ん坊を抱いたその嫁むつ子、そしていちばん後ろに立って、老いた父が笑っている。

光乃は、底なし沼に沈んでゆくようだった胸のうちにぱっと陽が差したような思いになり、何も彼《か》も忘れて、皆と一しょに声を挙げた。

こういうときの連隊指揮者は昔からきまってたき子であり、

「みいちゃん立ちどおしだったろ？　駅前に旅館取ってあるからそこへ行って休みなよ」

といえば、光乃を取り巻いて一団は賑《にぎ》やかに移動し、二階の一間に落ち着いた。

勝は人のよさそうな亭主で、小岩に住んでいるとき、近所へ働きに来ていた水道工事夫だったという。二人の男の子も父親似でおとなしく、たき子はこうして自分の一家をなしていても、以前どおり塚谷の家の長女としての貫禄《かんろく》を失っていないのを見て、光乃は頼もしく思った。

幾也の嫁もつつましいひとで、赤ん坊をおぶっていながらも何くれとなく舅《しゅうと》の清太郎に気をつかい、また甥《おい》に当たる二人の男の子の世話をするのも、見ていて快かった。

一家は山形市の西郊にバラックの社宅をもらい、石灰の採掘工事に従事しているそう

で、うち見たところ、まずまずの暮らしをしているように感じられ、何よりもたき子が父親をなお一家の柱として立て、

「お父つぁんはね、すこし耳が遠くなったけど、これでも昔取った杵《きね》づかってやつで、人夫を集めたり、監督したりするのがうまいんだよ。だから結構、お給金ももらっているから、晩酌もできるってわけ」

と、報告するのを聞いて光乃もうれしかった。

頭も髭《ひげ》も真っ白、顔は赤銅《しゃくどう》いろの清太郎は目を細めて光乃を眺め、

「大旦那《おおだんな》はお達者かい？　鶴蔵さんは今度は何を演《や》るんだい？」

こちらにいると、東京の芝居のことは何も判《わか》んねえだから、といいながら聞かれると、光乃はいまの身の上は忘れ、松川家のひととして受け答えしている自分に驚いている。

家族って何ていいんだろう、久しぶりに、とってもいいお湯に、首までどっぷりつかっているようだという感じがあり、ふと、何も彼もぶちまけて、自分もここで子供を産んで、一緒に働かせてもらえたら、と頭に浮かんだが、それは口が裂けてもいえないことであった。

自分をこのように歓迎してくれるのも、松川家に奉公している事実あってのこと、お暇をもらったのを打ち明ければ、一家あげて悲しむだけでなく、光乃の値打ちそのものも地に落ちてしまう。

やっぱり死ぬしか道はない、と思いつつも、皆がいう、「何はなくとも話がごちそう」とばかり、集まった大人たちがぽつりぽつりと互いの消息を語り合うのは、心あたたまる時間であった。

そのわきで、子供二人ははしゃいで座敷中を走りまわり、むつ子は赤ん坊に乳を飲ませたり襁褓《むつき》を更《か》えたり、の至って平和な親密な時間が過ぎると、明朝早いからという勝と幾也夫婦は別れを告げて帰ってゆき、残ったのは、父親にたき子、子供二人と光乃の五人だけになった。

「みいちゃんも勤めが忙しくて、十年に一度も帰れないんだから、お父つぁんがね、これがおれの見納めになるかも知んねって、旅館代をおごってくれるんだってさ」

というたき子の説明を聞いて、光乃は胸中を見すかされたのではないかと、どきんとした。

老いた父親はともかく、せめてたき子にだけでも打ち明けたい誘惑はあるものの、そのたき子も言葉のはしばしに、

「塚谷の家ではやっぱりみいちゃんが出世頭だね。いまをときめく松川家の女中頭つうんだもの。やっぱりみいちゃんは子供のころから頭良かったからね」

とのぞかせれば、咽喉《のど》もとにこみあげている悲しい言葉も呑《の》みくださざるを得ず、迷い続けている。

ひょっとして、風呂《ふろ》にでも一緒に入る機会があれば自分の体が露見するかも知れぬ、とその露見にかすかな期待も抱いたが、真っさきに父が入ったあとは男の子二人が、珍しさもあって、

「おばちゃんと入りたい」

とさわぎ、光乃は馴《な》れぬ手つきで二人を洗ってやる羽目となってしまった。

六畳の部屋に五人、枕《まくら》を並べて足をのばすと、

「光乃は松川家にあげた娘だから、おれの死に水はとってもらおうとは思ってねえだよ。しっかりご奉公しな」

とは、天井向いて寝ている父親のてれながらの説教で、たき子はといえば、

「山形は米どころだけど、これが案外、お百姓さん出ししぶるんだね。松川家へ運ぶんだつって、ようやっと二升だけ分けてもらったよ」

と、光乃がここへあらわれた目的は米の買い出しと受け取り、その達成量が少ないのを、ひとりですまながっている。

この二升の米を担《かつ》いで、明日はどこへ行けばいいのか、と光乃の胸は騒ぎ、まず子供たち、次に隣の父親からたき子へと順に寝息が聞こえはじめたあとも、目は冴《さ》えるばかりであった。

ここはやはり北、夜更《よふ》けると東京よりはずっと寒く、蒲団《ふとん》をぐっと額まで上げてかぶ

り、そのなかで光乃は考えつづけている。

やっぱり松川家と無縁になった娘は、鉄路に散っていったほうが、塚谷の者たちに厄介をかけないですむ、といく度思案してもそこへ行き着き、せめてもの親孝行に、明日はにこやかに清太郎と別れよう、と思うと少し胸も平らになり、障子が白みはじめてのち、わずかにうとうとしたらしかった。

朝陽の当たる部屋のなかで五人は朝食を摂《と》り、時間を見はからってすぐ前の駅舎に向かったが、

「今度はたくさん買っておいてあげるからね。近いうちまたおいでよ」

とさばさばいうたき子に較べ、

「年寄りは明日の日がわかんねもんだ。お前も達者でいろよ」

という父親の言葉は一入《ひとしお》身に沁《し》み、光乃は危うく涙をこぼしそうになった。

まもなくホームへ満員の汽車が入って来、光乃はなるべくデッキにと考えながら、人波を押して乗り込んだ。

光乃が、把手《とって》につかまりながらデッキの端に立っていたのは、駅の柵《さく》にもたれて手を振るみんなに応《こた》えるためもあったけれど、かねて企んでいたとおり、途中飛び降りようと考えていたからであった。

汽車はこぼれるほどの乗客を乗せて動き出し、デッキのひとたちは座席の背や手すり

など、摑《つか》まるものを求めて中へ中へと詰めてゆくなかで、光乃は押されまいと必死に把手を握っている。

ドアもないデッキは、冷たい風が吹きあげ、把手は凍るほど冷たいが、人家の途切れた場所か、或《ある》いは山の中、または鉄橋の上か、などと飛び降りる地点を物色しながら揺れている光乃に、寒さは感じられなかった。

よい場所がみつかっても汽車はあっというまに過ぎ、ぐずぐずしている自分に焦《あせ》りを感じているうち上ノ山に着き、ここではたぶん復員兵と思われるおびただしい数の軍服がどうーっと乗って来て、光乃の体は宙を飛ぶようにして車輛《しゃりょう》のまん中に運ばれてしまった。

通路には二列三列に人が立っていて身動きもできず、子供をおしっこに連れ出そうとする若い母親にさえ道を譲る余裕もなく、かえって、

「子連れは初めっから便所さ入ってりゃええだに」

と罵声《ばせい》が飛ぶ有り様では、福島で乗り換えてのちに望みをかけるしかなかった。

しかし乗り換えてからも、今度こそ、とデッキにへばりついている光乃のかよわい腕など、後から押される強引な力にはあっけなくもぎ離され、ここでも便所の前に立たされ、視界を遮られる羽目になったのはいかにも残念であった。

それでも光乃は、いく度か人波をかき分けて入り口に出ようとしたが、駅ごとに乗っ

てくる人の塊に押し返され、意志に反してどうしても中の方へと詰められてゆく。

このまま東京へ着いてはいけない、もはや場所を選ばず、どこでもよい、目をつぶって飛び降りなくてはいけない、と渾身《こんしん》の力で人をかきわけデッキに出ようとするのだけれど、

「おいおい姐《ねえ》さん、下りるなら駅についてからにしなよ」

「無茶するなよ。みんな我慢してるんだぜ」

とあちこちから浴びせられると、唇を噛《か》んで思いとどまるよりなく、焦燥と絶望で両《りょう》腋《わき》の下から汗がしたたっているのが判る。

便所のドアに鼻をくっつけるようにして立ち、いまどこを走っているか判らぬうち、汽車の速度が落ちて、

「うえのーっ　うえのーっ」

と呼ぶ駅員の声を耳にしたとき、光乃は目がくらみ、思わずその場にしゃがみ込んでしまった。

混雑のなかで通路にしゃがむのは、危険極まりない行為で、事実、下りる客たちの足もとや荷物の角が光乃の背や肩をようしゃなく叩《たた》きのめして行ったが、どんなに我が身に対して掛け声をかけても、光乃は立ち上がる気力はなかった。

立ち上がっても行き先もなし、どうしたらいいか、と便所のドアに頭をもたせて長い

時間、光乃は放心していたらしい。

そのうち肩に手をおかれて見上げると、車掌が立っており、

「大丈夫ですよ。今日は手入れはありませんから」

といい、光乃を助け起こして、

「でも念のため、荷物を背負って駅の周辺をうろうろしないほうがいいですね」

と、教えてくれた。

車掌は、光乃が背負っている風呂敷包みを見て買い出しと思い、警官の手入れを逃れるため車内で時間待ちをしていたものと判じたらしかった。

なるほど、明らかに米とわかる荷を携えて女が駅の内外をうろつけば、浮浪者たちにたかられるのは目に見えており、光乃は礼をいってホームに下り、他に方法もなくそのまま山手線の乗り場に足を向けた。

死のうと思って山形まで暇乞《いとまご》いにでかけた身が、死にもせずもとどおり戻ってきても、事態は何の進展もないが、人間混迷の極み、思考が停止した状態になれば、体は日頃の習慣どおりに動くものらしく、渋谷の駅で下り、ふらふらと歩いてしぜんにやっぱり玉川電車に乗ろうとして、さすがにハッと気がつき、光乃はハチ公前のベンチに引き返した。

野沢へ帰っても、そこはもう自分の住居ではなくなっている、と胸を絞られるように

悲しく、山形ではこらえ詰めていた涙が再びあふれてくる。

渋谷の駅にはもう灯《とも》が点り、人々が忙しそうに行き交いする姿をみつめていると、光乃はやはりたとえようもなく雪雄に会いたかった。

あの濡《ぬ》れたような漆黒の髪、澄んできれいに張った瞳《ひとみ》、とても高貴に見える高い鼻梁《びりょう》、そしてそのひとのしぐさ、ちょっとどもる口のききかた、体の匂《にお》い、他人はこのひとの、舞台の上の化けた姿しか見ていないけれど、自分だけはすべてを知っている、と思うと胸は高鳴り、ときめき、このひとと別れてしまったいまがたまらなく悔やまれる。

そんなことを思い描きながら光乃は二日前からのくせの、片手を腹部に当てており、またもや、その内部からの動きを強く感じたとき、自分でも思いがけなく勢いよくベンチから立ち上がり、まっすぐに玉電の改札口に急いで、上馬までの切符を買っていた。

どんなに頭を絞っても、思い悩んで悶《もだ》えても、死ねなかった自分が帰って行く家は雪雄のもとしか無い、と気付いたとき、内部の生命は、

「そのとおりですよ。私のお父さんのそばに戻ってあげて下さい」

と無言で励ましてくれているように感じられ、いまは、この新しい生命だけが何ものにも勝る自分の味方、と思うといっそう涙は溢《あふ》れてくるのであった。

暇を出した者が、舞い戻って来たとなると、一徹な雪雄はどのように怒り狂うか、考えただけで恐ろしいけれど、光乃はその鉄拳《てっけん》の雨のなかへ、いまは進んで身を投げ出そ

うと思った。

どうせ一度は死ぬ覚悟を定めた身、雪雄に殴られ蹴《け》られ、折檻《せっかん》の挙げ句死んだとしても、それは知らぬ土地の鉄路の上で果てるよりも、本望というものではないかと考えると、少しずつ気持ちは落ち着き、おそろしさもだんだんと薄らいでくる。

上馬の駅に下り立ち、ちらと通りすがりに柱鏡をのぞくと、髪はそそけ立ち、顔は埃《ほこり》にまみれており、光乃は駅舎の隅に身を寄せて手櫛《てぐし》で髪を撫《な》でつけ、ハンカチで顔を拭《ぬぐ》い、もんぺをはたいてから二升の米の荷を背負いなおした。

春の永日ももはやとっぷりと暮れ、歩きながら煙草《たばこ》屋の柱時計をのぞくと、八時半を指している。

坊ちゃまは夕御飯どうなすったのかしら、と反射的に頭に浮かんだのをすぐ打ち消し、馴《な》れた畠《はたけ》のなかの道を辿《たど》りながら、光乃は、長い旅からいま、おみやげをたくさん抱えて戻るところだという気がしてならなかった。

顔を見るなり追いかえされるかも知れないけれど、そのときはそのとき、と腹を据えればなつかしさばかりが溢れて来、ほとんど小走りに駈《か》けて、柴垣《しばがき》のなかの裏木戸の前に立ったとき、やっぱり光乃の胸はとどろいた。

離室《はなれ》には思いがけなく灯《あか》りが点《つ》いており、こんな時間に珍しく、主《あるじ》が在宅していることを示している。

勇気をふるってここまで帰っては来たものの、やっぱり入ってゆくことはためらわれ、木戸の前にどれだけの時間、立っていただろうか。

道まで枝を伸ばしている白梅の名残の花びらが、粉雪のように舞いながら落ちるのをぼんやりと眺めているとき、家のなかから何やらもの音がし、その音に背を押されるような思いで、光乃はそーっと木戸をひらき、足音をしのばせて表のほうに廻った。

障子に手をかけ、少しずつ少しずつ開けてゆくと、座敷には寝床を敷いてあるものの、中身はもぬけのからであった。

やっぱり灯りを点けたまんまでお出かけになったんだわ、と思うと、何やら安堵《あんど》し、光乃はとたんにいつもの動作に戻って下駄をぬいで上がり、先《ま》ず蒲団をたたもうとして、はっとした。

蒲団にはまだ人肌の温《ぬく》みがありありと残っており、ふたたび体を固くした光乃の耳に、便所の戸を閉める音に次いで、境の障子を開けてあらわれたのは寝巻きの前をだらりとはだけた雪雄であった。

叱《しか》られる！　と身をすくめている光乃を、大きく目をみひらき、棒立ちになってしばらくみつめていた雪雄は、次の瞬間駈け寄って光乃の両肩をしっかりと抱き、

「お光！」

と一言発したきり、あとは嗚咽《おえつ》を懸命にこらえながらの、滂沱《ぼうだ》たる涙であった。

信じられないような雪雄の姿に、光乃はほとんど驚愕《きょうがく》しつつも、全身わななくほどの嬉《うれ》しさに打たれ、気がつくと二人とも相擁し、とめどなくしたたりおちる熱い涙に濡れているのであった。

もはや何も説明しなくとも、はじめて光乃のために流した雪雄の涙を見ればこれで一切は判り、光乃はハンカチで雪雄の涙を拭ってやりながら、

「夕御飯はお召し上がりになられましたか」

と静かな声で聞いた。

それは、つい二日まえ、悲嘆の涙にくれながらこの家を出て行ったひとの声とも思えぬ、日常会話のひとつであった。

光乃のそのおだやかな問いかけが雪雄の心をどれほど落ち着かせたことか、ゆっくりと身を横たえながら、

「お前がいなくなった晩、新橋の屋台で焼酎《しょうちゅう》をのみながらヤキトリを食ったんだ。それが当たっちまったと思えるんだが、あくる朝から便所へ通い詰めさ」

と、心なしか弱々しい声で語るのを聞いて光乃は胸がいっぱいになり、

「申しわけございませんでした」

と手をついて謝り、すぐにお粥《かゆ》を炊《た》きますから少しお待ち下さいまし、と、蒲団の上からはたはたと、まるで赤ん坊にするように雪雄の肩を叩きつけ、さっそくエプロンを

つけて台所に立った。

山形のよいお米、死ぬ覚悟で手に入れてきたお米、この米のお粥できっと私が病気をなおしてさし上げます、としゃっしゃっ、と音を立ててとぎながら、光乃はやっぱり泣き続けている。

さぞ心細かったろう、苦しかったろう、もののありかも判らず、湯の一杯沸かせないひとが、と思うとさらに涙は溢れてくる。

日頃はとりわけて身だしなみがいいのに、あんなに寝巻きの前をはだけ、まるで湯殿の幡随院長兵衛《ばんずいいんちょうべえ》のような様子になるのはよくよくのこと、これからはどんな事態が起きようと、このひとのそばは離れないでいよう、と行平《ゆきひら》から噴きこぼれる白いおねばを見ながら、しみじみと思うのであった。

男とはまことに勝手なもの、のっぴきならぬ境涯に立たされ、苦しまぎれにやいのやいのと光乃を追い出し、思いがけず戻ってくれば悔悟の涙に暮れてはじめて神妙な姿を見せたのに、咽喉《のど》もと過ぐれば熱さ忘れとやら、腹痛もなおり、光乃ももとどおり落ち着けば、また以前のように、用事以外にはものいわぬ、気むずかしい雪雄に戻ってしまった。

光乃はしかし、こんな雪雄を怨《うら》もうとはつゆ思わず、逆に、給金にのみこだわって意地を張っていた気持ちをそれと見抜けず、むざむざ出ていって互いに苦しい目に遭ったのを、悔やむ気持ちのほうが強かった。

そして光乃は、雪雄にも自分にも大きな問題だと思える妊娠については、なかなか打ち明けられなかった。

戻ったとたん雪雄の下痢腹痛に手を取られ、邸内に自生するげんのしょうこを、母屋《おもや》が刈って干してあるのを分けてもらって煎《せん》じたり、遠くまでこんにゃくを買いに行って腹をあたためたりで日を過ごしているうち、しおどきを失したということもある。

また光乃が何より警戒するのは、打ち明けても雪雄が喜ぶとは限らず、ひょっとして、

「金もないのに、子供どころじゃねえだろう」

といわれかねないことで、或いは、堕胎《おろ》せよ、などと、最もおそろしいことをすすめられるかもしれなかった。

光乃は、圭子に丈一が生まれたときの雪雄の手放しの喜びようも知っていれば、また亡《な》くなったときの怒りと愁嘆の様子も見て来ている。

逆縁の悲痛が深ければ深いだけ、

「もう子供はごめんだよ」

という気持ちになるかも知れず、ましてさきゆき明るい見通しもない現在では、新しい生命の出現は迷惑でこそあれ、歓迎してはもらえぬという思いが強くなってくる。

ひとりでくよくよと考えていればいるだけ、妊娠は決して吉報とは思えなくなり、で

きれば話題にはせず、避けて通りたいと、ともすれば逃げ腰になる自分をもてあますのであった。

考えてみれば、山形から帰り、上野からまっすぐこの家に戻って来たのも、妊《みご》った事実を雪雄に告げたさもあったのに、もとの暮らしになれば、また自分からは何もいえぬ口の重い光乃に還《かえ》ってしまっている。

光乃はもんぺをきりりと締め、その上からエプロンをゆったりとかけ、ふだんのしぐさも、両手をそのエプロンの下に入れて体をかばうようにし、なるべく腹部が人目につかぬよう、心がけた。

病院や産婆《さんば》を訪《おとな》うことも折々頭をかすめるものの、今日という日がないままに時間だけはどんどん過ぎてゆく。

考えてみれば妊って三カ月目、もっとも不安定な時期に八王子まで往復、激しくトラックに揺られており、それにも耐えて元気に胎内で育っている生命に対して、光乃はときどき涙ぐむほどの感動を催すことがある。

また山形への死出の旅も、とうとう思いとどまらざるを得なかったのも、この幼い生命の意志ではなかったかとさえ思われるのであった。

雪雄の仕事も明るい光明のないままに三月が終わり、敗戦国の首都の桜も例年どおり四月上旬にひらいたころ、思いがけなく朗報があった。

それは東劇の五月に、戦後初の大合同歌舞伎《かぶき》を催すことになり、六代目梅五郎、山村幸右衛門、宗四郎、など当代名優ずらり勢揃《せいぞろ》いで演《だ》す「助六」のなかで、雪雄は福山《ふくやま》の役を振り当ててもらうことができたのであった。

福山のかつぎ米吉は堺《さかい》町のそば屋で、けんどん箱をかついであらわれ、くゎんぺら門兵衛に突き当たり、咎《とが》められるというやりとりの場がある。これが竹柴本の一ならば「ごめんなされませ」の二、三度のわび言だけであとは助六が引き取り、一旦《いったん》下手へ下がるのを、同じ竹柴本の二となると、門兵衛相手にやや長い、悪態を吐《つ》く科白《せりふ》が入っている。

元来「助六」は、松川宗家のお家芸なのと、このときの助六は七十七歳の宗四郎が勤めるなどの配慮があってか、脚本は二、を取ることになり、雪雄は小気味よい科白と見せ場が加わって、儲《もう》け役をもらうこととなった。

もともと「助六」は一きわ華やかな芝居で、端役《はやく》に至るまですべて儲けどころを持っており、これに出演するのは役者も心浮き立つ思いがするといわれるだけに、雪雄の喜びようといったらなかった。

三カ月も遊んだ末に得た役ではあり、装《なり》からいっても緋《ひ》縮緬《ちりめん》大幅の丸褌《まるふんどし》を締め、一丈三尺のうこん木綿を腹に巻き、素肌に福山と染め抜きの印袢纏《しるしばんてん》を着、麻裏をはいてあらわれる、雪雄好みのすっきりした姿だという。

　雪雄は別人のように張り切り、稽古《けいこ》が始まるまで待ち切れず、六円のもとを訪ねて「助六」の話を聞き、資料を漁《あさ》り、抜き書きは片ときも手放さなかった。

　いよいよ稽古に入ると、家に戻ってもまだ科白を呟《つぶや》きながら手真似《てまね》をしており、ときには、おいお光、と呼んで、

「出前も早《はえ》えが気も早え、かつぎが自慢の延びねえうち」

の科白を張り、最後の、

「憚《はばか》りながらこう見えても、緋縮緬の大幅だ」

と、下がりを拡《ひろ》げ、手拭いを左肩にかけ、反り身になる個所のしぐさを繰り返しては、

「これでいいかい？」

と、たずねる。

　雪雄のその熱の入れかたを見ていると、光乃はつくづくと、このお方はやっぱりしんそこ役者に生まれついた定めなのだという気がする。

　どんなに窮迫しても役者以外には何もできず、別の世界で生きることを夢みていても、引き戻されれば一瞬にして迷いはふっきれてしまう。

　しかし考えてみれば、一本道をよそみもせず歩いているのは自分も同じかと思われ、扉を開けて大空へ放たれても結局はまた舞い戻ってしまうのは、似た者同士なのかなと

も思う。

ただ、雪雄は、役をもらうとたちどころに熱中してしまい、暮らし向きのことは全く念頭にもないのに引き換え、光乃には解決できない問題がなおついて廻っている。

それでも、日々の糧《かて》は何とかやりくりはできても、現在福山に夢中の雪雄に妊娠を打ち明ければ、ひょっとして役の上にひびくかと憚られ、依然これだけは、口を噤《つぐ》んだままなのであった。

五月二日、東劇の「助六」は蓋《ふた》を開け、その眩《まぶ》しいばかりの華やかな舞台は、戦後、荒廃した人の心にどれだけ大きな慰めを与えたことだったろうか。

人々は弁当持参で東劇に詰めかけ、この豪華な配役を楽しんだが、新聞の反応も至極よく、雪雄は久しぶりの機嫌で毎日早くから楽屋に入っている。

幕が開いてから一週間ほど経《た》ったころであったろうか。

光乃が夜食の用意をして待っていると、静かな夜気を破って人の駈けてくる音がし、勢いよく裏木戸がひらいたと思うと、障子を大きく開けて雪雄が仁王立ちになり、

「お光」

と呼び、

「驚くな。おれは来月、東劇の本興行で助六さまをやることになったんだぞ」

と、大声で呼ばわった。

光乃がきょとんとした目をあげると、雪雄はもう一度、

「判《わか》らねえのか、お前は」

といいながら、興奮したまま座敷中を歩きまわり、

「いいか、本興行でだぞ。主役の花川戸の助六だぞ。おれがやるんだぞ」

といっかな坐《すわ》ろうとせず、その昂《たか》ぶりが次第に光乃にも伝わって来て、

「それはほんとうでございますか。今日決まったのでございますか」

とたずねると、雪雄ははじめて坐ってあぐらをかき、

「そうだ。今日だ。昼の部が終わっておれがコーヒーを飲んでいると、六代目のおじさんがじきじき部屋においでなすって、『おう雪、ちょいと顔を貸しな』と手招きなすったんだ」

六代目はつづらの陰に雪雄を招き、このひとのくせの、人さし指で耳の下を掻《か》いて、

「いやなに、みんなの前で蓋を開けてもいいんだが、お前《めえ》の肚《はら》も読めねえもんだから」

と前置きして、

「他でもねえが、実は来月も『助六』を続けて出すことになった。ついては主役の助六をお前にやらせてみようと思うんだが、どうだい、やってみるかい」

と聞いた。

寝耳に水、とはこのこと、雪雄はよく呑《の》み込めないまま、小屋の空いたとき稽古芝居

にでもやらせてもらえるのか、と受け取り、それでも主役とはもったいない話、と両てのひらを膝小僧《ひざこぞう》に当てて、

「へい。ありがとうございます」

とお辞儀すると、六代目はにっこりして、

「そうかい、やってくれるかい。引き受けたからには命がけでやんな。なに心配にゃ及ばねえ。おれがみしみし仕込んでやる」

とうなずき、

「いずれ正式に発表があるだろう、稽古の段取りはそれ待ちだ」

といい捨ててスタスタと遠ざかって行った。

雪雄はなお夢見ごこちでぼんやりとその場につっ立ったまま、うしろ姿を見送っていると、六代目は廊下の曲がり角で立ち止まり、振り向いてくすりと笑い、

「雪、夢じゃねえよ。この東劇の本興行だよ。一と月間、出ずっぱりだよ」

と、よくとおる声で怒鳴った。

そのとたん、雪雄は目の前がパッと明るくなり、一尺ばかり宙に飛び上がって、片褄《かたづま》取るなり六代目のあとを追いかけて廊下を走った。

六代目は自分の楽屋へ入ろうとしているところだったが、どんなにあわててもこの世界に礼儀は欠かせざるところ、雪雄は褄をおろして衣紋《えもん》をつくろい、もみ手をしながら、

「もし六代目のおじさん、ただいまのお話はほんとうでございますか」

と伺うと、

「お前、おれがからかっているとでも思っているのかい」

とちょっと気色《けしき》ばみ、

「まあ、入《へえ》んな」

と楽屋に招き入れた。

話によれば、

「ま、世のなかも変わったし、芝居もひとつ思い切って若いもんを起用し、おれたち年寄りは後押しに廻ろうじゃねえか、ということになったわけさ。

お前が助六で気張りゃ、サービスにおれはくゎんぺら、幸右衛門は朝顔仙平でつきあうよ。

揚巻《あげまき》は梅之助と芝玉《しばぎょく》とを一日替わりで勤めさせる。優《まさる》もひょうたんも、この際、若手は皆、出てもらうつもりだ」

六代目の話では、配役までももうほとんど固まっているらしく、それを聞いたあと、雪雄はどこをどう歩いたやら、ふと気がつくと築地川の上に立っている自分の姿があった。

行き交うひとがうさん臭げにじろじろと自分を眺めていて、見れば楽屋浴衣《ゆかた》に楽屋草履という、さきほどのいでたちで、多分六代目の話を聞いてそのまま、無我夢中でここまで走り出て来たものらしかった。

　頭のなかには、

「おれが助六、おれが助六」

という言葉が詰まっていて、その言葉にすっかり陶酔してしまい、浴衣姿を人に恥じる感覚も無くしている。

　楽屋へ帰って夜の部の顔をしなければ、とそれだけははっきりとおぼえており、ゆっくりと楽屋口へ足を向けながら、雪雄は見知らぬひとびとにまで、

「私は来月、助六を演《や》るんですよ。あの助六ですよ。ぜひ見にいらして下さい」

と話しかけたくてたまらなかった。

　芝居がはねたあと、洋服に着替え、雪雄はまた夜の銀座界隈《かいわい》をひとりでさまよっていたらしい。

　何しろ「助六」は二時間余りの大曲ではあり、華やかさにかけては他に比類のない豪華な舞台で、立ち役の役者なら生涯一度は、とあこがれる役ではある。

　これまで雪雄は、いく人かの助六を見、げんに父親が七十七歳で勤めている舞台に福山で一緒に出ているが、見るたび、いや助六はむずかしいな、となり、しかしやり甲《が》斐《い》のある役だな、と羨《うらや》みながらすごして来ている。

いま、全く思いもかけずそれが廻って来たのを、まだ実感では捉《とら》えられぬまま、ただ興奮のるつぼのなかに身を揉《も》まれているのであった。

あらましを聞いた光乃は、

「坊ちゃま、おめでとうございます」

と手をついて祝いの言葉をのべながら、胸の隅に、またちょっぴり苦いものが拡がってゆくのを感じている。

まだ三十代の雪雄が名だたる助六に抜擢《ばってき》されるのはいかに重大なことか、光乃には理解できるだけに、これから先の雪雄の、死にもの狂いの稽古も予想され、そうなるとこのひとのつねで、余計なことを耳に入れては気分の平衡を失ってしまう。

福山の役が終わったら、おなかの子供のことを打ち明けてみようか、と折角決心をつけていた光乃の気持ちも、これでまた、一歩うしろへ引かざるを得なかった。胎内の生命はもう七カ月目に入っており、夜になると活発な胎動があらわに感じられ、そのたび、打ち明ければひょっとして「助六と合わせて二重のよろこび」として受け取ってくれるかも知れぬ、と思ったが、しかしやっぱり口にする勇気はなかった。

夜、寝床に身を横たえると、このごろは必ず、光乃には不安が暗雲となって身のまわりに押し寄せてくる感じがある。

胎内の子供は日に日に成長しており、何よりの証《あか》しには、毎朝もんぺの紐《ひも》を結ぶたび、少しずつゆるめてゆかねばならぬことではっきりと判る。同時にそれは、刻一刻、出産の日が迫ってくることでもあり、もはや避けることのできぬ運命のときを迎えることでもあった。

不安の原因にはまず第一、光乃は妊娠出産については何も知らないということがあり、身辺を思い返して、わずかに亡《な》き継母さだが家で出産した場面を脳裏にとどめているに過ぎなかった。

あれは光乃が七歳の春、父親にいいつけられて湯を沸かし、産婆《さんば》がやって来てもいっかな子は生まれず、台所でたき子と二人、そのときを待っている光乃の耳に、まるで体中から絞り出すようなうめき声がとき折聞こえてきたのを思い出す。

四十過ぎての出産だったから、光乃たちとともに台所で待っている父親の心配も一方ならず、

「女の産は、青竹をもひしぐほどの力が要るっていうから、さだには無理かもしんねえな。死んじまうかもしんねえな」

とつい洩《も》らしながら、そこら中歩き廻っていた姿もおぼえている。

ふつう結婚して妊娠し、初産《ういざん》を迎える嫁は、まず月のものが滞れば、姑《しゅうとめ》が伴って病院を訪れ、確かとなればまわりから重いものを持つな転ぶな、と流産を気づかわれ、次いで五カ月に入れば、戌《いぬ》の日を選んで帯祝いが催されたあとは、丈夫な子を産むように

と、滋養になる食事をせっせとすすめられるという、世の常のしあわせな慣《なら》わしを光乃がこの際、何も知らないのは却《かえ》ってよいといえるかもしれなかった。

妊娠を知っているのは自分だけ、それも堕胎のできる時期をとうに過ぎていれば産まねばならず、青竹を割るほどの力を要するという出産のときもおそろしければ、また身二つになったときの、周囲の反応も想像もつかないまま、ただ不安だけが目前に立ちこめている。

子の父親たるひとは、毎夜、一尺と離れぬところに寝ており、こんなに怯《おび》えたときをすごすより一言告げて相談に乗ってもらえばどれほど楽か、と思わぬ晩はないけれど、光乃にはなお、どうしてもそれはいえなかった。

そのためらいの奥には、圭子の件が根強く残っており、

「お前は子を楯《たて》に大きな面《つら》して居なおるつもりか」

などといわれるのは、光乃のもっとも恥じるところとすれば、打ち明ける口もしっかりと閉じざるを得なくなる。

光乃の気持ちとはうらはらに、雪雄は一変して面持ちまですっかり違い、芝居の前後の時間を利用して、先輩たちに教えを乞《こ》いに廻るばかりでなく、抜き書きを手に、家でもしっかりと科白《せりふ》の稽古をする。

現在助六を演っている宗四郎の築地の宿へ訪ねると、からいことをいうのは親ばかり、

とさっそくの意見で、

「雪雄、お前が助六に抜擢されたのは、お前の芸が巧《うま》いからってんじゃねえんだよ。ここんとこ、しっかり胸においときな。

この芝居は知ってのとおり、松川家の定めた歌舞伎十八番中、最も人気のある芝居だ。それだけに助六を演る役者は、おれもそうだが役が決まればまっさきに羽織袴《はかま》で六円さんに許しを受けに行ったもんだ。六円さんとしては、宗家の跡取り役者が勤めるのが順当と思っていなさるらしいが、あのお方は誰が見たって柄じゃあねえ。

そこで六円さんたっての願いで、『倅《せがれ》雪雄も、もはや十分に相勤めます頃あいかと存じます故《ゆえ》』の話から始まったってんだ。ただしご自身も、『後見の意味もございますによって、一役買わせて頂きます』と髭《ひげ》の意休《いきゆう》をお望みなすった。

いいか、雪雄、お前はおれのみるところ、どうにもまだ大根だ。その上に不器用で大根かますだ。

いままでみたいにのんびりやってちゃ、松川家が泣くぜ。ここがお前の安宅《あたか》の関だと思って無二無三、突っ走れ。死に身でやってみろ」

とどやされ、冷水をあびせられた思いがするが、これが六円だと、まず松川家の文献を参照に、

「この芝居は二代目が初演なさいましたもので」

から始まり、

「九代目は生涯に四度上演なさいました。最後は五十九歳で明治二十九年、私はまだ十五歳でしたが、父に連れられて歌舞伎座へ見物に行きました。

このときは助六の小道具に富くじがつきましてね。籤の当たったお方など大喜びだったのを覚えています」

と記憶も新しいだけに詳しい説明がある。

月半ばからは、いまの芝居がはねたあと稽古が始まり、雪雄は宗四郎馴染《なじ》みの宿に泊まり込んで、死にもの狂いで取り組んだが、六代目の指導は、まことにきびしいものであった。

助六は荒事《あらごと》と和事《わごと》と両様を兼ねた役なので、体つきからして難しく、六代目はそれを見るため、雪雄に、

「裸になれ。パンツひとつでやれ」

と命じ、荒事の助六は肩を怒らしていかつく、和事の場合は撫《な》で肩に見えるように、片手に棒を持っていて、びしびしと叩《たた》きながら熱心に仕込んでくれた。

いよいよ舞台稽古ともなると、六代目は怒鳴りながらいちいち舞台に飛び上がり、手を取って教えたというから、その労は大へんなものであったらしい。

何しろ昭和二十一年に、豪勢な「助六」の幕を開けるとなると、大道具小道具、衣裳《いしょう》

などについてずいぶんと苦心が多かったらしい。役者は皆まがいものを嫌い、小道具のはしに至るまでときには自腹切ってほんものを使うひとたちで、その気風はいまも歴然と受け継がれている。

　九代目玄十郎が助六を演じるとき、腰に下げている印籠《いんろう》は、七代目から伝わったという、枝珊瑚《えださんご》の根付けに抱一上人《ほういつしょうにん》の下絵で、名漆工小川笠翁《りゅうおう》が登竜門の図を金蒔絵《きんまきえ》にした逸品、また尺八も「郭公」の銘のある名品を使ったといわれ、しかし万一破損してはいけないので、花道の振りのときだけ身につけ、本舞台に入ると後見が吹き替えの二品とすぐ取り替えたといわれている。

　しかも、取り替えた品は、紛失を恐れて楽屋にも留めおかず、そのまま毎日、築地の邸《やしき》へ届け、土蔵へしまったという。

　こういうことを知っているひとたちが、最初から終《しま》いまで玩具《おもちゃ》のような小道具で我慢できるわけもなく、焼け残りの名品を集めるために小道具係は東奔西走したらしかった。

　初日は六月二日、「助六」は魚河岸《うおがし》や吉原の客との濃い交流を取り入れているだけに、昔はこの芝居が上演されるときは小屋のまわりに桜を数百本も植え、吉原からは傘と箱《はこ》提灯《ちょうちん》、魚河岸からは鉢巻きと下駄を贈るのが嘉例《かれい》となっており、助六と揚巻の役者は比翼紋のついた羽織袴で、吉原蔵前魚河岸に挨拶《あいさつ》にまわったものだという。

　先輩たちから毎日背中をどやされるような稽古期間が過ぎ、初日の幕が開いたとき、雪雄は緊張のあまり、体中コチコチになっており、人が何を話しかけても答えられないほどであった。

助六は花道の出がむずかしく、河東節《かとうぶし》の前弾きがはじまると揚げ幕から傘をつぼめて前かがみで七三まで出るのだけれど、雪雄はその浄るりを聞いただけで心臓がとび出すかと思うほど高鳴り、足はすくんでなかなか前に出なかったという。

本舞台でも、先輩たちがそれぞれ助六を支える役を持っているだけに、ときどき、客席には聞こえぬような小声で、

「落ち着いてやんな」

とか、

「科白をゆっくり」

とか、

「目を据えてろ。あちこち見るな」

とか注意され、そのたびはっと目が覚めたような気になって我に返る。

稽古にひきつづき初日後も雪雄は宿にとどまり、一心不乱の日をすごしたが、光乃も毎日のように下着を届けに通うのであった。

初日後十日ほど経《た》ったころの小ぬか雨の日、きれいにアイロンをかけた肌じゅばんの裾《すそ》の裏の縫い目にぽつり、アルページュの香りを落とし、パンツ、白足袋を揃《そろ》えて光乃

は」
が宿に届けると、宿のおかみが、
「お光さん、そろそろどうですか。大へんな評判だから一度、のぞいてごらんになって
は」
と誘ってくれた。
このところ新聞の劇評欄にいっせいに取り上げられ、いずれも「新鮮、鶴蔵の助六」
とか、「花あるスターの誕生」とか、讃辞《さんじ》が並んでいるだけに、光乃も一目のぞいてみ
たい気持ちはあったが、思い切って劇場に入る勇気はなかった。
おかみは、
「あたしもちょうどいまから観《み》に行くところ。これで三度目なんだけど、じっとしちゃ
いられなくてね」
と身支度し、光乃と連れ立って家を出た。
このたび雪雄が主役を勤めるについては、宗四郎が番頭に林をさしむけてくれた他、
新たに人も入れ、弟子たちもつけてきちんと座頭《ざがしら》のかたちをととのえ、切符も捌《さば》いてく
れている。
前触れの配役を見て、芝居通の客たちは、
「何だこれは。若手の勉強会じゃないか」
といっていたのが、幕が開くと、口伝えに評判を聞いて切符はみるみる捌けてしまっ

たという。

おかみは道々、

「あたしゃ人にすすめられて切符を引き受けたんじゃありませんからね。白《しら》木屋《ぎや》さんのご長男だもの、大きくなるに決まってますよ。だからあたしゃ、はなっから三十枚、ぽんと気張って引き受けてあげましたのさ」

と鼻高々と語り、光乃にはそのうち一等席の一枚をすすめてくれたが、光乃はとんでもないことでございます、と固辞し、二階のうしろの席で見せてもらうことにした。

客席の様子はさまざまで、戦前以上に着飾って来ている客もあれば、なおもんぺ、下駄のまま走り込んで来た、という姿の客もある。

こういう雑多な客席もまた気楽でいいもの、と眺めている光乃が、そのうち、いつもとは少々違う、と感じはじめたのは、観客たちの熱気であった。

まもなくなつかしい柝《き》が入り、すがきの音いろでいよいよ「助六」の幕が上がった。

昔、光乃がはじめて歌舞伎を見たのは忘れもしない「矢の根」だったが、そのとき、雪雄の舞台顔の美しさとともに、脳裏深く刻みつけられたのは色彩の見事さ、とくに緋《ひ》のいろの深い華やかさであった。

いま舞台の新吉原は、そのときの印象をはるかに上まわって贅美《ぜいび》を尽くし、観客をして一挙に天上愉楽の世界にいざないい行く如《ご》き感がある。

客のなかには、新円成り金もいるだろうが、なかには「食わねども芝居」というほどの、無理して切符を買った贔屓客《ひいききやく》もいるにちがいなく、そういうひとたちにとって、この豪勢な舞台は、何にもまさる美味ではなかったろうか。

そして、揚げ幕から下駄を鳴らしながら雪雄が花道にあらわれたとき、光乃が感じた劇場内のあの熱気はいちように大きなためいきとなって助六に降りそそがれ、光乃も思わず息の止まりそうな衝撃を受けた。

雪雄はつねづね、

「足袋をはいた上に下駄をはいて、花道を走り出てくるのが至難のわざだ。すべるんだよ。素足に下駄とはいかないもんかねえ」

とぼやいていて、光乃はそれに気を付けていたのだけれど、あらわれた助六を見ると、その心配は瞬時にふっとんでしまった。

黒羽二重の小袖《こそで》に紅絹裏《もみうら》、杏葉牡丹《ぎようぼたん》友禅の五つ所紋、下着は浅黄無垢《むく》、綾織《あやお》りの帯、鮫鞘《さめざや》の刀、一つ印籠、尺八を後ろにさし、紫縮緬《ちりめん》の鉢巻きを結び、蛇の目に桐柾《きりまさ》の下駄という、何とまあ、胸のすくような粋《いき》ないでたち、錦絵《にしきえ》から抜け出たような姿は十分な上背があるだけにぴったりとよく似合い、朗々たる口跡は、男伊達《おとこだて》助六をくっきりと浮かび上がらせる。

大向こうから、

「日本一ッ」

に続いて、

「水もしたたるよい男ッ」

の声がかかったが、光乃はとたんに、舞台の助六が涙でぼやけるのを感じた。

二時間半の大曲のあいだ、玄人目《くろうとめ》にはまだまだ未熟な点も見えたかもしれないが、光乃には、この難役を演じる雪雄がまるで神技のように思われ、胸のうちで拍手しどおしであった。

そして当然のように太郎の顔が目に浮かんで来、あのひともきっと、もうこの芝居を見て、泣いたにちがいないと思った。口のからいひとたちから、白木屋の大根畑とののしられるたび、いまに見てろ、と唇を噛《か》んだのは、他ならぬ太郎だったと思われ、それだけに、いま太郎に会って二人で喜びあいたい、とそれとなく目で客席を捜したが、空《むな》しかった。

芝居を見ての帰りみち、上馬の駅に降り立つと雨は止《や》んでいてうす明るく、ふと空を仰ぐと、淡い月がかかっており、立ち止まって眺めているうち、光乃にはふわりと心のひらけるような明るい感じがあった。

それは、上野の旅館で初めて胎動をおぼえたとき、咄嗟《とっさ》に、罰が当ったのではと悔いた思いがその後もずっとつきまとい、本音をいえばほとんど困惑ばかりで充《み》たされていた胸のうちが、今日雪雄の舞台を見て、いちどに払拭《ふっしょく》された感であった。

凜々《りり》しく美しく、多くの観客の讃辞とためいきとを一身に集めているあのひとの子供を、現在自分が妊《みごも》っているという事実を、今日ほど誇らしくうれしいことはなかったと思うのであった。

何も困ることはない、折を見て雪雄に打ち明け、大切に大切に産んで育てましょう、と考えると、いままで忸怩《じくじ》たる思いですごしていた日々が嘘《うそ》のようで、明日からは全く新しい生活が始まるような気さえする。

光乃は足どりも軽く我が家に戻り、その夜は久方ぶりに、どれほど安堵《あんど》してぐっすりと眠ったことだったか。


松川鶴蔵の助六の人気は、中日《なかび》からさらに急上昇し、切符の入手がひどく困難になるほどだったが、雪雄は番頭に命じて、昔、チフスのとき世話になった聖路加《せいろか》病院の医師と看護婦、野沢の家の母屋《おもや》のひとたち、そして八王子の奥田家をも招待したという。

このときの興行は、昼の部に七十七歳の宗四郎が弁慶を演じるのも話題になっており、一世一代と銘打った舞台もこれで四度目とあって、本人は、

「老いぼれ弁慶はもうごめんですよ」

と固辞したが、進駐軍からのたっての注文とあって、一日一日を大切に勤めている。

六月二十七日、とどこおりなく千秋楽を迎えたときの雪雄の喜びはたとえようもないもので、このあと弟子たちを連れて翌日まで飲み歩くものと光乃は考えていたが、意外に早く切り上げ、しっかりした足どりで戻って来た。

さぞかしお疲れ、と思うのに、雪雄は一カ月ぶりの我が家をなつかしそうに見廻し、ぶらさげて戻った贈り物のウイスキーを飲みながら、珍しく多弁であった。

聞けば明朝早くから、紋服で各方面にお礼廻りをするという。

そういう雪雄を眺めながら光乃は、この一カ月で坊ちゃまはずい分とご立派になられたと思った。

つい三カ月ほど前、悪い酒をあおって絶望的になっていた様子などかげもなく、それは松川家を継承する大役者として一歩を踏み出したという自信を得たためらしかった。

六月の大役を終えると、七、八月は休みをもらうことになったが、雪雄のその過ごしかたは、以前とはがらりと変わり、ひどく生真面目《きまじめ》に古典や演技の勉強に費やすようになっている。

もっとも、「助六」を打ち上げるとお礼廻りも隅から隅へと念入りに、後始末も時間をかけてすればすぐ半月やそこらは経《た》ってしまい、実質体が空いたのは八月にはいってからであった。

光乃の感じからいえば、雪雄の生活態度も加わって、「助六」上演の前と後では、暮らし全体大きな差ができたように思われ、まず第一に、台所が急に豊かになったということがある。

公演中もそうだったが、終わると弟子たちが楽屋見舞いの品々をたくさん届けてくれ、それはいずれも、このせつ手に入りにくいものばかりだったのは有り難かった。

雪雄は、楽屋へ贈られたものは気前よくその場に居合わせたひとに分けてやるのが常だけれど、もののないころとて、弟子たちが気を利《き》かせて運んでくれたらしかった。

なかでも、進駐軍の兵士たちからプレゼントされた横文字の箱のなかには、チョコレートの他に珍しいチップというものも入っており、雪雄に聞くと、

「せんべいだろう」

というが、箱にはポテト、パンプキン、バナナ、リンゴ、などさまざまな青果の名が書いてあり、急場のビールの肴《さかな》にはもってこいのものであった。

そして、久しぶりに雪雄から百円札を束にして手渡され、光乃はどれだけほっとしたことだったか。

一陽来復、とまではいかなくとも、「助六」を境に給金も上がれば家中明るくなり、また将来にわたってよい役がもらえるという見込みも立つ。

雪雄の助六起用については、若手の成長を願うという目論見《もくろみ》の他に、宗四郎は松川家の芸の故《ゆえ》、ともいったが、いちばんの理由は、喜左衛門亡《な》きあとの、花ある人気役者を

育てる目的にあったのではなかろうか。

終戦まぎわに、信州湯田中の温泉宿でさびしく亡くなった喜左衛門は、「近八《きんぱち》」の盛綱、「布引《ぬのびき》」の実盛《さねもり》、それに助六、与三郎が当たり役で、その美しい容姿と口跡を、いまなお恋うるファンも絶えぬまま、雪雄を後継者に、と企てたふしもあるらしかった。

そのひとが出ただけで舞台がパッと明るくなる、という喜左衛門を継承できるのは見渡したところ人品骨柄、松川家の鶴蔵しか見当たらず、天賦《てんぷ》の容姿を持ちながらいままであまり芽の出なかった雪雄にも、ようやく運がめぐって来たというところであった。

光乃《みつの》のわずかばかりの知識をたよりに、指を繰ってみれば出産はたぶん八月、そうすると、「助六」が終わって雪雄が休みに入った七月は、もう九カ月目に入ったことになる。

一晩、母屋《おもや》の終《しま》い風呂《ぶろ》をもらい、もんぺを脱いだとき、鏡に映る自分の腹部の大きさに胸がとどろき、思わず電気のスイッチをひねって消した。

だぶだぶのエプロンのせいか、誰にも気づかれずいままで来たが、いよいよ生まれたらこの母屋のひとたちにどういって説明しよう、と思うと、もう猶予《ゆうよ》はならず、雪雄に打ち明けねばならなかった。

それでも、自分からいい出す決心はなかなかつかないもので、とつおいつ考えながら光乃はその夜、雪雄の帰りを待った。

お礼廻りのあと、桜上水に寄っていたといって戻った雪雄の着物袴《はかま》をたたみ、寝酒の用意をし、そばに侍《はべ》りながらいく度いいかけようとしたか、しかしそのたびに口が強《こわ》ばり、とうとう打ち明けられないまま、寝床をのべてやすんでしまった雪雄の枕許《まくらもと》に、灯りを消して光乃はしばらく坐《すわ》り、団扇《うちわ》で風を送っていると、寝苦しいのかいく度も寝返りを打っていた雪雄が、

「横におなりよ」

とやさしく声をかけてくれた。

光乃は思い切ってにじり寄り、雪雄の手を取って、そっと自分の腹部に当てると、雪雄はねむそうな声で、

「たくさん食べたんだね。満腹だね」

といい、それを聞いてコチコチに緊張していた光乃はふと気持ちが和らぎ、おかしくなってくすりと笑うと、不審に思ったのか雪雄は、

「うん？」

と、聞き返した。

「ええ」

とだけ、答えると、雪雄は急に手を引っ込めて、

「そうだったのか」

と呟《つぶや》き、

「どうして早くいわなかったんだ」

といったが、その声はまだ眠気がかっている。

「はい」

と小さく答えると、雪雄はそのあと、しばらくして、

「誰かに相談するんだな」

といったきり、やがて軽い寝息を立てはじめた。

光乃はほっと肩の力を抜き、これで十分だと思った。

このひとが自分の妊娠を知ったとき、おどり上がるほど喜ぶことはあるまいし、まして何の指図もできないことはよく判《わか》っている。知ってもらっただけでいい、とははじめから考えており、これでずい分と気が楽になったのを感じている。

雪雄が、誰かに相談するようにといったのは、たぶん圭子の場合を思い起こしたもの、と光乃は考えており、あのときはその相談を受けた太郎がすべて取りしきり、無事出産させ、産後の手伝いに光乃をさしむけたのだったが、いまはそのときとは大分様子が違ってきている。

太郎はもう桜上水に根を生やし、それに老いて、いまさら女の出産や産後の養生を取りしきる才覚は乏しくなっていると思われ、ならば他に頼れる相手に誰がいるかといえば、思い浮かぶ顔は一人もいない。

雇われている身で日頃から光乃自身のつきあいは全くいないし、終戦を境に、雪雄の

身辺を守ってくれる親身なひとも絶えて、いまは皆通りいっぺんの関係になってしまっている。

光乃はしかし、それをさびしいとも困ったことだとも少しも思わなかった。圭子のように、雪雄に通ってきてもらうのではなし、過日の一件ののちは生涯、いかなることが起ころうと雪雄のそばを離れはせぬ、と固く思い決めたからには、精神上の動揺は少しも感じなかった。

出産が心細くないかといわれれば、未経験だけに不安はつきまとうが、雪雄のそばで、雪雄の子供を産むという事実がいまは何よりの慰めと落ち着きを与えてくれている。

そして光乃は、雪雄に打ち明けたことでようやくふんぎりがつき、以前から見当をつけておいた、祖師ヶ谷大蔵の国立病院へ診察を受けに行った。

生まれて初めて訪《おとな》う産婦人科はまず恥ずかしさが先に立ち、うつむいて口ごもりがちな光乃を見て、若い医者はひどく邪険に、

「あんた、もう産み月も近いのに腹帯もしていないの？」

と呆《あき》れ、無遠慮な視線を投げかけた。

白粉《おしろい》っ気のないひっつめ髪にもんぺの上下、という風体は、格段珍しくはないが、初の妊娠を喜ぶ人妻、という雰囲気にはどうしても乏しい、そのあたりを医者は何か事情ありげと見てとったものだろうか。

診察のあと、医者は、

「腹帯をしてなかったことに関係があるとは思えないが、胎児が逆さになっています」

と告げ、

「三十すぎての初産《ういざん》だから、逆子《さかご》はちょっと厄介だね。入院したほうがいいと思いますよ」

と、すすめてくれた。

入院、と聞いて光乃は顔から血の気が引いてゆくのを感じ、

「入院しないで産みますと、どうなりますのでしょうか」

と、自分ながら幼稚な質問と思いつつも聞かないではいられなかった。

若い医者は、

「あんたいい年して何にも知らないんだね」

と笑いながらも、胎児は七カ月過ぎると活発に動くようになってしばしば逆さになることもあり、ひとりでにもと通りになる例もあるものの、人為的には、医師の指導のもとに体操などして正常位置に戻すのだと説明してくれた。

そして、万一の場合にそなえて、医者としてはやはり入院をおすすめする、と再度いわれたとき、光乃は目の前が塞《ふさ》がり、苦しまぎれに、

「もう近所の産婆《さんば》さんをお頼みしてあるものですから」

という言葉が口をついて出てしまった。

あとから考えれば、全く念頭にもなかったことが、よくも咄嗟《とっさ》に浮かんだもの、と思うけれど、或《ある》いは意識のはるか底に、継母さだのときの産婆の働きが彫り込まれていたのかも知れなかった。

医者は固執せず、あっさりと、

「あ、そう。そんならまあいいや。巧者な産婆さんのなかには、揉《も》みほぐして胎児をもとの位置に戻してくれるというひともいるそうだから、相談してみるのもいいだろうね」

と、こちらに任せてくれた。

逆子の出産がどんなものやら、光乃には想像もつかないが、医者の言葉から推せば難産が予想され、ならば医師も看護婦も揃《そろ》っている病院に入るのが何より安全、と判っていても、光乃にとって、それは身にあまるぜいたく、という感じがある。

誰に教えられたわけでもないけれど、女が自分の体に金をかけるのはまわりに対しても自分自身に向かっても憚《はばか》られ、少々の病気なら取り立てて口にせず、ひそかに売薬で癒《なお》さなければと考えている。

まして身分を考えれば、入院して出産などとはいえた沙汰《さた》でなく、かつてさだのしたように自宅で、産婆をたよりに出産する方法以外には、思い浮かばなかった。

とはいうものの、逆子だと判れば不安が波立ち、ともすればあれこれと悪い方向へばかり想像はのび拡《ひろ》がってくる。

産まれ難《にく》くて子供が五体健全じゃなかったらどうしよう、いや、もしや死んでしまったら雪雄に申しわけも立たぬ、またひょっとして、自分ももろとも死んでしまうのかも知れない、などと考えていると、刻一刻、いま自分は生死の境に向かって進んで行っているような凶々《まがまが》しい妄想も湧《わ》いてくる。

それでも光乃は、病院からの帰り、呉服店に立ち寄って、純綿だという白い晒《さらし》二反を買い求め、一反を半分に切り、医師に習ったとおり、前で折り返してさっそく腹に巻いたところ、体がしっかりとし、安定感があって、一種救われたような感じになった。

光乃が医師に、「近所の産婆さん」と咄嗟に告げたことをよくよく手繰ってみれば、全く根拠のない話ではなく、ずっと以前、配給物を取りにゆく道すがら、たしか「産婆」という看板を目にした記憶があった。

一日、駅の方向に向かってぶらぶら歩いてみたが、それらしいものは摑《つか》めず、また二、三日して今度は小さな橋を渡って反対方向へ行ってみると、正しく古びたその看板が出ており、下村かね、という名を確かめてから、その家をたずねた。

もう八月に入っていて、暑い日中を避けた夕刻だったが、玄関の格子《こうし》を開けるなり、耳に飛び込んで来たのは、大ぜいの子供たちの声であった。いく度も声を張り上げると、その子供たちの声のなかからしっかりした声で返事があり、現れたのはどっしりと肉《しし》おきもゆたかな、体格のよい女性であった。

「子供たちが騒がしいですから、縁側へおまわり下さい」

と指さし、座蒲団《ざぶとん》を二枚と団扇を運んで来て、光乃にすすめてくれた。

「何しろ子供が九人もいるものでございますから。おやかましくてすみません」

と詫《わ》びるのを聞いて光乃が怪訝《けげん》な顔をすると、

「はい、みんな私が産んだ子供たちでございますよ。ひところは、私の仕事も自分のほうが忙しいくらいでしたが」

と、べつに気負いもなく笑いながらすらりというのを聞いて改めてその顔を眺めると、年のころは四十代後半か、つぎつぎと子供を産んで「一人も欠けず育っております」の言葉が示すように、出産と子育てにかけては誰にも負けぬ、の自信と貫禄《かんろく》がそなわっているように光乃には見えた。

光乃は直感で、このひとは客たる妊婦の身分が、きちんとした人妻であろうと女中であろうと、また大ぜいから祝福されて出産するひとであろうと一人ひっそりと産むひとであろうと、そういうことは一切歯牙《しが》にもかけず、妊婦とその出産に全力を貸してくれるひとにちがいないと感じた。

また好ましく思えるのは、光乃同様、或いはそれ以上にこのひともひどく口が重くて、

ぽつりぽつりと間をおいて、無遠慮でなく、

「お目出度はいつごろでございますか」

とか、

「お住居はお近くで？」

とか、遠まわりな質問しかせず、光乃がやっと、先日病院を訪れたら逆子だといわれたので、できるならば揉みなおしてもとの位置に戻して欲しい、と打ち明けると、かねはうなずいて、

「ではちょっと診察させて頂きましょう」

と、子供を追い払った一間に光乃を招き入れた。

かねは、黒革の鞄《かばん》から聴診器を取り出し、仰臥《ぎょうが》した光乃の腹に当てててていねいに診察し、

「元気な赤ちゃんですね。もうかなり下へ下がっていますから、ここ五、六日のうちに生まれるのではないでしょうか」

と告げ、聴診器をくるくると巻いて納めながら、

「残念ながら、もとの位置にもどすのはもう手おくれですねえ。八カ月くらいでしたら、何とか直してさし上げられたかも知れませんけど、いま下手に触るのは危険だと思います。赤ちゃんの足で卵膜を蹴破《けやぶ》ることもないとはいえませんし」

という。

光乃はそう聞いて気分がすうっと暗く落ち込み、やっぱり入院をすべきか、と迷い、しかしどう考えても入院は不可能だと考えてはもとに戻る。金もかかり、人手も要り、またその間、雪雄をひとりにしておくことも出来ぬ。

第一、雪雄のお付き女中が主《あるじ》を放ったらかして病院へ子供を産みに行った話が、松川宗家や白木屋《しらぎや》一家に聞こえたらどうなるか、と思うと、いかに危険であろうと家を出ず、ひそかに産まねばならなかった。

うつむいて考え込む光乃を、かねはじっと見ていて、一膝《ひとひざ》すすめ、

「奥さま、とお呼びしていいでしょうか」

とためらいつつ、

「あの、ご自宅でご出産なさいましても大丈夫でございますよ。逆子出産はそれほど珍しいお話でもありませんし、げんに私もいままでにたくさん取り上げさせて頂いております。また三十過ぎの初産と申しましても、これは人によっていろいろでございます。少々時間がかかるかもしれませんが、初産はどなたでもまあ半日、十二時間、と覚悟していて下されば、大した違いはございません」

とゆっくり話しかけた。

逆子出産にいく度も立ち会っている、と聞いて光乃は徐々に気持ちが明るくなり、い

まはこのひとに頼るより他ないと決め、
「何も判りませんので、そのときはよろしくお願いいたします」
と手をついて頭を下げた。
かねはなお、光乃の気持ちを和らげるために、
「お産はたしかに女の戦場で、それなりにきつうはございますが、考えようによっては
これは神さまの定められた女の生理でもあります。
健康な女性なら、そのときがくれば自然に産めるものなんですの。何のご心配もいり
ません、かようなこと申し上げては何ですが、痛みが激しくなったとき、ウンチをする
つもりで気張って下されば、子供はひとりでに生まれます。子供さん自体も、生まれた
がって、痛みでもってお母さんにそれを知らせているのですから」
かねが重い口で説くその言葉は、光乃の胸の不安を、どれだけ鎮《しず》めたかしれなかった。
ウンチをするつもりで気張ればそれでよい、というごく簡潔で判りやすい要領を教え
てもらえば、これは十分気持ちの拠《よ》りどころとなり、口の中でその言葉をころがしてい
ると、しぜんに力が湧きあがってくるような気がする。
かねは、気のせいか生色をとりもどしたような面持ちで帰ってゆく光乃を、縁側に立
ってのび上がり、いつまでも見送った。

産婆という仕事は、一人の人間がこの世に生を享《う》ける場を介助する極めて厳粛な仕事ではあるが、ここには思いもかけぬ物語が秘められている場合もあり、下村かねもこれまで三十年近い年月のあいだには、人にいえぬ事実に行き合ったことはたびたびある。が、たったいま帰って行った光乃のように、どうみても人妻ではなし、さりとて水商売の雰囲気にはほど遠い三十がらみの女性が、住所も名前もあいまいにしか告げず、立ち去って行ったのは初めてだっただけに、まるで狐《きつね》につままれたような感じで、しばらくその場に突っ立っていた。

しかも人品は決して卑しくなく、ものごしも静かで分別ありげにみえるのに、臨月になって初めて診断を受けに来たのもふしぎといえばふしぎだし、疑えば、もし逆子でなかったら、ここを訪うて来はしなかったのではないかと思われ、ますます判らなくなってくる。

当たり前なら、自分の家を詳しく教え、一度診察がてらおいでを、と依頼して行くのに、それはいわず、礼を述べて帰って行っただけなのは、ひょっとしてよその産婆にかかっているのではないかとも推察できなくはない。

しかしそれにしても、あのしとやかな立ち居振る舞いからすれば、どこか大家《たいけ》の関わりのおひとらしい、とだけの見当はかねにもつき、何となく気がかりのまま、その後の日を送った。

光乃のほうも、世にも頼もしいひとに巡り合えた安堵《あんど》で目の前は明るくなったものの、ここでまだ自らの身分を明かすことはできなかった。

自分を語れば雪雄の名を出さざるを得ず、それにこの期《ご》に及んでもまだ、無事に子供を産んで育てられるかどうか、光乃の胸には一抹の心配が漂っている。

あまりに慎重に過ぎるかも知れないが、結婚もしていない女が子供を産むことについて、どんなに世間から白い目で見られるか、これだけは光乃にも想像できる気がする。

圭子のように、何事もさばさばと、もの事を深く考えないで生きてゆけるならいいが、長年雪雄のそばにいれば、主の名、家の名、身内の思惑がいかに重いものか、光乃は骨身に沁《し》みて判《わか》っているのであった。

医者が計算してくれた出産予定日は八月八日、ならばそれは明日、と思うとさすがに光乃は落ち着かず、こういうときどうすればいいかと考えていて、ふっとさだが髪を洗ったことを思い出した。

いよいよ長い産褥《さんじょく》に就くとなると、身体を清潔にしておかねばならず、さだが大きな腹を抱えながらさもたいぎそうに、

「光乃、手伝っておくれでないか」

といい、縁側の洗面器に向かってさし出した頭を、ていねいに洗ってやったことを思

い出す。

なるほど、といま光乃はそのわけが判り、自分も大きな薬缶《やかん》に湯を沸かし、梅の木の下に洗面器を台ごと持ち出して、体をかがめて髪を洗った。

長い髪は小さな洗面器のなかでうねり、襦袢《じゅばん》だけになっている上半身にしばしば飛沫《しぶき》を散らせたが、洗い終わるとまことにさっぱりし、縁側に腰かけて光乃はしばらく髪を乾かした。湯の残りで体もきれいに拭《ふ》き、下着もすっかり替えて、さあこれでよい、と準備したはずなのに、心の隅ではやはり不安が募ってくるのか、その夜からどうも腹の調子がよくなかった。

何も悪いものを食べたおぼえもないのに、しくしくと腹が痛み、痛んでくると便所へ行きたくなる。足腰の冷えから来るのだろうかと、ネル裏の足袋をはき、座ぶとんの上に坐っているのだけれど、これも大した効果があるようには思えなかった。

雪雄は、九月から新しく発足する文部省主催の芸術祭に参加する「鳴神《なるかみ》」の主役、鳴神上人《しょうにん》をやらせてもらえることになり、これも大きな初役《はつやく》だけに、稽古《けいこ》や打ち合わせのために日中は飛びまわっている。

「鳴神」は歌舞伎十八番のひとつだが、不吉なことに松川家では二代目がこれを上演中に三代目がわずか二十二歳で病没し、また、自殺した八代目もこの芝居によって人気が急上昇したことなどもあって、久しく途絶えていたのを、松川右団次が復活させたもので、それを今回、「助六」で名をあげた宗家の鶴蔵が勤めようというのであった。考えようによっては、助六以上に鶴蔵の力量が試されるだけに、鳴神上人を首尾よく果たして主役の座を不動のものとするか、或いは助六だけで消えてゆくのか、の重要な鍵《かぎ》を握るものでもあった。

雪雄は、光乃から見て、「坊ちゃま目のいろが変わっていらっしゃる」と思うほど鳴神に打ち込み、いまやもう他のことは全く念頭にない様子になっている。一度だけ、ふと思い出したのか、

「いつ生まれるんだい？」

と聞いてくれたが、光乃も控えめに、

「八月の上旬あたりかと思います」

と答え、それっきりであった。

予定日のその日、下痢と腹痛は鎮まらず、光乃はときどき横になって過ごした。腹を絞るように痛くなってくると、ひょっとしてこれは当たり腹でなく、陣痛かもしれないと思っているうち便意を催し、厠《かわや》に入ると便があって痛みはまもなく鎮まる。産婆の話では、初産では予定日より延びる例が多いと聞いていたし、これならいまのうち下痢を癒しておいたほうがいいかも知れぬと、光乃はその日、昼を抜き、夕食は粥《かゆ》を炊《た》いた。

夜に入って帰ってきた雪雄は、食事のあとで母屋《おもや》へ行き、章一郎と話し込んでいたらしいが、戻って光乃に、

「明日はべつに予定がないから、章さんと相模湖《さがみ》へ釣りに行く。刺子《さしこ》と跣足袋《はだしたび》を出しておいてくれ」

と命じた。

翌九日の朝、雪雄は一日だけ稽古から解放されて晴れやかな顔つきで支度をし、光乃の作った弁当と釣り道具をかついで、

「魚籠《びく》が重いほど釣ってくるぜ。晩飯は待ってろ」

と上機嫌でいい、光乃が微笑《ほほえ》むと、

「今日は大丈夫だ。章さんが一緒だから」

と、元気な足取りで母屋の方へ歩いて行った。

光乃は、自分の出産のとき雪雄に立ち会ってもらおうとはつゆ考えておらず、いつものように帰宅時間など一切聞かないまま、手をついて送り出した。章一郎と同行するなら帰りに一杯やらないはずはないし、そのうち釣った魚が邪魔になって、飲みやのおかみに進呈し、からっぽの魚籠を振りながら帰ってくることにはすっかり馴《な》れている。

そのうしろ姿を、座敷からしばらく見送ったあと、台所に立って後片付けしようとしたとき、また例の、絞るような痛みがあった。その場にしゃがんでしばらく我慢してい

たが、やはり便所へ行きたくなって入ると、なお便はゆるい。

やっぱりお粥の養生だけでは癒《なお》っていなかったのかと思い、横になって下半身に蒲団をかけていると、さっきから一時間以上も経《た》ってのち、また腹痛がやってきた。

起き上がり、腹部に手をあてて、便所へ行こうかどうしようかと考えているうち、今度は痛みはすうーっと引いてゆき、そのあと光乃はしばらくうとうとしていたらしい。

三たび痛みが襲ってきたとき、頭に浮かんだのは、産婆さんを呼びに行かなくては、ということであった。

しかし立ち上がりかけたものの、すぐまた、下痢のための腹痛だったら笑いものになる、という抑制があり、もう少し様子を見ることにした。

産婆を呼ぶのはいよいよとなってからにしよう、と自分をなだめ、ただの腹痛か陣痛かがしかと判別つかないまま、光乃はなおしばらく横になったまま過ごした。

こんな姿を人に見られたくなさに障子を閉め切ってしまうと、八月の暑さに室内は湯殿に坐っているよう、間をおいてやってくる痛みに耐えていると、全身汗が噴きあげてくる。

しかし痛みはさして強くはなく、腹に手をあて、体を海老《えび》のように曲げていればほどなく遠のいてゆく。便意を催すときもあり、座敷から一間ほどの廊下を通って便所へ入り、しゃがんでいると、しばらく痛みを忘れることもある。

朝、雪雄が家を出てから、どれほど経ったか、いつの間にか陽あしが東から南へ廻ったらしく、障子を通してのその光線の具合からすれば、どうやらもう昼に近かった。

そのころから、痛みは少しずつ激しくなり、腹の中心部から腰にかけて抉《えぐ》られるように痛みは拡《ひろ》がってくる。そのたびに、奥歯をぐっと噛《か》み締め、声の洩《も》れないように我慢するのだけれど、その奥歯が頤《あご》もろとも砕けはしないかと思われるほどであった。

それでも光乃は、なお産婆を呼ぼうとはしなかった。

この期に及んでもまだ一抹、ひょっとしてただの腹痛、の疑いも消え去ってはいないし、それに真っ昼間、汗まみれで駈《か》け出して行く途中、激痛に襲われ、人目につくような騒ぎにでもなれば雪雄の名を汚《けが》すこと甚だしく、そう思うと、体は金縛りに遭ったようにここから動けなかった。

痛みは人間の思考力を奪ってしまうものか、光乃は次第に何も考えられなくなり、痛みと痛みのあいだは肩で大きく息をつくばかり、けさほどは下半身にかけていた蒲団も枕とともにいつのまにか部屋の隅に蹴飛ばされている。

時計を眺めて時間をはかることさえできず、陽ざしが少しずつ西にまわってゆくのがかすかに意識されるだけで、だんだん力を増してくる痛みと闘うのがやっとであった。

痛みが強烈になればどうしても便所へ行きたくなり、もはや立つ力はなく、廊下を這《は》ってやっと入ったとき、裏木戸の勢いよく開く音がして、聞き馴れた、

「ちはっ、こんち御用は」

の魚屋の御用聞きの声がひびいた。

光乃は、気力をふるって内から戸の枢《くるる》を落とし、それを片手でしっかり握ると同時に、
昏を血の出るほど噛んでうめき声を耐えていると、魚屋は、

「ちはっ」

を繰り返しながら台所の戸を開け、

「お留守ですかあ？　不用心だなあ。鍵もかけてないなんて」

と呟《つぶや》きながら帰って行った様子であった。

御用聞きの足音が遠ざかると光乃はほっとし、同時に少し痛みもひいて、便所から這って出ると、髪までびっしょりの汗であった。

おくれ毛が藻のように顔に貼《は》りついているのを搔《か》き上げる気もなく、そのまま座敷へ倒れ込むと、この激痛と闘うには、昨日も今朝も薄いお粥ばかり、という自分の体力の弱さが頭に浮かんでくる。

ひょっとして死ぬかもしれない、と思い、そう思う一方で、先日聞いた産婆の励ましの言葉がときどき断片的に頭をかすめ、それはいまの場合、たった一人で初めての出産を迎えようとする光乃の唯一《ゆいいつ》の拠りどころであった。

痛みは、赤ん坊がこの世に出たがっているしらせ、出産は神の思《おぼ》し召《め》しで、ウンチを

するように自然なもの、という簡潔明快な指導がなかったら、光乃はこのまま気を失っていたのかも知れなかった。

御用聞きが去ってのち、しばらく中休みがあって、そのあと日暮れから夜にかけて、続けざまに痛撃して来た猛攻には、さしも辛抱強い光乃も、地鳴りのようなうなり声を抑えることは出来ず、座敷中を転げまわった。

障子の桟が見えるうちはまだまだ、と聞いていたが、汗のしたたりが目に入ってとうにまわりは見えなくなっており、気がつくと、着衣はすべて脱ぎ捨てて、六畳の間の隅から隅へと畳を掻きむしりながら転がり、柱に頭を打ちつけているが、その痛みはまるで感じなかった。

辺りがすっかり暗くなっても痛みは攻撃の手をゆるめず、下半身の骨も砕けるかと思うほどの痛みが連続しているなかで、光乃はまた便意をおぼえ、ともかく便所へ行かねば、と思った。

ひょっとして、座敷でそそうしてはいけない、と思う気持ちから、少しずつ廊下をにじりながら便所の戸を開け、しゃがむと、目もくらむほどの激痛が体をゆるがし、気が遠くなると思ったとたん、下腹に大きな力が入り、ぐっぐっぐっと、三度ほどの波を感じたとき、光乃は本能的に両手をのばしてその生あたたかいものを受けた。

生まれた!! 生まれた!! とうとう生まれた!! と光乃は全身わななきながら、その小さな生きものを捧《ささ》げ、羽目板に腰をつき、壁によりかかった。

ともすれば後頭部からすうーっと意識がうすれようとするのを、最後の気力を振りしぼって、生きものを両手で頂いたまま、ほんの少しずつ少しずつ便所の外へにじり出、その廊下で横たわったまま、胎盤の下りてくるのを待った。

かたわらに寝かせた赤ん坊にはじめて目を当てると、これはまあ立派な男の子、くうくうと元気な声を挙げて泣いている。

赤ん坊は真っ赤な顔で固く目をつむり、まだ胎内にいるときのように向こぶしを胸に当て、ときどき首を振っている。

激しい戦いの後のように、母子ともに廊下に長く横たわり、光乃はまだ後頭部のもうろうとしたまま、赤ん坊を眺めているが、その目からいつか涙がしたたり落ち、ぽたぽたと廊下を濡《ぬ》らしているのに気がついた。

誰の力も借りず、しかも逆子出産で、女の大役を無事に果たした自分がたまらなくいとしく、光乃は生まれてはじめて、自分自身の背を撫《な》でて慰め、そして褒めてやりたいと思った。横になったまま仔細《しさい》に見れば赤ん坊も五体欠けるところなく、まことに順調にこの世に生を享《う》けて大きく呼吸しており、この子の強さ、めでたさが胸いっぱいに感じられる。

まもなく、今度は大した苦痛もなく後産《あとざん》が下りてくると、光乃は全身の力をもはや使い切ってしまったのを感じ、このまま引き入れられるように眠りたかったが、なお気力をもう一度ふり絞らねばならなかった。

赤ん坊と胎盤は長い臍《へそ》の緒でつながっており、断ち切らねばならないのは知っていても、素人《しろうと》がそれをするのは危ないし、やはり産婆を頼むしか方法はない。しかし、立ち上がって身繕いし、小川の橋を渡ってあの下村かねを呼びに行くだけの体力は、光乃にはもうなかった。

目の上にかざした手でためしに握りこぶしを作ってみるのだけれど、ふわふわとして頼りなく、無理して力を込めようとすると、意識ごとすうーっと奈落《ならく》の底に落ちてゆくような感じがある。

それでも、このまま放置すれば赤ん坊は死んでしまうかも知れない、と思うと、死力をふるってでも処置をしなければならず、光乃は歯を食いしばり、身ぶるいしつつよろよろと立ち上がった。壁によりかかりながら、一足ずつ一足ずつ進んで座敷に入り、脱ぎ散らした自分の着衣を、力ない手つきでゆっくりと着た。

最後に、坐った姿勢でもんぺをはき、紐《ひも》をしめると、膝《ひざ》をついたままで廊下をにじり寄り、裸の赤ん坊と胎盤を両手で抱いて座敷に戻ってくる。

赤ん坊の皮膚はぬるぬるしており、手がすべらぬよう気を遣いながら、かねて用意の白い晒《さらし》の襦袢《じゅばん》を着せたが、寝させるべき蒲団《ふとん》はあまりに大きくて押し入れから引き出す力はない。つい目の前には藺草《いぐさ》の夏座蒲団があるが、これは赤ん坊には固く、他になにか、と見廻すと、この頃、用がなくなってときどき枕に使う、戦時中の、紺木綿の防空頭巾《ずきん》が目に止まった。

これなら綿をたっぷり入れて縫ってあるし、赤ん坊の蒲団にはおあつらえ向きだと思い、引き寄せてその上に寝させると、いい具合におさまった。仰臥《ぎようが》している赤ん坊の腹の上に、くるくると巻いた臍の緒と胎盤とをのせたままでが光乃の力の限界で、さて何とかして産婆の家へ、と気ばかり焦《あせ》るものの、体はまるで土塀などが崩れ落ちるように、赤ん坊のかたわらに崩折れてしまい、もう起き上がれなかった。

その日雪雄は、章一郎の他二人の釣り友達と連れ立って相模湖畔の贔屓《ひいき》の家を訪れ、湖心まで舟を進めて竿《さお》を垂れたが、獲物は思わしくなかった。早めに引き上げ、贔屓の家で夕食をふるまわれて、電車を乗り継いで帰って来たのは夜、十時を廻ったころあいではなかったろうか。

章一郎とは母屋の門の前で別れ、生け垣に沿って裏木戸に廻ってみると、この暑いのに障子はぴったりと閉ざされ、近づくに従い、家の中から聞き馴れぬ声が伝わってくる。例えていえば鳩《はと》の、くくうーっと啼《な》く声か、或《あ》いは帯などをしごくときのぎゅうぎゅうという絹ずれの音か、ふしぎに思いながら表にまわり、縁に腰かけ、障子を開けてみて、雪雄はその縁側から転がり落ちるほど驚いた。

今朝出かけるときには、片付いていた座敷に、いまは忽然《こつぜん》と真っ赤な顔をした赤ん坊が出現しており、そのかたわらに、青ざめた表情の光乃が叩《たた》きつけられたように横たわっている。

「おいっ」

と怒鳴り、光乃を揺り起こそうとして気がつくと跣足袋《はだしたび》のまま座敷へ上がっており、あわてて脱いで近づくと、光乃は大儀そうに畳に肘《ひじ》を突っ張って起き上がり、

「お留守に生まれました。男の子でございます」

と弱々しくいい、

「坊ちゃま、まことに申しわけございませんが、産婆《さんば》さんを呼んで来て頂けませんでしょうか」

と懇願した。

赤ん坊を見て雪雄も少なからず動転しており、

「うん？　なに、産婆？　この子を連れていまから行くのか？」

ととんちんかんな返事をし、

「こんな夜なかに、もう店は閉まっている」

と苛立《いらだ》って怒ったりした。

それでも、萎《な》え果てた光乃の姿を見れば奮い立たざるを得ず、いく度も聞き返して家を教わると、下駄を突っかけて裏木戸から出た。

いまの時間、盛り場ならまだ宵の口だろうが、ここら辺りはもう人通りもなく、とき折夕涼みの浴衣《ゆかた》姿とすれ違うだけの道を急ぎ、目ざす看板を見つけて訪《おとな》ったとき、雪雄の挨拶《あいさつ》は、

「私は松川鶴蔵と申します。先ごろうちのやつがお伺いしたそうですが、今夜、子が生まれましたので、どうぞお越しください」

という口上であった。

かねは、これが先ごろ「助六」で名を挙げた役者さんか、と驚きつつ、うちのやつ、というからにはあの方はやはり奥さんか、また、子が生まれた、は間違いで、生まれそうだから、だろうと思いながら、急いで出支度をした。

雪雄に伴われてその家に行き、かねがそこで見たものは、この道二十八年、すでに五百人を越す出産に立ち合った産婆にして、初めて目にした光景であった。

産婆は、産気づいたら早目に呼びにくるもの、お使いの鶴蔵のいい間違いだろうと考えて来てみれば、逆子の子供はすでに生まれ、腹の上に胎盤を乗せたまま、泣き声を挙げている。

しかも、たったいま、初産《ういざん》の大任を果たした産婦は、髪も梳《と》かし、もんぺの紐をきち

んと結んでそのわきにかしこまっている。

悶《もだ》え苦しみ、断末魔のような叫び声を挙げてのたうつ産婦の相手をして来た身には、この母、この子の端然とした様子を見て、

「この世のものとも思えぬほどの荘厳《そうごん》」

と打たれたのも無理からぬところだといえようか。

かねは思わず、後へ退《しさ》ってその聖母子に合掌し、深く一礼したのち、静かに膝をすすめて、衿《えり》を正し、

「拝見いたしましょう」

と手をさしのべた。

白い襦袢にくるまれた赤ん坊が至って元気なのを確かめ、かねはまずよく消毒してのち臍の緒を切り、持参の皿秤《さらばかり》にのせると体重は八百十匁《もんめ》、ちょうど標準で、

「育てやすい赤ちゃんでございます」

といいながら、雪雄が不器用な手つきで運んできたたらいで、産湯《うぶゆ》を使わせた。

切り落とした胎盤は、

「赤ちゃんのお扶持《ふち》ですから」

と、米と塩を雪雄からもらっておひねりにし、一しょに地中に埋めるのだという。

子供の始末が終わると、母親の手当てになり、雪雄には外してもらって出産の状況を

聞き、光乃がぽつりぽつりと答えると、かねは深くうなずきながら、

「すべてご運がようございました。赤ちゃんの頭はとても重いので、これが普通分娩《ぶんべん》ですと、ついらく分娩といってつい下へ落っことす可能性が高いのですが、おたくさまは逆さだったので免れることが出来ました。

おまけに汚物はみんな下へ落ちて、この赤ちゃんはもう産湯を使ったあとのようにきれいでしたもの。

便所での坐産《ざさん》は大へんですけれど、こんなふうに巧《うま》くいくと、かえっていいのかも知れませんね」

といい、すべて終わったあと、かねはていねいに頭を下げて、

「まことご立派な、近ごろ稀《まれ》にみるすばらしいご出産でございました。

この赤ちゃんは頭《こうべ》に神を頂いております。ご成長のあかつきには、必ずや天下に名を成すお方におなり遊ばしましょう」

と心からの祝いの言葉を贈った。

家まで送りましょうという鶴蔵の申し出を断り、かねは遅い月の昇った夜ふけの道を歩きながら、なお得もいえぬ感動に包まれているのを感じている。

口下手で、お祝いの言葉はあれだけしかいえないが、あの家の二人は、近ごろ見ないほどの、たぐい稀な一対だと思った。先ごろ診察に来たとき、奥さま、と呼びつつ、ど

こか違うのではないかと疑いが生じたが、たったいまの様子では、どうやら女中らしく、鶴蔵にはいちいち手をついて、

「坊ちゃま、恐れ入りますが、何々を取って頂けないでしょうか」

と折り目正しい言葉を使う。

よしんば女中でも、主の子を産めばたちまち居直り、大きな態度になってしまうのに、あのお方のつつましさ、礼儀正しさは、ほんものの奥さまとして少しも恥ずかしくないものだと思うのであった。

それに、鶴蔵の気づかいもこころ憎く、最後に、

「どうぞお手を洗って下さい」

と出された洗面器の湯には、ぽとりと一しずく、香水が垂らしてあった。

あの二人が、どんな経過を辿《たど》って子供を産むようになったのか、かねはまるきり判《わか》らないけれど、女がたった一人で子供を産み、産婆があらわれたときにはきちんと身じまいをして正座していたというだけで、鶴蔵の心の傾きがすっかり読めるような気がするのであった。

翌日から、かねは子供の臍の緒のとれるまで産湯を使わせに通うことになり、午後のひととき、しばらく光乃と話を交わすようになった。

みれば産後の手伝いなどは一人も居《お》らず、光乃ひとりで、まるでつい昨日、おととい

出産したとも思われないような涼しい顔で立ち働き、産湯の湯も沸かせばおしめや着物も縫い、そしてそれらの洗濯もまめにやっている。

いまは元気で動くことは出来ても、産後の不養生は年とってから体のあちこちにあらわれるといいますから、せめて悪露《おろ》の下りるあいだだけでも横になって休んで下さい、とかねはくどいほどいうのだけれど、光乃ははい、とうなずくだけで、一向に休む様子はなかった。

出産の翌朝、暗いうちから赤ん坊はくうくうと泣き出し、光乃はかねに教えられたとおり、薄い番茶で唇を湿らせてやろうと台所に立って戻ったところ、目をさました雪雄が赤ん坊の近くに自分の枕を寄せ、じいっと眺めている。

何もいわず、光乃が脱脂綿で唇を濡らすのをみていて、やがてぽつりと、

「母屋《おもや》へは話しておかなくちゃならねえだろうな」

と呟《つぶや》いた。

まだ朝露のある庭を通って雪雄が母屋の縁側に近づくと、章太郎が朝刊を読んでいるところであった。

お早う、を交わし、

「章さんは?」

と問うと、今朝のいちばん列車で仕事にでかけたといい、雪雄がもじもじしていると、

章太郎から眼鏡ごしに用件を催促され、頭をかきながらとうとう思い切って、

「実は、昨夜、お光が子供を産みました」

といっきにいって退《の》けた。

しかし、少々耳の遠くなっている章太郎は、犬が子を産んだのかと取り違えたらしく、

「え？　何匹ですか？　どこの犬で？」

と聞き返し、雪雄が蛮勇をふるってもう一度、

「お光です。うちのお光が産みました」

と怒鳴ったところ、章太郎の顔に徐々に驚愕《きょうがく》が拡《ひろ》がり、

「そうですか」

といく度も首を振りながら、

「そりゃあ目出度い。で、男ですか、女ですか」

とたずねた。

雪雄はそう聞かれるとすぐ、命名という、もっとも苦手な問題を思い出し、この大人《たいじん》然《ぜん》とした長老に、名をつけてもらえば幸先《さいさき》もよかろうと、

「何でもいいです。簡単で呼びやすいのはありませんか」

と頼んだ。

「こいつは大役だな」

といいつつ、章太郎はさっそく硯《すずり》と半紙を運んで来、もう暦の上では秋だから秋雄、雪雄に因《ちな》んで松に雪の松雄、或いは雪梅の梅雄、また男らしく強さを願うなら武雄、鉄雄、勇雄と思いつくままに書くのを、縁に手をついて雪雄はわきからのぞき込んでいて、

「おじさん、その勇雄《いさお》ってのはどうでしょう。勇駒《いさみごま》で雄々しくってえのは、なかなかいいじゃありませんか。もっとも今年は戌年《いぬどし》ですが」

とようやく決まり、朝めし前の一とき、七日の名付け祝いまで待たず、男の子の名前はでき上がった。

章太郎に書いてもらった名の半紙を、赤ん坊の枕許《まくらもと》に貼《は》り、ためつすがめつしている雪雄を見て、光乃は、やっぱり子の誕生を喜んで下さっているのだな、と判り、どれほど安堵《あんど》したことだったか。

しかし、結婚もしないで生まれた子供の運命はまだゆくさき安定したものとはいえず、雪雄をしっかりと信じてはいても、なおやはり、光乃の胸の底には不安がわだかまっている。

六畳一間に小さな赤ん坊ひとり増えただけで、生活は一変し、その忙しいこと、忙しいこと。

夫婦に子供、という組み合わせなら、夫にちょいと子供を頼んで自分の手もとを空けることもできようし、買い物にも行けるけれども、いまはどこまで行っても、主《しゅう》に子連

れの女中、というかたちでしかないのであった。

子供を連れていることで、雪雄の世話や家事がおろそかになるのは許されないと光乃は思っているし、雪雄もいままでの生活習慣をどう変えていいのか判らないような、不器用なたちであるのを、光乃は呑《の》み込んでいる。

それでも雪雄は、暇さえあれば赤ん坊の寝顔をのぞき込んでおり、その様子を見れば、圭子のときの、あの丈一を眺めてのはしゃぎぶりとはずい分変わっていると思う。

丈一がかわゆくて、勇雄には愛情がないというのではなく、丈一を失った経験が雪雄をずい分と成長させたように感じられもするし、それに年からいっても、もう三十八歳では、感情の発露も慎重に、また世間体をも考えるに違いなかった。

幸い、出産時あれほどの無理をし、産後も翌日からふだん通り立ち働いて、まるで超人的な体験を経たにもかかわらず、光乃の乳はよく出、赤ん坊はほとんど手がかからなかった。

光乃にはあの日以来、かねが何よりの頼みとも味方ともなっており、子育てについて、こまやかで正確な助言を得られるのが有り難かった。

光乃は生まれてはじめて、警戒心を解いて相談できる相手を得た思いがし、それというのも、このひとは光乃をいつも奥さま、と呼び、礼儀正しく接してくれる喜ばしさも作用していたのかも知れなかった。

もうつくつくぼうしの啼《な》きはじめた昼さがり、座敷にござを敷き、かねが赤ん坊に湯をつかわせてくれるのを、そばでのぞき込んでいるときの、得もいえぬおだやかな気持ちを、光乃はしみじみ、しあわせだと思う。

「ほらごらん下さい。この赤ちゃんの指の長いこと。ゆく末きっと背のすらりと高い男前におなり遊ばしますよ」

とか、臍《へそ》の緒がとれると、

「まあ形のいいお臍になりましたこと。男の方は人前で裸になることもございますから、出べそよりはこちらのほうがよろしゅうございます」

とか、光乃の心をやわらかく撫《な》でさするような話をしてくれる。

しかし一方で、「助六」で人気の出た鶴蔵の家の女中が子供を産んだという事実が、世間にひろまってゆくのを考えるとき、やはり光乃は身のすくむ思いがするのであった。

雪雄は何もいわないが、母屋のひとたちの驚きは光乃にも容易に想像でき、さだめし口から口へと全員知ったあとでは、お祝いをいうべきかどうか、頭を寄せ合って相談したことと思われる。

母屋のおかみさんが離屋《はなれ》にあらわれたのは中一日たってからで、ざるに地卵を入れ、エプロン姿で縁側に腰かけ、

「お光さん、お目出度だったんですってね。ちっとも知らなかったわ。家中誰も、あな

たのお腹《なか》が大きいことに気がついていなかったんですよ。

上手に産んだんですねえ」

といい、赤ん坊の顔をのぞき込むのも躊躇《ちゅうちょ》しているふうだったが、光乃も、

「どうぞ見てやって下さい」

ともいえず、おかみさんは上がらずにそのまま帰って行った。

出産のあとは家中浮き立ち、入れ替わり立ち替わりあらわれる祝い客にはまず生まれた赤ん坊を見せて褒めてもらうのが常だけれど、公《おおやけ》にできない場合ならこちらもあいまいにしか応対できず、客も遠慮して大げさな祝いの言葉をのべることもできなかった。

第一、勇雄という立派な名がついても、この子の戸籍届はどうすればいいか判らず、雪雄に相談するのは、妊娠を告げるときよりももっと気が重いまま、時間が経《た》ってゆくのであった。

雪雄は、出産の日こそ、光乃の姿を見てさすがにあわて、手伝ってくれたのだけれど、翌日からはまた、「鳴神」に夢中になっており、食事のときにさえかたわらに抜き書きをおいて、

「青山峨々《がが》とそびえ、白雲峰嶺《ほうれい》をかくし、冷泉の流れ清うして邪見の心魂まさにやわらぐと」

とむずかしい科白《せりふ》を呟き続けている。

かねは、八日間ほど通ってきてくれたあとで、自分が介助したという出産証明書に印を押して光乃に渡し、出生届は十四日以内ですから、これを世田谷区役所に持って行って受け付けてもらって下さい、と教えてくれたが、一日一日と日は過ぎてゆくのに、光乃はそれをいい出せなかった。

雪雄の気配をうかがうと、母屋の川田家はいたしかたないとしても、身内の者にはまだ内密にしておきたいらしく、だんだんと「鳴神」の初日は近づいてきて身辺忙しくなっていても、故意でそうしているのか、家に弟子を呼ばなかった。

思い返せば圭子の場合、一切は太郎が取りしきり、たぶん戸籍も圭子方へうまく処理したと思われるが、いまそれをするのは誰もおらず、雪雄の立場を大事に考えるからには、ただ黙って指示されるまで待つより他はない。

八月九日の出生なら、届け出期限は二十二日、ああ今日も暮れた、今日も空《むな》しく、と思ううち、とうとうその日は過ぎてしまった。

考えてみれば、雪雄と光乃の成り立ちは主従で出発し、子供が生まれはしてもその関係はいまも決して崩れてはおらぬ。

主の指図にないことを女中がしてはならず、勝手に区役所へ出かけることなど思いもよらぬまま、雪雄は舞台稽古に入るとまた旅館住まいになり、光乃は気になりながらも赤ん坊とふたりで留守を守ることになった。

光乃が届けを急がなかった理由には、父清太郎の、悪くいえばだらしなさと無知、好意的にいってのんびりした気質も多少関わっていないともいえず、それは弟勝年が陸軍病院で死んだあと、いっかな死亡届を出そうとせず、一年余りののち、ようやくたき子に尻《しり》を叩《たた》かれて役所へ行ったこと、それに光乃も、一生ついてまわる生年届けの遅れのため、少女時代ずい分と悩んだことなども、知らず知らずのうち、影響していたのかも知れなかった。

届けの期限が切れたあとの二、三日はさすがに良心に責められ、無心に眠る勇雄を眺めると胸も痛くなる感じはあったものの、そのうち雪雄が旅館へ入ってしまうと、苦しい現実は忘れてしまったということがある。

勇雄を妊《みごも》って以来、光乃には心細さと痛苦の日ばかり、そして体も引き裂かれると思う出産のあとも、この離室《はなれ》に近づく足音がすれば咄嗟《とっさ》に雪雄の顔いろを窺《うかが》うという日々で、かねの通って来てくれた時間だけが唯一《ゆいいつ》の安息であった。

幸い、母屋のひとたちはこの事実を人に触れもせず、雪雄がいなければ訪れるひとも稀《まれ》で、光乃はようやく勇雄と二人、おだやかな明け暮れを過ごせると思った。

世を憚《はばか》る故《ゆえ》に七日の命名祝いも控えたが、その日あたりから雪雄のいう、

「ようやく人の顔らしくなったよ」

の通り、まことにかわゆくなり、みつめていると時間の経つのも忘れてしまう。

眉《まゆ》、目、鼻、唇《くち》もと、とひとつひとつを確かめ、そのいずれもが自分よりもどうやら雪雄似であるように思えるときのうれしさ、そのうちいつのまにか、雪雄の舞台顔が重なり、自分でもうっとりと飽かず眺めているのであった。

子供ってこんなに可愛《かわい》いものかしら、と光乃は生まれてはじめての陶然とした気持に酔い、もし聞いてくれるひとがあったら、朝から晩までこの子の話をしていたかった。

勇雄とふたりなら時間に追われることもなく、乳を飲ませながら、添い寝し、いつのまにかうとうとしていて目ざめたときの、何ともいえぬのびやかな幸福感は、子供を得た母親ならではの感じがある。

しかし、ここは隠れ家、世間の荒波から隔たった平和な場所、という安心感も、決して万全のものとはいえないところがある。

雪雄は家を出るとき、

「子供を背負って旅館になぞ来なくていい。下着の洗濯は弟子にやらせるから」

といい置いて行き、千秋楽の日まではびくびくしないですごせると思っていたが、幕が開いてのちのある昼さがり、突然、客があった。

日中の残暑きびしく、障子を開け払って勇雄に乳を呑ませていた光乃は、裏木戸の開く音にあわてて赤ん坊を寝させ、衿《えり》もとをつくろった。

あらわれたのは、一、二度こちらに来たこともある弟子の染太郎で、庭に突っ立ったまま勇雄の寝ている白い子供の蚊帳《かや》を、いぶかしげに眺めていたが、やがてうす赧《あか》くなっている光乃を見て、はたとてのひらに拳《こぶし》を叩き、

「というわけでござんしたかい」

と、近づいて来て挨拶《あいさつ》した。

子供のことには触れず、楽屋に届けられた缶詰や米の包み、反物などの贈り物を縁側にどさりと置いて、

「師匠は汗っかきだから、一日のうち四、五回も下着を取り替えなさいます。おうちにまだ余分がありましたら私が預かって行きやしょうと思って参りやした」

という口上であった。

光乃は大急ぎで荷を作りながら、縁に腰かけている染太郎の視線を痛いほど背に感じているのであった。

こういうとき、ぽち袋に百円札なりと奮発し、「よろしく頼みますよ」と目くばせでもすれば染太郎も役者の端くれ、万事呑み込んで口を閉ざしてくれるのかも知れなかったが、光乃にそういう芸当はできない相談であった。

それに、殊更《ことさら》に隠そうという気も光乃にはなく、これまでにも駅前まで赤ん坊のものや日用品を買いに出、年寄りの婦人などから、

「まあかわいい赤ちゃんですこと」

とのぞき込まれると、うれしくなってしばらく見てもらったりもしている。

染太郎が東劇の楽屋中に吹聴《ふいちょう》して歩いたところで、生まれたものなら大事に育てる以外、ないではないか、と腹を据えているのは、光乃に少しずつ備わりつつある母親というものの強さでもあったろうか。

そして染太郎の発見は、鶴蔵がいま売り出しの花形役者だけに口から口へと伝えられてゆき、宗四郎の耳に入ったのは、「鳴神」千秋楽の二日前であった。

このときの興行では、優《まさる》が「鳴神」の黒雲坊を演じて同じ舞台を勤め、夜の部の「土蜘《つちぐも》」では僧智籌《ちちゆう》を好演、進境ぶりを見せ、兄弟ともに大活躍を報じられて宗四郎が大いに満足しているときであった。

優は、氷川《ひかわ》町で雪雄と袂《たもと》を分かって桜上水へ来て以来、ずっと父親一家と同居しており、妻の蝶子《ちようこ》は二人目の出産をもう間近に控えているところであった。

優から、どうも光乃が雪雄の子を産んだらしいという話を聞いた宗四郎は激怒し、

「すぐさま雪雄をしょっぴいて来い」

といったが、優からなだめられ、

「では楽の日に、縄かけてまっすぐここへお前が引っ張ってくるんだ」

といい付けてその日を待った。

九月二十七日、無事に「鳴神」を打ち上げると雪雄は優と打ちつれて、久しぶりに桜

上水の家を訪れた。

雪雄のやつめ、またぞろ不始末をしでかしおって、といきまいていた宗四郎も、年のせいか激しい怒りは長続きせず、先日とは少々異なってだいぶん気弱になり、

「いったいどうしたっていうんだ。お光は忠節一途《いちず》の、このごろ珍しい女中じゃなかったのか。お前のほうから手を出したとは思えねえが」

と、問いただしたが、雪雄は、

「へい」

とだけでいいわけはしなかった。

「お前が松川家へ入るとき、お光ならどう転んでも間違いあるまいと考えて承諾したのだったが、こんなことになるとは」

と嘆じつつも、

「どうだ雪雄、世間に広まらないうち、お光には暇を出したらと考えるんだが」

といったとき、雪雄は驚いた目をして父親の顔を見た。

「実はな、さんざん揉《も》めた満開楼の亮子さんのことだが、今年の春、良縁あってかたづかれたそうだ。何でも手広く商売なさっている方で、一切承知の上で是非に、と望まれたらしい。

うちから出て、ちょうど十年だった。お前にはいいこそしねえが、おれはこの十年と

いうもの、何とかあのひとがしあわせになるよう、祈り続けていたんだ。あのひとが無事に納まるところへ納まらなけりゃ、お前も天下晴れて女房は持てねえ、と思い続けていたんだ。

で、一件落着したからには、これでお前も世間並みにちゃんとした家庭を持たなくちゃならねえ。見ろ、新二郎にも優にもさきを越されちまって、弟二人はもうそれぞれ立派な子持ちじゃねえか。

亮子さんの再縁は六円さんも承知していなさる。楽屋廊下のすれ違いだったが、『これで誰憚らず雪雄も嫁をもらえましょう』といっていなさった。

これからはしかるべき嫁をさがし、お前もまともな暮らしを送らなきゃならないんだ。こういう矢先、こんな不祥事が聞こえてくると、縁談ばかりか、お前の人気にも障《さわ》る。お光にはそれなりに手当てをしてやって親もとに返すがいい。悪いことはいわねえ。いまのお前にとって、それがいちばんいい方法だ」

という宗四郎のすすめを、雪雄は目を落としたまま、黙って聞いている。

座には優と、久しぶりの太郎も立ち合っていたが、誰も口出しはせず、宗四郎はさらに、

「不服かい。なにお前がいい出しにくけりゃ、もともとお光はうちで雇ったもんだ。おれがここへ呼んで本人の納得のいくよう、話してやる」

「それじゃあ子供はどうするんですか」

と雪雄が顔を上げて大声で叫ぶと、宗四郎は手を上げて抑え、

「子供はお光には渡せねえ。役者の家にとって男の子は宝だ。なにおれが引き取って育ててもいいし、お前のもらう嫁が承知して育ててくれればそれに越したことはない」

と宥《なだ》めようとするのへ、雪雄は今度は静かな声で応じた。

「お父さん、お光は女中ではありますが、いいところがあります。あいつに暇をやることは出来ません」

「ふむ」

と宗四郎は一旦《いったん》引いて腕組みし、

「そんなら雪雄、お前なにかい、お光を女房にっていうんじゃなかろうな」

と聞いたとき、雪雄はしばらく黙り込んだあとで、ぽつりと、

「そこまでは考えていません」

と答えた。

宗四郎はほっとした顔つきで、

「そうか。お前もそこまで血迷っているとはおれも思っちゃいねえ。しばらくじっくり考えてみろ。

しかしお前はもう以前のお前じゃないからな。皆さんが鶴蔵を取り立てようと懸命に

なって下さっている。私生活もきれいに調えることは大事な要件だ。いいな、今夜おれのいったことをよくよく考えて、自分でそれなりの処理をしろ。これ以上、おれはもう何もいわねえ」

といい、煙管《きせる》をはたいて話にけりをつけた。

優も太郎も一言も発せず、雪雄も終わるなりすぐ話題を変えて、この年の冬に三越劇場が開場される噂《うわさ》や、秋には梅五郎、幸右衛門らとともに宗四郎も芸術院会員に推されるという気配など口にし、ふたたび光乃と勇雄には触れなかった。

終電のひとつ手前の電車で雪雄は帰ることにし、別れを告げて立ち上がると、太郎も腰を上げて、

「駅まで送らせておくんなさい」

といい、星月夜の道を雪雄と太郎は久しぶりに並んで歩きながら、

「太郎しゅう、ずっと達者でいたかい。声もかけてやれなくて申しわけないと思っている」

「坊ちゃん、そのいいかたは水くそうござんすよ。おいらは『助六』も『鳴神』も、今日は帯のどこが曲がっていたか、科白《せりふ》のどこが巧《うま》くいったか、そこまでそっくりご承知でさあ。

今回の『鳴神』は、中日《なかび》あたりから柱巻きの見得《みえ》に工夫がありやしたね。大旦那《おおだんな》も面

と向かっちゃあ褒めはなさらないが、かげではほっとしていなさる模様ですぜ」

「そうかい。ありがとよ。何しろおれもいまは死にもの狂いなんだ」

「そうこなくっちゃ。これからどんどん大きくなるお方なんだから」

と、そこで話が途切れ、しばらく夜道に下駄と靴の音ばかり響いていて、やがて駅の灯が見えてきたころ、下駄が立ち止まって、

「坊ちゃん」

と改めて呼び、

「なんだい」

と靴も立ち止まると、両手をひざに白い頭を深々下げて、

「野崎村のこと、よろしゅうお願《ねげ》え申します。あの娘はまたとないいい娘だ。どうか捨てねえでいてやっておくんなさい。坊ちゃんに暇を出されたら、あの娘は死んじまうかもしれねえ」

といったところ、間髪を入れず、

「そんなこと、お前にいわれなくても判《わか》っている」

と大喝された。

しばらくぽかんと突っ立っていた太郎は、

「違《ちげ》えねえ」

と自分の額をぴしゃりと叩《たた》き、

「そうだろうとも、そうだろうとも。坊ちゃんに野崎村の取り合わせはいわば宿縁みたいなもんだ。ちょっとやそっとで離れたりはしねえさ」

と呟《つぶや》きながら、先にスタスタと歩き出している雪雄のあとを追いかけようとすると、雪雄は振り返ってうしろ向きに歩きつつ、

「太郎しゅう、もう帰りな。ここでいいよ。体に気をつけるんだよ。おれも少し大きな家に引っ越したらお前を迎えに来るからな。待ってろよ」

と少しずつ遠ざかり、

「あばよ」

と手を振って、駅の灯りの中へ吸われて行った。

そのうしろ姿を見送る太郎の脳裏には、子役で出た雪雄の牛若丸の舞台姿が重なって来、胸を熱くしているかたわらではいちめんの虫の音が湧《わ》いている。

六畳の間に蚊帳を吊《つ》ると坐《すわ》る場もなくなり、その夜、光乃は勇雄を寝かせ、縁に腰かけて待っていると、軽い足どりで雪雄が四十日ぶりで戻って来た。

団扇《うちわ》を使ってヤブ蚊を撃退している光乃を見て、庭に立ったまま、

「蚊取り線香を焚《た》かないのか」

と聞き、光乃が、

「はい、勇雄が煙にむせるといけないと思いまして」

と答えると、

「そうだったね」

といいつつ、靴を脱ぐなり蚊帳のなかに入り、勇雄の寝顔を眺めて、

「ずい分と大きくなったなあ。顔なんか倍になってるし、目鼻立ちがはっきりしてきたな。こんな立派な顔つきで、『ひとつ睨《にら》んでごらんに入れます』なんて目をむかれちゃあおれのほうが縮みあがらあ」

と、いとしそうに手や足にさわり、光乃が、

「もう笑いますのよ。灯りも見えるようなんです。電気のほうへ顔を向けますもの」

とそばから口を添えると、

「そうかい。じゃ五体健全だったたってわけだ」

と上機嫌で、そのあと、

「今日は桜上水へ寄って来たんだが、親父《おやじ》がおれに結婚しろっていうんだ。この子は自分の籍に入れて引き取るって、そんな冗談いうんだ」

と何気なしにそういった。

雪雄にすれば頭にもない話故《ゆえ》に、そう笑い捨て、すぐ留守中の郵便物などに目を通し

はじめたが、聞いた光乃の衝撃ははかり知れないものがあった。

なるほど雪雄がいまだ独りでいるのはたしかに不自然で、早晩その日がやってくるのに思い及ばなかった自分が浅はかだったし、そうなれば当然、勇雄は宗四郎が引き取るという筋道は、これまでの白木屋のやりかたからしてよく判る。

自分ひとり、生涯ここを動かぬ、と決めていても、宗四郎はいまだに厳然たる主であれば万一の場合主命に背くことはできず、いまの言葉は必ずしも冗談ではない、という気さえしてくる。

もし明日にでもそういう話がはじまったらどうしよう、と考えると、究極のところ、雪雄の結婚をとどめる力はなくても、この子を離すことは死んでもできないと思った。

しかし如何《いか》に力んでいても、子と自分をしっかり結びつけておくべき手段がなくてはその主張は通らず、この子を我が手で守るのにはどうすればいいのか、考え込んでしまうのであった。

その夜光乃はまんじりともしなかった。

勇雄は正しく雪雄の子で、血筋正しく尊い生まれだが、自分の手から奪われてしまうと思うと気も狂ってしまいそうに混乱する。

考えていると、明日にも宗四郎があらわれ、

「その子はおれの手許で立派な役者にしてみせる。さあ渡しなさい」

と取り上げて行きそうに思われ、そういう妄想に襲われるたび、光乃は添い寝している勇雄をしっかりと自分の体に引き寄せる。

この世界に養子はすこしも珍しくはなく、芸の継承者として乞《こ》えば、実の親もまた、子の出世を願ってさし出すし、その辺りの公私峻別《こうししゆんべつ》の了簡《りようけん》は立派というよりないが、いかに自分を宥めようと、光乃は、子は手放せないと思った。

そのうち東の空が明るくなり、十分に寝足りて起きた雪雄は、改めて明るい陽ざしのもとでとっくりと勇雄を眺めたあと、昼近くになってから、礼廻りに出かけて行った。

それを見届けた光乃は、まるで追っ手から逃れるようにあわてふためいて支度し、なれぬ手つきで勇雄をおぶい、裏木戸から出たが、思いついて白いパラソルを取りに戻り、それで赤ん坊の陽かげを作りながら駅に急いだ。

上馬からは二つ目の駅、松陰神社でおりると、パラソルを右に左に傾けながらまっすぐに世田谷区役所を目ざし、戸籍係の席に行って出生届を、というと、用紙を渡され、それに書き込むようにという。

本籍、千葉県東葛飾《かつしか》郡行徳町原木《ばらき》百五十一番地、戸主塚谷清太郎の孫、勇雄、昭和二十一年八月九日、東京都世田谷区野沢町一ノ百二十番地にて出生、母塚谷光乃、九月二十八日届出、とここまで書き、父の欄が空白のままなのを見て胸の詰まるような感じを抱いたが、一瞬目を閉じ、下村かねの出生証明書を添えて提出した。

しばらく待っていると名を呼ばれ、

「塚谷さん、あんたこれ何ですか。一カ月以上もまえに生まれているのに、怠慢もいいところじゃないですか。出生届は二週間内。知らなかったの」

と居丈高な言葉を浴びせられたが、これはかねて覚悟の上、そしてさらに書類に目を通していた職員が、蔑《さげす》みきったまなざしで、

「この戸籍はあんたのだね。つまり結婚はしてないいんだね。非嫡出子《ひちゃくしゅつし》ということになりますよ。いいですね」

といい、日付の印を押した区長の受け付けの証明書を渡して、

「これは本籍地へ送付しますので、入籍は大体一週間後になります」

といい、これで出生届の手続きは終わった。

気がついてみると、のどはカラカラに乾き、全身汗が噴き出ている。

光乃はホールの隅の水呑《の》み場に近寄り、栓をひねってまずのどをうるおし、人気《ひとけ》のない階段の踊り場に上がって、勇雄を背からおろした。

もんぺの上衣《うわぎ》は汗で背中に貼《は》りついており、同時に、勇雄の肌衣の前もぐっしょり濡《ぬ》れているのを見て、着がえさせてやりたく思ったが、よほどあわてて出てきたとみえて、おむつの替えさえ持っていなかった。

階段に腰をおろし、人目を避けて勇雄に乳を呑ませながら光乃は、たったいま、大罪

を犯してきた人間のように足が小きざみにふるえているのを感じている。

昨夜、夜もすがら考えたのは、この子を人に取られたくないということばかり、それにはまだ届け出もしてない故に、万一このまま宗四郎の籍に入れられてしまったらどうしよう、とおびえ、遮二無二《しゃにむに》、実家の一員として届けてしまったが、もしや発覚した暁は大へんなことになりはしないか、とおそろしい。

いま無心に、こくこくと乳を呑んでいる勇雄は、名もなき塚谷の家の、戸主清太郎の孫としてこの世に登録されたけれど、実は、れっきとした父親があり、それが連日東劇を沸かした松川鶴蔵だとすると、自分の手で子の将来を汚してしまったような気がする。

さぞかし安堵《あんど》するかと考えて届け出はしてみたものの、光乃の胸のなかには徐々に暗雲がひろがり、ずっしりと重くなった心を抱いてもと来た道を辿《たど》った。

今夜、雪雄が帰れば率直にざんげし、許しを乞わなければならない、と思いつつ、光乃はその夜、やっぱりいい出せなかった。

本来をいえば、出産後、雪雄がそれを考えてくれるべきなのだけれど、圭子のとき一切太郎任せだったように、世事には全くうといひとだし、突き詰めたところ、光乃にはやっぱり身分上の遠慮というものがある。

その翌日は、一日うちで休養、といい、「鳴神」での緊張をさこそとうなずかせるほど雪雄はよく眠り、夕方、銭湯へ行ってのんびりとすごした。

あいまには勇雄を眺めては不器用にあやしてはいるものの、どうみてもまだ父親ではなく、そのぎごちなさを感じるたび、光乃はこの子は自分がしっかりと育てなければ、と思ってしまう。

雪雄は十、十一、十二、の三月《みつき》、ほぼ舞台はないが、絶えず進駐軍のお座敷や、稽古《けいこ》があってほとんど毎日出てゆくことになっており、光乃はその留守、先日来、思い悩んでいたことを、とうとうたき子にしたためて便りを出すことにした。

塚谷の戸籍に人一人増えたのを、黙っているのもできないことであった。

卓袱台《ちゃぶだい》に便箋《びんせん》をひろげ、無沙汰《ぶさた》の詫《わ》びと父親及び家族の安否の伺いを書き、さて出産の知らせとなると鉛筆ははたと止まり、額を叩いてしばらく思いに沈んでしまう。

かたわらに眠る勇雄の顔をみいみい、ようやく気を取りなおして、

「父上さま姉上さま皆さまにお叱《しか》りは覚悟の上で、この手紙を書いております。実は私、去る八月九日、若旦那さまのお子、勇雄を出産いたしました」

とここまで書くとあとはすらすらと進み、勝手ながら先日、世田谷区役所に塚谷家の子として届け出をすませて参りました、と打ち明け、何ぶんにもよろしくお頼み申しあげます、と結んで長い文言《もんごん》を終えた。

こうしておけば、どこまでも勇雄を手放したくないという自分を、皆が応援してくれるのではないかと思うと、いく分気も楽になってくる。

しかし、光乃が勇雄をおぶってポストに投函《とうかん》しに行ったその封書は、「宛先《あてさき》ニ該当者ナシ」「転居先不明」などのビラを貼りつけて戻って来、そうなると、ひょっとして身内の上に変化でも起きたのではないかと考え、かたがた勇雄の欄も確認したく、戸籍謄《とう》本《ほん》を取り寄せてみることにした。

これまで謄本など思い浮かんだこともなかったが、勇雄の届け以来、妙に気にかかり、封筒に一円札二枚をいく重にも包んで入れ、本籍地行徳の町役場宛に送付を乞《こ》うた。

まもなく送られて来たそれを見ると、父親の死亡届もべつに出されてはなく、結婚後、妻のむつ子とともに新戸籍に移って抹消された幾也《いくや》の次の欄に、正しく勇雄の名が記されてあった。

光乃は、あの意地悪そうな戸籍係が故意に『私生児』などと書いていはしないか、とそれが気になっていたのだけれど、謄本には私生児とも非嫡出子とも書いてなく、ほっとした。

ただ出生児の父、という欄が白いままなのはいかにも口惜《くや》しく、その個所をきっと凝視しながら光乃の脳裏をしきりに去来するのは、生まれたばかりの勇雄にうやうやしく合掌したかねの姿と、

「このお子様は頭《こうべ》に神を頂いておいでです」

と告げた言葉であった。

かねが神がかり的なひとでないのは判《わか》っているだけに、このひとに閃《ひらめ》いた暗示を光乃はまたとなく尊く有り難いものとし、折にふれ思い起こしており、いま、父空欄のこの戸籍謄本を見て心中改めて祈る気持ちであった。

雪雄が子供の入籍についていまだに言及しないことを、もし第三者が聞いたなら首をひねるかも知れないが、戦前も昭和十七年までは戸籍に私生児、と記入する慣《なら》わしだったから、なまじ届け出てその汚名を被せられるよりは、何らかの見通しの立つまで、このままでいたほうがいいかも知れぬ、と雪雄の胸三寸にあったかも知れないし、また或《ある》いは、こういう苦手な俗事は、番頭か誰かがそのうち処理してくれるだろう、と構えていたのかも知れなかった。

しかし光乃にすれば、父親たるひとに無相談でしたことであり、叱責《しっせき》を覚悟の上で話しておかねばならないと思い、十月の半ばすぎの或る夜、思い切って、

「坊ちゃま、勇雄の籍はこのようにいたしました。勝手なことといたしまして申しわけございません」

と戸籍謄本を差し出した。

とたんに雪雄は苦い顔になり、受け取って目を通していたが、

「仕方ねえだろう」

と一言いっただけで、それを光乃に投げて寄越すと、あとは黙り込んで新聞を読んで

いる。

その様子から見れば、余計なことをする、と憤《いきどお》っているとも、おれは知らねえよ、と素知らぬ顔をしているとも受け取れるが、光乃は心のうちで、これしか方法がなかったんです、としきりに弁解しているのであった。

しかし子供が生まれたら何と世界が変わるものか、と光乃がしみじみ思うのは、勇雄は日々かわゆく、この子の養育がいまは何よりの生き甲斐《がい》、と思う反面、このままでいいのか、先はどうなるのかという心配もつきまとう。

いわば苦楽ともに背負うようになった現在の暮らしは、出産以前には考えられなかったほどの複雑な思いであった。


光乃は、返送されたたき子宛の手紙を、そのままひき出しに蔵《しま》って消息を気づかっていたところ、十一月に入って葉書の便りがあった。

お知らせが遅れてすみません、という書き出しで、山形の石灰採掘の仕事が終わり、皆でまた小岩に戻りました、という文面で、今度は幾也夫婦は市川へ、私どもはお父ぁんと一しょにこちらで家と仕事を捜していたので遅くなりましたが、ようやく落ち着きました、と説明してあった。

どこへ流れて行ったのかと心細く感じていたところだったので、光乃は安心し、蔵ってあった手紙の宛て名を変え、その旨《むね》添え書きしてふたたび投函した。

その手紙が届いたと思う十一月初旬のある日、秋晴れの庭に光乃が洗ったおむつを干していたところ、思いがけなく、母屋《おもや》の方向からこちらへ歩いてくるたき子の姿があった。

「みいちゃん」

「姉ちゃん」

となつかしく呼び合いながら、姉妹は駈《か》け寄り、手を取り合ったが、このたびの邂逅《かいこう》には互いに胸溢《あふ》れる思いがあった。

まず何はさておき、たき子は、

「子供が生まれたんだってね」

といい、光乃は深くうなずいて、

「いま眠ってるんだけど、見てやって」

と座敷にいざなった。

畳にてのひらをつき、しばらくのぞき込んでいたたき子は、

「まあ鶴蔵さんにそっくりじゃない？　いい赤ちゃんねえ。丈夫そうでかわゆくて。あんたお乳出るの？」

と聞き、

「ええ、この子が飲み切れなくて捨てるくらいよ」

と光乃が答えると、

「みいちゃんお手柄だったわねえ。お父つぁんとても喜んで、すぐお祝いに行ってやんなって私をせき立てるもんだから、こうして飛んで来たんだよ」

と、光乃には思ってもみなかった反応であった。

身内一同さぞかし立腹し、うちの籍になぞ勝手に入れるのは許さぬ、と父親からの伝言でもあるのかと思っていただけに、光乃は拍子抜けするほど安堵した。

たき子はしみじみと、

「みいちゃんあんたはやっぱり家中でいちばんの出世頭だね。もうただの女中ではないんだもの。

女は何といっても子供を産むのが勝ちよ。

お父つぁんなんか、『光乃はお前、何つってもお世継ぎを産んだお腹《はら》さまだ。これで鶴蔵さんももう光乃を粗略に扱えなくなったってわけだ』と晩酌を倍に増やして一人で喜んでたんだよ」

と祝いを述べたが、光乃の気持ちは複雑で、たき子に同調できず、それは何故？　とさらに聞かれて光乃は出産以来の経緯をぽつりぽつりと打ち明けた。

自分自身はもう決して鶴蔵のそばを離れるつもりはないが、世間体にはまだ独身でいる鶴蔵に、結婚の機会が訪れるかもしれぬ不安、そうなると勇雄は宗四郎のもとに引き取られかねないこと、その防止案とも考えて塚谷の籍に入れてはみたものの、このまま清太郎の孫として世に出ることなく埋もれてしまう懸念《けねん》、と光乃の晴れない思いを語った。

たき子は光乃の手をとり、膝《ひざ》を叩《たた》いて、

「みいちゃん、そんな弱いことでどうする？　あんた勇雄ちゃんの母親になったんじゃないか。がんばるんだよ。戦うんだよ。

母子のあいだは、鶴蔵さんでも宗四郎さんでも引き裂くことはできないんだよ」

たき子はさらに熱を込めた口調で、

「こんないい方するとみいちゃんは嫌がると思うけど、名もない貧乏人の娘が出世するのには主《あるじ》の子を産んで、母親の座にどっしり坐るより他に方法がないじゃないか。

幸いみいちゃんは、そこまで辿《たど》りついたからには、どんなことがあろうと勇雄ちゃんを離さず、鶴蔵さんのそばを動かないことなんだよ。

鶴蔵さんがしらを切ってるならともかく、自分の子だと、これはちゃんと認めているんだから。

籍のことなど、どうでもなるよ。たかが紙切れ一枚、しかも人に見せることなんて、結婚か死亡のときくらいなんだもの。

いい？　みいちゃん、勇雄ちゃんは表向き堀留勇雄でいいんだよ。何も塚谷勇雄なんて、自分からばらすことなんてないんだよ。

そんなことで悩むなんてみいちゃんも案外弱虫なんだねえ。もっと堂々と、あたしは鶴蔵の子を産みましたって顔をしてなよ。すばらしいことじゃないか」

と説き、最後には光乃の体をゆすぶって励ました。

「そういわれても」

と光乃はなお渋い顔でその言葉を受けつつ、しかしたき子によって体の底から武者ぶるいに似た決意が湧《わ》きあがってくるのを感じた。

たき子は、教育もない姉かも知れないが、塚谷の長女として小さいころから辛酸をなめ、父親を助けてこんにちなお女ながらも家を支えている。光乃はこの姉を思うとき、人はどうか知らないが、妹としてまことに尊敬する立派な人間と考えているのであった。

これまでずっと光乃の親代わりとして、迷うときはその指示を仰いで来ただけに、今日突然こうしてあらわれ、たき子なりの真心こめた慰めと激励に接すれば、涙のにじむほどにうれしかった。

「姉ちゃんありがとう。ほんとにありがとう」

と礼をいう光乃に、たき子はさらに、

「一人で考え込むことはないんだよ。思案に余ればいつでも手紙をよこしな、すぐ駈《か》けつけて来てあげるから」

と力強くいい、そのあとは身内の消息に移って話は尽きず、ようやく夕暮れ近く、帰って行った。

やっぱり身内、という感じは、いつ会った場合でも光乃は強く抱くけれど、雪雄に向かってそれはいえず、極く控えめに、

「姉がお祝いに来てくれました。お米一升もらいました。坊ちゃまによろしくとのことでございます」

とだけで他はいわず、雪雄も籍の件には全く触れず、ただうなずいたばかりであった。

鉄輪《かなわ》

朝、目覚めると光乃はいつも、勇雄《いさお》のためにしっかりしていなければ、と必ず思い、そして事実、少しずつ強くなっている自分を感じる。

たき子は、戸籍なんてたかが紙切れ一枚、といったけれど、この頃の配給制度では何によらず米穀通帳がもとになり、戸主堀留雪雄に次いで同居人塚谷光乃のわきに勇雄は長男、塚谷勇雄として書き込まれているその通帳を、至るところで見せなければならなかった。

ただ、戦争末期からは戸主に対して「同居人」という間柄のひとたちが増え、べつに珍しくもないだけに、通帳を仔細《しさい》に見てしつこく聞くひとがいないのは有り難かった。

雪雄は大きく将来を目されて、翌一月は新設の三越劇場で「河内山《こうちやま》」の河内山と「落人《おちうど》」の勘平を、東劇では「双蝶々《ふたつちょうちょう》」の濡髪《ぬれがみ》長五郎を、いずれも初役で両劇場かけもちという大任を振り当てられ、またもや旅館住まいとなった。

年明けて昭和二十二年の、その雪雄の人気上昇の様子を光乃は家にいて新聞やラジオで知るだけで、もはや出かけようとは思わなかった。

雪雄の役者生活でいまがいちばん大切な時期であるのは判《わか》っているだけに、勇雄をつれて出て人目に立つような行動はつとめて避けねばならなかった。

幸い、弟子の染太郎は、それが修行と心得てまことにこまめに雪雄のめんどうをよく見てくれるし、この前のように突然家にあらわれて私生活をのぞくような野暮な真似《まね》はすまい、と本人肝に銘じているらしく、雪雄が出たあとは日々まことにひっそりと、母子だけの天下になっている。

また都合のよいことに、勇雄出生の噂《うわさ》は、雪雄が人気役者だけに業界内部どまりで、それ以上拡《ひろ》がらないらしく、それというのも、仲間うちの役者には隠し子の一人や二人、珍しくもないし、むしろそういう話を芸のこやしと置き替えて首肯しているわけ知りの多いためもあった。

この年、雪雄は波に乗ってまことによく働き、三、八、九の三カ月休んだだけで、東劇、三越で数々の初役に挑んだ。松川鶴蔵の人気が呼び水となって、若手の面々も飛躍し、「かさね」では三組の与右衛門とかさねが競演したり、また「菅原《すがわら》」の通しでは雪雄、新二郎、優《まさる》の三兄弟が松王、梅王、時平を一日替わりで勤めるなど興味ある企画もあり、歌舞伎《かぶき》全体、次第に盛り上がってきた感がある。

宗四郎はこの年九月、桜上水の成井家を出、荻窪《おぎくぼ》に家を構えて移り住んだが、一月には東劇で「暫《しばらく》」を演ずるほどまだ気力はあり、ずっと息子三人を叱咤《しった》しつづけているのであった。

子供の成長とはまことに興味深いもので、おむつを替えてやっているとある日突然、ころんと寝返りを打つようになったかと思えば、這《は》い這いは最初水平円を描くばかりだったものが、今日はどんどん前進したりする。

誰も何も教えはしないのに、ひとりで「ちょうち、ちょうち」が出来、こちらも手を叩《たた》いて褒めてやるとうれしそうに声を挙げて笑う。

雪雄は、勇雄が寝ているばかりだったころはどうあやしていいのか判らぬと見えて、ただじっと眺めるだけだったが、伝い歩き出来るようになり、こちらのいうことが判るようになって来た辺りから、目に見えて可愛《かわい》がるようになっている。

顔も日に日にはっきりと雪雄に生き写しになり、稀《まれ》に顔を合わす母屋《おもや》のおかみさんから、

「勇雄ちゃんは、お父さんの看板背負ってるようなものね」

と感心され、そういうとき光乃は得もいえぬ喜びを味わう。

満一年の誕生日、光乃はせめて赤飯なとふかしてやろうか、と思い、いや赤飯炊《た》いても勇雄が食べられるわけはなし、かといって配る先はなし、と思案しているとやっぱり無駄なこと、と控えることになる。

考えてみればこの一年、お宮参り、お喰《く》い初《ぞ》め、初節句の何ひとつせず過ごして来たが、雪雄がそれをいい出さない限り、光乃ひとりの裁量では何もできなかった。男だから気が付かないということもあり得るものの、ひょっとして気は付いていても、人目に立つような祝い事は意識して避けているのかも知れなかった。そういうことについて、光乃は口を出すことなど思いも及ばず、すべては雪雄の考え通りに従って少しも悔やみはしなかった。

その夜、雪雄はネジを巻けばたいこを叩くゴリラの人形を買って戻り、勇雄を起こしていく度も繰り返して見せ、

「こいつ笑わねえな。よし笑うまでやるぞ」

とタンタカ、タンタカやり続け、とうとう勇雄は泣き出してしまった。

光乃はその光景をそばで笑いながら眺めているばかり、勇雄が泣き出すと雪雄は手におえなくなって押しつけてくる。

子の祝いはしなくとも、子の成長を仲にして共に一喜一憂するのは親として無上のしあわせと思われ、光乃にはこのごろしみじみとした充実感を嚙《か》みしめるときがある。

勇雄の誕生日も過ぎた九月の二百二十日の直後、十四日夜半から風雨が強くなり、翌十五日の未明、関東地方にキャスリン台風が上陸、野沢の家でも近くの小川や溝があふ

れ、床下まで浸水した。

九月十六日は台風一過の秋空で、浸水したものを洗ったり庭に干したり、さいわい雪雄が休みで手伝ってくれたので大助かりであった。

新聞には、利根《とね》川決壊、死者不明一千五百二十九人、床上浸水八万四千世帯、床下浸水二万九千世帯、罹災《りさい》者三十七万八千人、と報ぜられており、それを見て光乃は、小岩のほうは大丈夫かしら、と案じた。

ふだんはあまり思い出しもしないのに、何故かその日は妙に気になり、ラジオのニュースに聞き耳を立てていたが詳細は摑《つか》めず、一日を置いて十八日の夕飯の後片付けをしているとき、垣の外に赤い自転車が止まり、

「こちらに塚谷光乃さん、おいでですか」

の確認があって、電報を手渡された。

「え？　なに？」

とのび上がる雪雄に、

「私宛《あて》ですけれど、ごらんになりますか」

と差し出すと、雪雄は受け取って開き、黙ったまま光乃にそれを渡した。

「十六ヒチチシス』タキコ」

の短いカナ文字を、立ったまま光乃は穴の開くほどみつめ、ようやく意味を理解して

から、一昨日来の不安はやはり虫のしらせだったか、と思った。

行くか行かないか、に迷うより、こういうとき、行かせて下さい、と雪雄にいい出すべきかいわないでいるべきか、を長い習い性で先に考えてしまう。

勝年の葬式のときもついにいい出せず、心ばかりの香奠《こうでん》を封筒に入れ、送っただけだったが、今度は老いた親のこと、やっぱり死に顔なりと一目会い、最後の別れをいいたかった。

黙々と流しに立って洗いものをしている光乃のそばへ雪雄がすっと寄ってきて、

「行くのかい？　小岩へ」

と聞き、光乃はあわててエプロンで手を拭《ふ》きながら、

「行ってもよろしゅうございましょうか」

と伺うと、雪雄は、

「スグコイとは書いてない」

という。

その心のうちは読めており、親だから帰さなくてはならないものの、一人っきりの留守はこの上なくさびしく、いたたまれない思いになるのだと光乃には判る。

以前山形への旅で光乃が二泊家を空けたときの寂寥《せきりょう》はしたたかこたえているらしく、口に出しこそしないものの、光乃の買い物が少しでもおそくなると、たちまち不機嫌に

なるのであった。

スグコイ、とたき子が書かなかったのは、雪雄のさびしがりやを察しての上だと思われ、ならばやっぱりすぐにも行ってやりたかった。

生みの母親についての記憶がない光乃にとって、清太郎は血を分けたたったひとりの親であり、せめて野辺送りにでも加わりたいという思いは募り、

「ただいまから出ましたら、明日夕方までには帰れると思いますが、お暇頂けますでしょうか」

と伺うと、雪雄は座敷中をぐるぐる歩いていたが、時計を見上げて、

「いまから出りゃ、なあに小岩なら今夜中に戻れるさ。そのつもりで行っといで」

といった。

清太郎の葬式ならば、さだめし行徳の親戚《しんせき》あまたうちつどい、久方ぶりの顔にも出会うたのしみもあるのに、とんぼ返りだとすると、十分な挨拶《あいさつ》を交わす時間も無くなってしまう。

しかし雪雄の無理難題には馴《な》れており、命じられたようにすべく、まず勇雄のおむつの替えなどを手提げ袋に詰めようとすると、雪雄はどっかりあぐらを組んで、

「お光、勇雄は置いてけ。お前ひとりで行ってきな」

と思いがけないことをいった。

え？　と不審に思って聞き返すと、

「勇雄はひとりで眠ってるよ。心配ないさ」

と重ねていう。

光乃は驚いて、おむつのひとつ替えることもできず、泣きだしたらすぐ光乃に押しつける雪雄に、どうして子守りなどできようかと思った。

小岩往復は、どんなにあわてても五時間以上はかかるとみなければならず、いまだ完全に乳離れできぬ勇雄を、その間、母乳なしで雪雄があやすことなどとうてい不可能な話であった。

光乃は、口答えするのを雪雄がいかに嫌うか、よくよく知っていながら、勇雄を雪雄に預けて出かけることは絶対に出来ないと考え、

「坊ちゃま、それは無理ではございませんでしょうか。勇雄はいまから夜なかまでこのまま目をさまさずに眠るとは思えません。乳も欲しがりますし、おむつが濡《ぬ》れても泣くんです」

というと、雪雄はとたんに声を荒らげて、

「おれが見るといったら見る。つべこべいうな」

と怒鳴った。

光乃はこれまで、雪雄が声を荒らげたときに逆らったことは一度もなく、何をいわれ

ても黙ってやり過ごしているが、これだけはゆずれないと思った。

手もとの雑誌か座蒲団《ざぶとん》か、悪くすればげんこつが飛んでくるのを覚悟で、

「勇雄を坊ちゃまにお預けするのは危のうございます。私がおぶって参ります」

光乃のいつにない強い主張を聞いて、案の定雪雄は、あぐらの膝小僧《ひざこぞう》を叩きながら怒り、

「勇雄はおれの子だ。お前になんぞ渡せるか」

と意地を張るのに、光乃は半ば呆《あき》れる思いで、しかしひるまず、

「坊ちゃま、勇雄はただ私が小岩へ連れてゆくだけの話でございます。お葬式がすめばちゃんとここへ戻ります。どこかへ逃げて行くというわけのものではございませんのに」

と、思い切ってそういった。

坊ちゃまは何を取り違えておいでなのか、私が勇雄を連れてこの家を飛び出そうと企《たくら》んでいるとでも思ってらっしゃるのか、長年ともに暮らしてきて、いまだにこちらの気持ちが通じないとはあんまりな、と心のうちで強くなじりながら雪雄をみつめると、雪雄は目を挙げ、ふいに立ち上がった。

殴られる、と咄嗟《とっさ》に肘《ひじ》で顔を囲ったが、雪雄はそのまま縁側に出、暗い庭をじっとみつめていて、やがて、

「勇雄を、人の集まるところへ連れて行くなっていってるんだ。判らないのか、お前は」

と、弱々しい調子の声であった。

とたんに光乃は一切を理解し、判ると同時にあたり構わず泣き出したい衝動に駆られ、こちらも急いで台所に立った。

家に帰れば勇雄勇雄、と目がないけれど、一足外へ出れば美男独身の松川鶴蔵、その家の女中がおぶって帰って来た男の子は、行徳小岩といえども一目瞭然《りようぜん》、たちまち父親が知れてしまう。

お抱え女中に子供を産ませた事実が世間に知れれば人気に響き、折角いま上昇の波に乗ったばかりの雪雄にとってそれは大きな痛手に違いなかった。

もとより光乃は、殊更《ことさら》ひけらかす思いは持たないが、可愛い我が子をせめて身内に披露できないほど悲しいことはなく、雪雄のいい分はもっともだと思いつつも、何故か涙は頬を伝わり落ちてくる。

嗚咽《おえつ》を隠すため水道の蛇口をひねり、わざと水音をたてながら流しの前で泣く光乃と、夜の庭を眺めて憮然《ぶぜん》と立つ雪雄とのあいだにしばらくのときが流れ、やがて光乃は座敷に戻り、

「私が至りませんでした。小岩へは参りません」

と告げた。

雪雄はそれを聞いて、押し入れに吊《つ》るしてある背広のポケットをさぐって札入れを出し、そのなかから百円札一枚を抜いて、

「じゃ、すぐに香奠を送ってあげなさい。これはおれの名を出してもいいだろう」

と光乃に渡すのであった。

この夜の雪雄とのやりとりで、光乃はさまざまなことがよく判ったと思った。

雪雄の、勇雄をむざむざ人目にさらしてはいけないという考えかたや、スグコイと書かなかったたき子の配慮や、そして勇雄を守るためならば、たとえ雪雄からの命令であろうと、反論しても決してかまわぬ、という母親としての自信もあった。

親の葬式に立ち合えなかったのはいかにも悲しいが、いまの自分の役割を考えれば、勇雄を世間の好奇の目からかばい、雪雄の名に傷をつけないよう、細心の気づかいをするのが第一だといまさらのように考えるのであった。

送った香奠の礼状にたき子は、キャスリン台風で小岩一帯浸水し、あちこちと避難したのがたたり、清太郎は喘息《ぜんそく》と高血圧でこのところ臥《ふ》せっていたのが一度に悪化したのだとしたためてあった。

死にぎわも、いかにも清太郎らしく、

「お父つぁん、しっかりしてくれなきゃ駄目じゃないか」

と励ますと、最後の力を振りしぼって、

「もう未練はねえさ。この世も案外つまらなかった」

といい、ねむそうな声で、

「酒ならも少し飲みてえが」

と呟《つぶや》いたのが最後で、そのあといびきをかいて眠ったきり、もはや覚めなかったという。

これは冗談ですが、とたき子は前置きして、生前ときどき、

「お父つぁん、あの世へ行ったら嫁さんたちがうじゃうじゃいてっから、皆に怨《うら》まれるよ。なるべくこの世にいなよ」

とひやかすと、清太郎は、

「なにそんなもの、魂だけじゃどれがどれだか判らなくなってらあ。いちばん後のだけはま、覚えているだが」

とうそぶいたそうで、やはり最後のさださんが気に入ってたみたいです、いまとなってはこんな父親も、おもしろいひとだと思います、とあり、そしてみいちゃんのことは終わりまで自慢していました、私と幾也のぶんも合わせてみいちゃんが親孝行してくれたことになります、と結んであった。

共に暮らしたのはわずかに十六年足らず、その間もほとんど家に居つかなかったひと

なのに、親子とはふしぎなもの、ぽっかりと胸に穴の開いた感じになったと光乃は思った。

そして翌二十三年、定着してきた鶴蔵人気を具現して、一月に松川鶴蔵後援会の組織が出来、二十八日、神楽坂《かぐらざか》の料亭で発会式がひらかれた。

会員は全員といっていいほど雪雄の独身を信じており、席上も、「早くいいお嫁さんを」という話題で賑《にぎ》やかだったという。

野沢の庭の梅は、実も花も大きい薄桃いろの豊後《ぶんご》梅だが、雪雄がこの離室《はなれ》に越して来て以来、去年はじめて枝を切った。

それというのも、母屋の章太郎から、「桜切るバカ、梅切らぬバカ」を教わり、さっそく剪定鋏《せんていばさみ》をチョキチョキいわせながら、

「佐太村に丞相《しょうじょう》遺愛の梅、松、桜」

などと「車引《くるまびき》」の言葉を呟きつつ、伸びた枝をさっぱり刈り込んだあとは花を待つばかり、その甲斐《かい》あって、昭和二十三年の早春にはまことに見事な花をつけた。

雪雄は毎朝、出かける前、前から横から眺め、ときには裏木戸を開けてもう一度確かめるという執心ぶりで、その朝も、二月の東劇「千本桜」に出演するため、家を出ると、横町に立って矢立《やたて》を腰に半紙を拡《ひろ》げているひとがいる。

実は、梅の開き始めたころから、毎日夕方近くなると、立ち止まってしばしこの梅の

木を眺めにくるひとがあり、どうやら銭湯への行き帰りに楽しんでいるらしいとは光乃から聞いていたが、スケッチするほど念が入っているとは知らなかった、と雪雄は近づいて、

「やあ、こんにちは」

と挨拶して半紙をのぞくと、これはとうてい素人《しろうと》の筆ではない。

「巧《うま》いもんですな」

とつい口に出したところ、紺木綿上下の作業衣を着たそのひとは筆を休め、はじめて雪雄の顔に目を当て、まじまじと見つめながら、

「ひょっとして、あなたは役者の鶴蔵さんではありませんか」

と聞いた。

雪雄が頭を掻《か》きながら仕方なし肯定すると、画家と見えるそのひとは、おうおう、これは凄《すご》い、とうなるような声を挙げ、

「何という奇遇でしょうか。私は師匠とともにいつも鶴蔵さんのお噂《うわさ》をしているのです」

といい、

「師匠ご夫妻はあなたのご贔屓《ひいき》で、一度お会いしてみたいな、と常々おっしゃっておいでです」

と喜びを顔いっぱいに表し、せき込んだ口調でいう。

失礼ですがお師匠さまのお名は、と聞くと、

「はい、横田黄邨《こうそん》先生です」

と明かされ、今度は雪雄のほうがほうーっと驚きの声をあげた。

横田黄邨といえば、誰知らぬ者もない日本画壇の重鎮だが、その数々の輝かしい肩書よりも、雪雄にとって親しいのは、この巨匠の描く絵が、広い領域にわたり、とりわけ歴史画はいずれも正確な史料で、明快に描かれていることで、これまでにもずい分その絵から学ばせてもらっているのであった。

役者は、衣裳《いしよう》方の差し出すものを着、道具方に渡されたものを使い、先人の勤めたとおりの役を踏襲し、巧く演じればよいかといえば、決してそうではない。

常に、役柄に対して自分なりの解釈を加え、これでいいか、これでいいか、と問いかけながら工夫を積み重ねなければ、伝統芸といえども観客に喜ばれはしない。

そこで芸熱心の役者は、暇さえあれば文献をあさり、資料を読みして自分を磨いてゆくのだけれど、とりわけ参考になるのは古画、風俗画、歴史画などで、雪雄も常日頃ために展覧会へは足を運ぶことにしている。

雪雄が横田黄邨の名を鮮烈に記憶したのは、逗子《ずし》で療養していたとき、黄邨の描いた「洞窟《どうくつ》の頼朝《よりとも》」を見たときであった。

昭和四年の院展に出品し、翌年第一回朝日賞を受賞した作で、雪雄は、見舞いにもらった画集のなかのそれを見て、思わず、これだ、と叫んだものであった。

若き源頼朝が石橋山の戦いに敗れ、追っ手を逃れて洞窟のなかに身をひそめている姿を描いており、敵将の梶原景時《かじわらかげとき》がついそこまで迫っている緊迫感がひしひしと表れている。しかも頼朝は決して意気沮喪《そそう》しているのではなく、外の梶原の呼吸を窺《うかが》っている、その微妙な駈け引きは、これまでの日本画にはみられない、いわば非常にざん新なものがみなぎっているのであった。

古い芝居でも近代性を盛り込まなければ、と考えている雪雄にとって、黄邨の作品は正しく自分の願いを具現してくれたような思いであり、以後、熱烈なファンとなってその画集は手もとに集めている。

弟子は徳遊と名乗り、

「師匠は北鎌倉に住まっていますが、さっそくにこの由《よし》を申し伝えます。鶴蔵さんの芝居は、『助六』以来、欠かさず上京して観《み》ていますので、次からはきっと楽屋のほうにお伺いすると思います」

と喜びを露《あら》わに、雪雄にそう告げた。

雪雄はすっかり嬉《うれ》しくなり、戦災で焼失した新橋演舞場が復興し、来《きた》る四月、開場興行に「勧進帳《かんじんちょう》」の弁慶を勤めることに内定しているので、その新しい楽屋においで願えればいいな、と考えながら、その日は足どりも軽く楽屋入りした。

この二月の東劇は、若手ばかりで「義経《よしつね》千本桜」をやっており、雪雄は相模《さがみ》五郎、いがみの権太《ごんた》、横川覚範の三役を勤めてがんばっているが、徳遊との出会いの五、六日後思いがけなく黄邨が突然楽屋にあらわれた。

本人と夫人、それに先日の徳遊も、今日は羽織姿で供をしてきている。

焼け残りの東劇の楽屋はいかにも狭く、それに楽の日を明日に控え、取り片づけるために散らかしているところへ三人の来訪で、雪雄は恐縮しながら、最後の四《し》の切《きり》の覚範の顔のままで挨拶した。

初めて会う横田黄邨は、日本芸術院会員や数々の展覧会の審査員など、栄誉ある職を担《にな》っているひとには見えず、白髪の小柄な品のよい初老のひとであった。

「今日の三役のなかでは、権太がよかったね。むしりはあなたによく似合うな」

と気さくに口をひらけば、わきから荻江節《おぎえぶし》の名人と聞く夫人が、

「いえ、鶴蔵さんはさばきになってからのほうがようござんしたよ」

と歯切れよい口調ではっきりという。黄邨はひきとって、

「いや、私も鶴蔵くんの助六には画嚢《がのう》大いに刺激されたんだが、実いうとこのばあさんのほうがもっと逆上《のぼ》せあがってしまってね。以来、鶴さん鶴さんで、見のがしなく見物させてもらっているよ」

と笑った。

雪雄も固くなってかしこまりながらも、黄郎の作品「真鶴沖《まなづる》」「阿修羅《あしゅら》」「大楠公《だいなんこう》」の素晴らしさをたたえると、黄郎も極めて上機嫌で、

「一度鎌倉の家へ遊びにいらっしゃい。芝居の参考になるものが多少はあると思うから」

と誘ってくれ、夫人も、

「きっといらしてね。お好きなものをご馳走《ちそう》しますわよ」

とくれぐれもいい置き、まもなく三人は帰って行った。

帰りぎわ、夫人は楽屋見舞いにと、

「急場の見つくろいでお気に召さないかも知れないけど、使って下さるとうれしいわ」

と包みを差し出した。

楽屋出口まで雪雄は送ってゆき、戻って包みを開けてみると、このせつ、とうてい手も届かぬ、と思えるほど高価な、輸入ものの絹のワイシャツにランバンのネクタイを添えてあった。

まわりにいた弟子たちがいちように歓声をあげたほどそれは高級品で、雪雄はそのネクタイを首にあてて鏡をのぞきながら、

「こんなもの頂いていいのかなあ」

と呟くと、うしろから、

「何でも黄邨先生の絵の値段は、当代最高だといいますから」

と声があった。

が、雪雄は贈り物もさることながら、美に対して人一倍敏感な画家の、それも立派な作品、即《すなわ》ち鑑識眼をそなえた巨匠から、褒められたことがこの上もなくうれしかった。

黄邨は、松川鶴蔵を人に語って、

「顔、姿、声、いずれも過不足なく、全体の柄が大そう美しい。あのひとが出てきただけで場内がぱあーっと華やいでくる。百年に一度の、たぐい稀《まれ》なる資質だねえ」

と賞賛し、夫人もまた、

「女がふらふらっとなるような色気があるのね。一苦労してみたいわね」

と笑わせる。

それに、会ってみれば素顔の鶴蔵はいささか神経質なほど礼儀正しく、また一徹で不器用な気質なのも夫妻の気持ちをかきたてたのか、以後はまことに親身に、物心両面の応援をしてくれることになった。

戦後のものの乏しい時代、夫人心づかいの外国煙草《たばこ》、洋酒、マフラー、靴下、など、雪雄の心を実にゆたかにしてくれたし、またときには札束とおぼしき包みを座蒲団《ざぶとん》の下にすべり込ませ、

「これで芸をお磨きなさいな」

と粋《いき》な計らいを見せてくれることもある。

そしてまた、乞《こ》われるままに北鎌倉の黄邨邸を訪れ、夜更《よふ》けまで時代考証について語り、泊めてもらって帰るときもあった。

夫人は夫君に告げて、

「鶴さんたらね。うちで泊まった朝は必ずキチーンと自分のお蒲団と寝巻きをたたみ、片付けてあるの。女中がいるからそんなことしないでいい、といくらいってもやめないんです」

と明かせば黄邨も、

「そこがあのひとのいいところだな。役者だからもっと放埒《ほうらつ》でも構わないとも思うんだが」

といいつつも、その節度を好ましく感じているらしかった。


一の贔屓に、いまをときめく横田黄邨夫妻を得たことは雪雄の自信につながり、この年も「藤十郎の恋」や「盛綱陣屋」「天一坊」「春雨傘」などでいずれも初役に挑み、一歩一歩、花形役者の地歩を不動のものとしつつあった。

雪雄の充実感にはまた、外の評判のみならず、家に帰れば日増しにかわゆくなる勇雄のいることも、大いに関わっていたのではなかろうか。

そして黄邨に出会った二十三年の夏、母屋《おもや》の章一郎の弟が南方から遅れて復員してくることになり、離室《はなれ》を使いたい旨《むね》いってよこして、雪雄たちはここを明け渡さなくてはならなくなった。

が、さし当たって行く先のあてもないという雪雄を、川田家のひとが放り出すわけもなく、

「それじゃ、狭くてお気の毒だが、母屋の一間を空けましょう」

と、章太郎が釣り道具の置き場にしてある一間を片付けてくれることになった。

川田家の母屋は大きな造りのかやぶき屋根で、冬あたたかく夏涼しいという。

あてがわれた部屋は玄関わきの四畳半だったが、まだ荷物もさして多くはなかったし、何より雪雄自身、五月から八月末まで舞台に忙殺されており、夜帰って寝るだけの暮らしが続いていたから、格別不自由は感じなかった。

引っ越しも日を決めて一度に移らないでよく、勇雄の眠っているあいだに少しずつ荷を運び、それで終わったが、その最中、光乃は何度か胸のむかむかする感じがあった。

勇雄を妊《みごも》ったとき、いま思い返しても光乃は自分の無知を恥ずかしく思うけれど、五カ月の胎動まで何も知らず過ごしたのも、悪阻《つわり》を全く経験しなかったせいだと思っている。

一度だけ、トラックで八王子へ往復したときに激しく吐いたのと、こちらに移った当座、何となく毎日ものうく感じたことがあっただけで、他に体の変調は思い当たらなかった。

吐き気は引っ越しのあともずっと続き、とりわけものの匂《にお》いに敏感になって、玉ねぎの刺激臭や、温かい御飯の湯気などを嗅《か》ぐとたんにうっと咽喉《のど》もとに突きあげてくる。当然食事もすすまず、すぐ横になりたくなって、あれほど可愛《かわい》く思った勇雄もうっとうしく思うようになると、もはや妊娠は間違いなかった。

二人目の子供、と光乃は考え込み、またもや雪雄に打ち明けるのを臆《おく》する思いがあり、数日思い悩んだ末、やっぱり訪ねたのは下村かねの家であった。

乳母車に勇雄を乗せ、陽の傾いた夕方、かねの家に行き、診察を受けたところ、正しく三カ月、出産は明年二月初めだという。

かねは勇雄の出生以来、事情はすっかり承知しており、重い口でゆっくりと、

「奥さま、一人子というのは、お子さま自身にとってさきゆきとてもさみしいものでございます。せめて二人、親亡《な》きあと、助け合える兄弟を作っておいてあげるのが親の慈悲というものだと思いますよ。

下をお産みになるなら、なるべく早いほうがおためです。勇雄ちゃんとは二年半の間隔になりますから、ちょうどおよろしいではございませんか」

と産むことを勧め、迷っている様子の光乃を励まして、

「勇気を出して旦那《だんな》さまに打ち明けなさいませ。きっと産めとおっしゃるに決まっています。勇雄ちゃんのためですもの」

と説いた。

しかし光乃はなおためらい、生まれる子が男ならば二人ながらに宗四郎のもとへ引き取られはしないか、或《あるい》いは女ならどうなるかと考えれば自分の身分のおぼつかなさがしみじみと情けなく思えてくる。

光乃のように、耐えることに自分を馴《な》らし、ひたすら雪雄の芸の大成を願って生きて来た人間でも、長い年月のあいだには感情の平衡を失うこともあり、下村かねの家を訪ねたあと、光乃は呪縛《じゅばく》の縄がほどけたように、どっと床に臥《ふ》した。

幸い勇雄は、章一郎の子供二人に日中遊んでもらい、あまり手はかからないものの、舞台を終えて戻る雪雄の世話までは自分をどう叱咤《しった》してもできなかった。

混乱の極み、昼間でも目の前は暗黒の夜ばかり、眠っているときだけが安息で、目ざめると胸のむかむかとともに心がささくれ立ち、わずかなことで勇雄を叱《しか》りつけたりする。

雪雄は、疲れて帰って来ても、枕《まくら》に髪を乱して起き上がろうともしない光乃を見て、最初は腹を立て、

「いったいどういう了簡《りようけん》なんだ」

と怒鳴っていたが、そのうち、青ざめて尋常でない様子の光乃を見て、気味悪げに、

「お前、病院へ行ってこい」

というようになり、そして、

「何かあったんじゃないのか」

と聞いてくれるようになった。

光乃は、そうたずねられるとひどく気弱になり、涙をぽろぽろとこぼしながら、いうかいうまいかと迷った末、とうとう、

「申しわけございません。また妊りました」

と打ち明けたのは、雪雄が休みに入った八月であった。

「うん」

とうなずいたきり、しばらく黙っていた雪雄は、

「勇雄も一人よりは二人のほうが心丈夫だろう。産めば何とかなるさ」

といい、それを聞いたとき光乃は突然名状し難い激情におそわれ、思わず雪雄の手にすがって大声を挙げて泣き伏した。

日頃、小声でしか話さず、泣くときも懸命に嗚咽《おえつ》をこらえる光乃にして、これは珍しい姿だけに雪雄は驚いてみつめていたが、やがて大口あけて愉快そうにハッハッハッと

笑い、

「バカだな、お光は」

と光乃の頭を軽く叩《たた》いた。

この日から光乃の気鬱《きうつ》はうす紙を剝《は》ぐようによくなってゆき、やがて秋口には全快した。

悪阻の時期を過ぎたこともあったが、雪雄の許しを得た安心感が何よりも大きく作用したらしかった。

母屋のひとびとにも隠す必要はなく、勇雄を遊ばせながらのおかみさんとのひとときの日向《ひなた》ぼっこに、おおっぴらに子供の話をできるのもうれしく、そして五カ月過ぎると今度はかねに帯も巻いてもらい、たき子にもいささかの誇らしさを込めて便りをしたためた。


昭和二十四年の年明けは寒さ一入《ひとしお》きびしく、流感まんえんし、雪雄は毎日大きなマスクをかけて新橋演舞場に通った。

ここでは二度目の助六と、優が初役で勤める弁慶に対し、これも初役の富樫《とがし》、それに半七捕物帳の「春の雪解」の寅松《とらまつ》、その上「乗合船」の大工まで引き受け、朝十時すぎ楽屋に入ればはねるまで、身動きできなかった。

同じく優も、弁慶の大役以外にも、「助六」では意休《いきゅう》に、「春の雪解」では下っ引庄太に、「乗合船」では才蔵にと、雪雄と並んで舞台に出ており、新二郎だけ東劇ではあるものの、これも「毛谷村《けやむら》」六助に、「連獅子《れんじし》」では里人に、「先代萩《せんだいはぎ》」では倉持弥十郎と目いっぱいに勤めている。

実は、昨年十二月、父の宗四郎が雪雄の「天一坊」に大岡越前守でつき合ったあと、自宅で休んでおり、この正月は兄弟三人代わり合って荻窪の家をのぞきに行ったが、その折はまだ寝たり起きたりで、比較的元気であった。

宗四郎は一度心筋梗塞《こうそく》をわずらっていたが、その後もときどき狭心症の症状を起こしながらも舞台は勤めていて、今回も、

「しばらく休めばまた出られるよ」

と本人もいい、周囲もそれを信じていたところがあった。

一月の半ばすぎ、いまは関西に移って活躍している松川寿濤から長距離電話があり、このたび大阪の歌舞伎《かぶき》座で「助六」を初演することになったが、花道の出端《では》が判《わか》らないので教えて欲しい、との懇願があった。しかし本人は稽古《けいこ》があって来られず、やむなく、菊間の門弟で大阪住まいの寿郎に型を移すことになり、寿郎がやって来たのが一月二十六日の昼ごろであった。

宗四郎は起き上がって足袋をはき、新しい下駄をおろし、傘を振りまわしながら廊下

でていねいに、寿郎に花道の振りを教えたという。

寿郎はその夜、厚く礼を述べてすぐ大阪へ帰って行ったが、その翌日、宗四郎の容体は急変し、八十歳の生涯を閉じたのであった。

兄弟三人は舞台に縛られ、臨終近いという急報を受けても、雪雄と優は楽屋で瞑目《めいもく》して少しでも延命をと祈るだけ、わずかに新二郎がようやく間に合ったが、そのときはもう意識はなかったという。

つねづね、役者は舞台で死ぬのが理想、とも、また親の死に目に会えるような役者になるな、ともいわれ、芸は死に優先することを教えられて育った三兄弟だったが、やはりこのときはいちように力落ちしたらしかった。

人に教えるのは、二度も三度も、激しい動作を繰り返さなければならないから、自分でやるよりもはるかにきついが、律義《りちぎ》な宗四郎は、

「どうぞ口でおっしゃって下さい」

という寿郎の言葉を斥《しりぞ》け、持病を忘れてひとつひとつ体現して見せたらしい。

持病は心臓、ときは一月末の寒のさなか、冷たい板の間で花道へ走り出る助六の所作を繰り返せば死につながりはしないかと案じつつも、八分どおりで手控えるなどは出来ない性格故《ゆえ》に、遂《つい》に帰らぬひととなってしまったのは惜しみても余りあるものであった。

とくに雪雄は、自分が生まれ落ちてこのかた、親とはいえ宗四郎にいかばかりの世話

をかけたかと思えば、悲痛やるかたなく、いつもバカやろう、と叱られたその唇に死に水を含ませながら、歯ぎしりする思いであった。

宗四郎は不世出の弁慶役者で、ふつう一芸百回、で奥義《おうぎ》に到達するといわれているのに、弁慶役を生涯に千六百回も演じたという。

八十歳の高齢ではあっても、このひとの死は肉親のみならず、歌舞伎界にとっても大きな柱を失ったようで、事実このあと六代目が急速に衰えを見せはじめ、三月に眼底出血で倒れたあと、宗四郎を追うように七月十日、六十五歳で亡くなった。

宗四郎の葬式は身内悉《ことごと》く打ちつどい、盛大に行なわれたが、子福者といわれただけあって男子三人女子三人、それぞれの連れ合いに子も集まればいとも賑《にぎ》やかで、参列者みな、

「行く末ご繁栄を見るような」

とささやき合ったという。

実をいえば、若い日その艶福《えんぷく》をうたわれたとおり、宗四郎の子供は外に五人、とも十人ともいわれており、どこやら顔の似たような、と思われるひとたちがこのとき焼香しにやって来たが、誰ひとり目くじら立てる者はなく、和気あいあいの雰囲気だったのは、宗四郎自身の人徳ともいうべきものだったろうか。

この葬儀に、光乃はとうとう行かなかった。

清太郎が亡くなったときの不参は、ご奉公第一、と考えている塚谷の家の者たちの理解に頼り、許してもらったのだけれど、宗四郎の場合はいささかわけが違う。

人の死はこの世の最後の別れ、たとえわずかな縁であっても、礼をもって柩《ひつぎ》を送るのが人の道というもので、まして昔から主と頂くひとの死ならば何はさておいても駈けつけねばならないが、雪雄が行けといわない限り、光乃は行けなかった。

さだめし昔のお種おつぎお由お兼の面々が集まり、

「台所はあたしたちが引き受けます」

とばかりに、最後のご恩報じをするに違いなく、そういうとき、

「あら、お光さんは？」

の話が出ないはずはないと思えるけれど、そのまっただなかへ勇雄を連れ、産み月も近い腹を抱えてはとうてい行けず、行けといわない雪雄の気持ちもよく判る。

通夜《つや》から初七日の祀《まつ》りまでほとんど家に戻らぬ雪雄のために紋服を揃《そろ》えてやりながら、光乃は出棺の時刻を聞き、その時間、勇雄を膝《ひざ》に、荻窪の方角に向かってしばし瞑目した。

まぶたの裏には、さまざまの宗四郎の姿が浮かんでは消え、浮かんでは消えし、いまごろはお種たちが、

「お光さんて恩知らずね。こういうとき人の心根って判るわね」

と話し合っていると思われたが、何故《なぜ》かあまり気にはならず、むしろ、これで一つの関所を越したような思いがしたのはふしぎであった。

主の死に遇《あ》って、何やら気の軽くなったような、といえば、不忠者のそしりは免れないけれど、光乃の胸のうちをいうと、これで勇雄が菊間家に引き取られる懸念《けねん》は無くなったというものであった。

宗四郎未亡人は雪雄たちとは生《な》さぬ仲だし、いずれ遺産を分配すればもはや深い関わりはないと見てよく、あとは雪雄が誰かと結婚する気を起こさない限り、しばらくは安泰だと考えてよかった。

宗四郎の葬儀は一月三十一日、東劇で、松竹の大谷社長がみずから葬儀委員長となって改めて劇場葬を営んだが、弔問者は寒風のなか、築地川万年橋のたもとまで並んだという。

この年は続いて三月、七十五歳の河村正十郎が旅先で急逝《きゅうせい》し、七月には六代目も帰らぬひととなって歌舞伎界は大損失を蒙《こうむ》ったが、周囲からの大きな鼓舞激励によって若手陣が活躍し、衰退を未然に防いだということがある。

雪雄はいたく落胆し、葬儀のあと日を経るに従って宗四郎の偉大さが身に沁《し》みて判るほどに思えたが、この気持ちを救ったのは、長女雪代の誕生であった。

初七日を終えた翌日の二月三日、早朝に産気づき、このたびは要領もすっかり呑《の》み込んで、光乃はころあいを見計らってから雪雄に下村かねを呼びに行ってもらった。
二月は、東劇の「関《せき》の扉《と》」で、雪雄は初の女方墨染こと、実は小町桜の精をつとめるはずになっており、光乃は一月半ばごろから、毎日のように科白《せりふ》の稽古の相手をつとめていたところであった。
大きなおなかの光乃が台本を片手に関兵衛《せきべえ》になりかわり、
「ヤアいずくともなく見馴れぬ女、この山蔭の関の扉へ、いつの間に、どこから来たのだ」
と男声で読みあげれば、雪雄はちょっとしなを作って、
「アイわたしゃアノ、撞木町《しゆもくまち》から来やんした」
と応じ、
関「ムウ、何しに来た」
墨「逢《あ》いたさに」
関「そりゃ誰に」
墨「こなさんに」
関「ナニおれに、そりゃなぜ」
墨「色になって下さんせ」
関「エ、何がどうした」

墨「サア恥ずかしい事ながら、わたしゃ見ぬ恋にあこがれて、雪をもいとわず、はるばるとここまで来たほどに、どうぞ色よい返事をして下さんせ」

とやりとりしており、元来立ち役のひとが女方ともなれば容易に女声に馴れなかったものがこのほどやっと仕上がり、今日はその初日なのであった。

光乃は刻々増してくる陣痛のあいまに、雪雄の羽織袴《はかま》一式を揃えて部屋の隅に置き、

「初日ですのに申しわけございません」

と詫《わ》び、勇雄を母屋《おもや》へ預けに行こうとすると、雪雄は気軽く、

「いいさ、まだ時間は早い。勇雄はおれが遊んでいてやるよ」

といい、手を引いて母屋のほうへ連れて行った。

今日は一入《ひとしお》冷え、鉛いろの空からはどうやら白いものが散ってきそうだが、章一郎の子のマコちゃん、キコちゃんはこの頃勇雄のよい遊び友達になっており、雪雄に遠見していてもらえばしばらくは安心、と思ったとたんにかつて覚えのある痛みがいよいよ昂《たか》まり、やがて元気な産声《うぶごえ》を挙げて生まれた子に、まず、

「お嬢さまでございます」

というかねの声であった。

このたびの出産は、前々から用意万端抜かりなく、また光乃自身、男女どちらでもよいと考えていただけに、これで一荷、肩からおろした感じだけれど、のぞきに戻った雪

雄は、

「何だ、女か。役者にはなれないじゃないか」

とさもがっかりした声を出し、かねを笑わせた。

楽屋で着替えるから、と雪雄が紋服を抱えて出かけたあと、かねは、

「ほんとうは、旦那《だんな》さまは女のお子さまで喜んでいらっしゃるんですよ。口ではああおっしゃいましたけれど、顔にちゃんとそう書いてありましたもの」

といい、光乃もまた、雪雄が女の子を決して嫌っていないのは感じ取っている。

そして光乃はまた、産後の手伝いは誰にも頼まず、翌日からそろそろと立ち働き、配給物の行列にも加わってふだんの生活を少しも変えなかった。

新たにもう一人子供が生まれれば、当然、名前と戸籍の問題も考えなくてはならず、雪雄の大の苦手の名付けについては、

「ええもうめんどうだから、おれの名をやろうじゃないか」

といい出し、雪代、と半紙に書いて眺めていたが、

「よし、これで行こう」

と光乃に渡した。

雪雄に雪代では、「お」と「よ」の違いだけ、うっかり聞き間違える恐れがある、と光乃は内心思ったけれど、雪雄も照れくささを懸命に隠して、

「役者にとって親や師匠の名の一字をもらうのが如何《いか》に有り難いことか、お光、お前にも判るだろう、え？　雪代も大きくなったら、おれに手を合わせて感謝するだろうさ。いやなにそうに決まっている」

名前が決まれば、次はどうしても避けて通れない戸籍の問題だが、これは雪雄にも名案は無く、前回の戸籍謄本《とうほん》を光乃に出させて眺めていて、戸主清太郎死亡で抹消されるはずであるのに気付き、

「これは当然、お前と勇雄と雪代で新戸籍を作ることになるね。しばらくそうしていてくれないか」

といった。

前の場合と違って、二人目ともなれば雪雄にも親としてのしかとした自覚が見えるのはうれしく、光乃はもう先のことは何も考えず、このひとに頼るしかないと思いながら、再び世田谷区役所を訪れて雪代の出生届を出した。

これで親子四人、狭い四畳半に肩を寄せ合って暮らしてゆくのだけれど、世間なみの家族と違い、光乃の気づかいはいっそう増して来たような気がする。

先に男の子を育てていると、女の子は拍子抜けするほど養いやすくおとなしく、また甘えん坊でかわいい。二人とも父親の癇癪《かんしゃく》の悪癖は受け継いでおらず、万事おっとりしていて、光乃のいいつけには素直だけれど、これも四畳半の囲いのなかでのこと、一歩

外へ出れば人の目はきびしい。

父親に生き写しの子二人はごまかしようもないし、雪雄もときどきは二人を連れて公園にも出かけるものの、さてこの子たちの母親は？　という詮索《せんさく》には口を開かなかった。

光乃は清太郎の葬式の件からその辺りを十分に察しており、母屋に来た客が勇雄に不審げな目を向けると、すっと裏へ廻って身を隠すような、そんな習慣が板についてしまった。

あれはたしか、宗四郎の一周忌を終えた年のこと、十月の東劇は「玄十郎文化切手発行記念大歌舞伎」と銘打ち、戦後派最高のトリオというふれこみで優の弁慶、雪雄の富樫《とがし》、栄幸の義経による「勧進帳」が人気を呼んでおり、雪雄は前にも増して終演後のお招《よ》ばれの席が多かった。

夜更《よふ》けて門の前に車が止まり、雪雄に続いてそのご贔屓《ひいき》も下り、路上で互いに丁寧な挨拶《あいさつ》を交わしたあとで、客はすまなさそうに、

「鶴蔵さん、申しかねますが、ちょっとわしに便所《はばかり》を貸しては下さらんか。ビールをたくさん飲んだもので、どうもうちまでは保《も》たんと思いますので」

といい、澄んだ夜気のなかで、ちょうど外にいた光乃の耳にその声ははっきりと聞こえた。

はっと体を固くしていると、

「いやあ、これはまことに申しわけない次第でございますが、我が家の便所はこの上なくむさくるしゅうございます。とてもお客さまにお貸しできるようなものではございません。何とぞその儀はひらにお許し下さい」

日頃ぶっきらぼうな雪雄が、深く頭を下げ、丁重に断る様子に、客のほうがかえって恐縮し、

「いやいや、これはどうも。ご無礼仕《つかまつ》りました」

などと詫びながら車に戻り、それが発進するのを見届けてのち雪雄は家に入って来たが、何もいわなかった。

こちらも、

「お帰りなさいませ」

と手をつき、着替えを手伝い、

「茶漬けはいらん」

といえば、

「はい」

と応じ、

「今日は静岡のご贔屓さまからみかんが届いております」

と、報告し、郵便物を差し出す。

何も彼《か》もいつものとおり、静かな夜だけれど、さきほどのような場面に出会《でく》わすと、光乃はやはりたまらなく悲しくなってくる。

子供二人を仲にして、互いに父親母親となり、月々生計費を渡されて一家を切り盛りし、どこからみても主婦に違いないいまの自分を、雪雄がどこまでも人目にさらすまいとするのはどうにも自分が哀れに見えてくるが、しかしそうかといって、堂々とここに客を案内した場合、どういって自分を紹介するか、そこに考え至ると思案はたちまち途絶えてしまう。

それに、子供はいとしんでも雪雄の心の底までは光乃にすべて読み取れているとはいえず、いまはただ、この四畳半のなかの平和だけを頼みに日を過ごそうと自分をなだめるより他はなかった。

それに、来《きた》る昭和二十六年には、かねて建設中の歌舞伎座がいよいよ落成し、年初から華々しく蓋《ふた》開けすることになっており、歌舞伎界の機運大いに盛り上がって、雪雄のもとにもさまざまの企画が持ち込まれている。

そのなかで雪雄が深く心を動かされたのは「源氏物語」の光君《ひかるのきみ》の役であった。

「源氏物語」は、宮廷を背景にし、かつ主人公の、多くの女性との交渉を物語にしたものだけに戦前戦中は劇化など思いも及ばず、かつて昭和八年、関東豆助の研究劇団が番匠谷英一の脚本で、試演会に「源氏物語」を上演することになったとき、初日の前日に警視庁から禁止令が出て中止になった例がある。

戦後は、光源氏に対する理解のしかたも変わり、いろいろな方面から劇化の話が出ていたが、歌舞伎界では六代目梅五郎が早くから意欲を見せ、終戦の翌年、作家の舟橋聖一に脚本を懇願していたという話が伝わっている。

松竹は歌舞伎座落成記念に、前人未到の領域「源氏物語」に挑戦することにし、前年度から舟橋聖一に脚本の交渉をすすめていたが、雪雄にその大役が振りあてられたのは、十月、「勧進帳」の最中であった。

雪雄はすっかり考え込み、容易に決心がつかないまま、まわりから、

「光源氏は天子さまの役ですよ。この役ができるのはあなたをおいて他にありませんよ」

などと煽《あお》られるといっそう強迫観念にとらわれてしまう。

一時は下火だった癇癪がぶり返して来たのもこのころで、役づくりのできない不安、新作なら全科白覚えなければならぬ不安、失敗したら多くの人に多大の迷惑をかけるという不安で、家に帰ればその鬱屈が爆発し、わずかなことで卓袱台《ちゃぶだい》をひっくり返したり、ものを投げつけては毀《こわ》したりした。

雪雄のそのいら立ちは判《わか》るものの、いきなり殴られたり怒鳴られたりすると、やはり光乃も心おだやかならず、二人の子供に怪我《けが》をさせないよう逃げたり隠れたり、こうい

うなかでは、子供の将来や自分の行く末について、落ち着いた話のできるはずもなかった。

それに二十五年の冬には戦災を受けた明治座も復興し、師走《しわす》興行に「忠臣蔵」の通しを出しており、この舞台で勘平を勤めながら一方で光源氏の研究をするのは、不器用な雪雄にとってなかなかの難事であった。

二十六年の正月三日、歌舞伎座初開場のお祝儀《しゆうぎ》興行は昼の部「新舞台観光闇争《ながめのだんまり》」という題を掲げた、レビュー式歌舞伎パレードで、大ぜり小ぜり、引き抜き、見得《みえ》、など仕掛けの悉く《ことごと》を披露し、夜の部は出雲阿国《いずものおくに》を扱った「華競《はなくらべ》歌舞伎誕生」を特別上演、入場料は六百五十円、四百円、二百円だったが、連日満員の盛況であった。

建物は鉄筋コンクリート和風、地階とも六階、客席収容人員二千六百人、日本一の歌舞伎座はさらに華麗さを増して威風堂々、辺りを圧している。

表正面の積樽《つみたる》は、国冠、キンシ正宗、澤之鶴《さわのつる》、大関の四社の醸造元から寄せられた四斗樽の菰冠り《こもかぶ》が一銘柄六列の八段で、合計百九十二樽並び、これも観客の度肝を抜いた。

この様子を光乃は新聞で読むばかり、べつにのぞいてみたいという気持ちもないが、せめて勇雄には父親の仕事先として見せてやりたいと思っていたところ、ある日、雪雄から、

「勇雄はこれから当分のあいだ、三河屋のおばちゃんにめんどう見てもらうことにす

る」

という話があった。

三河屋のおばちゃんというのは、この二、三年拡《ひろ》がってきた野沢の商店街のなかの酒屋のおかみさんで、年のころは五十か、そのくらいではなかったろうか。

何でもおばちゃんの亡《な》き父親は、歌舞伎座の囃《はや》子方《かた》だった太助というひとで、「太助さんの太鼓」には右に出る者がなかったという。

太鼓は、打ちかただけでも百六十七通りはあるといわれ、それをきっちりと打ち分けるばかりでなく、太助が一番太鼓を「ドントコイ、ドントコイ」と打てば役者は皆ふるい立ち、打ち出しの太鼓を「デテケ、デテケ」と打てば、足どり軽く飛び出して行くようであったという話もある。

おばちゃんは父親の関係で、子供のころから芝居の世界にどっぷり浸って育っているだけに内情に精通しているばかりでなく、いまだにあちこちに顔も利《き》き、店は長男夫婦に任せ、しょっちゅう芝居をのぞきに出かけて行く。

勇雄がよちよち歩きの出来るようになったころ、雪雄が連れて歩いているのをおばちゃんが見かけ、

「鶴蔵さん、このかわいい坊ちゃんは、ひょっとしてお子さまではございませんか」

と声をかけたのがきっかけで、何のなにがし、と自分を名乗れば雪雄も、

「ああ、あの太助さんの」

という話になって、以後はときどき散歩の途中店へ寄るようになった。

が、自分の家に招くようなことはなく、勇雄の手をひいての店先での立ち話や、帰りみちに酒を買って行く程度だったが、おばちゃんはまことに気さくで世話好き、

「勇雄ちゃんはおとなでいい子ですから、あたしがお預かりしてますよ、旦那はどうぞ用達《ようた》しにいってらっしゃいな。いえ、遅くなってもかまやしません。こう見えてもあたしも二人の子養いはやってのけてるんですから」

と助け舟を出してくれることもあり、それが便利で雪雄はつい世話になることも多かった。

光乃は、雪雄からこのおばちゃんに勇雄を預ける、といわれたとき、有り難いことに思い、かえってすみません、と礼をいったほどであった。

おばちゃんが初めて家にあらわれたのは、勇雄を、歌舞伎座の開場興行に連れていってくれることになり、迎えに来てくれたときで、光乃は通りすがりに顔を見覚えてもおり、極く気軽く、

「ご厄介になりますね。よろしくお願いします」

と勇雄を押し出したところ、おばちゃんは勇雄の服装を点検して、

「あら、これじゃ寒いわね。帰りは夕方になるから、風邪でも引かせちゃいけない。お

光さん、オーバーを出して下さい」

お光さん、オーバーを出して下さい、といういいかたは、主《あるじ》が下女に命令するように聞こえ、光乃はふっと胸突かれ、思わずおばちゃんを見返したが、その顔は別段悪気のあるふうには見えず、思い直してオーバーを差し出した。

「ではね、行って参りまーす。勇雄ちゃんはいご挨拶は」

とおばちゃんはこまごまと世話を焼き、勇雄の手を引いて出てゆくのを、光乃は雪代を抱いて門まで見送った。

おばちゃんが光乃の名をおぼえていたのは、雪雄の話のなかに出たものか、或《ある》いは母《おも》屋《や》のひとたちがそう呼ぶのをおぼえていたものであろうが、明らかに勇雄の母親と判っているのにお光さん、と呼ぶのはやはりこちらを女中と見ているせいだと光乃は受け取らざるを得なかった。

雪雄はこの頃、勇雄をよく連れ歩き、すでに新二郎、優の家にも行っていとこたちにも引き合わせているし、また祐天寺《ゆうてんじ》の六円のもとにも訪ねて行って挨拶させている。

そのたび雪雄は、どうだいい子だろう、とばかり大威張りで披露するらしいが、相手かたは皆、意識してこの子の母親に話が及ぶのを避けていたのではなかったろうか。

亡き宗四郎は、役者の子に腹の話はするまい、とよく戒めていたが、生みの母が誰であろうと本人にはいささかの関わりもないし、また逆にいえば、光乃が勇雄の母親である事実を誰も侵すことはできないのであった。

そう考えると、何をびくびくすることがあろう、と急に勇気が充《み》ちて来、自ら吹聴《ふいちょう》するはずはなくとも、まわりに対していたずらに卑屈な態度を取るのはやめようと決めたのは、勇雄の母親としての改めての自信であったろうか。

光乃のこの思いは、まもなく雪雄から、

「勇雄にもそろそろ稽古《けいこ》をつけなくちゃならないから」

といわれたとき、いっそうあらわになり、

「それでは勇雄はやっぱり役者になさるおつもりですか」

とたずねると、雪雄は何を当たり前のことを聞くんだ、という顔つきで、

「じゃおれのあとは誰に取らせるんだ。他に子供がいるってのかい？」

といい、光乃がえ？　と目を挙げると、ハッハッハッと雪雄はさも可笑《おか》しそうに笑って、

「親父《おやじ》のように、内の子がダメなら外の子に、というほど子福者だったらいいんだが。残念ながら一人っきゃいないんだな。勇雄の筋がよかろうと悪かろうと、こいつを鍛えるより他ないんだ」

といった言葉には本音の響きがあり、それを聞いて光乃はうれしさと安堵《あんど》で胸がいっぱいになった。

勇雄の踊りの稽古は、浜町の菊間に通うことになり、最初の弟子入りの挨拶は雪雄が付き添ったが、あとは三河屋のおばちゃんが毎回連れて行ってくれることになった。

雪雄がはっきりと自分の跡取りに、といってくれたときのうれしさは一つの大きな節目となって光乃の心に安堵をもたらしてくれたが、そのあとすぐ、反射的に頭に浮かんだのは、下村かねの、「頭《こうべ》に神宿ったお子」といった言葉であった。

人の運命とは判らぬもの、もし、かつての圭子の子、丈一が生きてあれば、雪雄は丈一を後継者と定めたかも知れず、それを思えば、かねの予言どおり勇雄はやはり強運の持ち主ではないかとも考えられる。

実をいえば光乃の脳裏には、いまもまざまざと丈一笑子の死の場面が灼《や》きついており、もしや勇雄がその二の舞いで命を落とす羽目にでもなれば、自分もきっと圭子のように、気も狂ってしまうに違いないという恐怖があった。

勇雄は決して頑健という体質ではなく、すぐ風邪はひくし、風邪をひけば気管支カタルを起こして吸入や湿布に光乃は忙しいが、寝ている勇雄の枕許《まくらもと》でいつも念じるのは、どうぞ丈夫に成人して欲しいという思いばかりであった。

いまはまだ満で四歳だけれど、これから踊りを仕込もうとする雪雄の方針は、勇雄の前途の大きな光明であり、この上はかねの言葉を信じて母子とも自信を増してゆくべきだと思うのであった。

勇雄の稽古はじめ以前から、準備をすすめていた「源氏物語」はいよいよ三月上演と決まり、光乃から見ても目のいろが変わっている、と思うばかりの有りさまで雪雄は稽古に入っている。

脚本は原作前半の約三分の一を現代語で六幕に仕立ててあり、雪雄の光源氏を中心に御門《みかど》、藤壺桐壺《ふじつぼきりつぼ》の女御更衣《にょうごこうい》、葵上《あおいのうえ》、夕顔、空蟬《うつせみ》を配し、頭中将《とうのちゅうじょう》を優が勤めるという若手勢揃いのあでやかな配役であった。

当然濡《ぬ》れ場が多くあり、科白《せりふ》だけでも、空蟬に迫る、

「恋には身分も主従もないはずです」

などの激しい口説《くぜつ》、或いは夕顔との逢瀬《おうせ》、藤壺との切ない恋など、全部口語だけに子供とはいえその前で気分を出しての練習はできず、仕方なし、光乃は雪代を背負い、勇雄の手をひいて外に出るのであった。

駅まで、いく往復かを繰り返し、家に近づいてみると、雪雄の太い声がなお、

「今宵《こよい》一夜のいたずらと思われても仕方ないんですけど、長い年月あなたのことを思い続けてきたこの胸を、とっくり聞いて頂きたいのです」

とかきくどいており、そうするとまた勇雄をなだめながら光乃は駅へと引き返す。

科白の稽古は酷寒の二月半ばから始まり、雪雄の几帳面《きちょうめん》な性分は、きちんと完全におぼえるまで自分を許さないのだけれど、この期間、外をさまよう母子三人にはなかなか

の我慢であった。

しんしんと凍る夜もあり、粉雪のちらつく夜もあり、寒風肌を刺す夜もあって、勇雄もしくしく泣いたり、ぐずったりするのを、カチカチ山などの昔ばなしをしてはなだめ、そしてやっと家のうちの声が鎮《しず》まった気配を見ては戻ってくる。

冷え切った勇雄の足をさすってあたためてやりながら、しかし光乃はちっともつらいとは思わなかった。役者の家の身内なら、主の仕事に協力するのは当然のこと、いずれ勇雄も父親の跡を継ぐとすれば、こうした経験も必ずや本人のためになるだろうと考えるのであった。

その甲斐《かい》あってか、三月の「源氏物語」は予想をはるかに上まわる大盛況を見、各誌各紙ともに松川鶴蔵の光源氏を絶讃《ぜっさん》した。幕が開くと、木の香も新しい舞台に、まるで絵巻物のように王朝のひとびとがあまた並んでおり、その優美極まりない世界のなかに一きわ高く輝いて光源氏があらわれてくる。纓《えい》の垂れた黒い冠、蘇芳《すおう》いろの下がさねの上にゆったりとして臥蝶文《ふしちょうもん》の袍《ほう》を着け、紫地鳥襷文《むらさきじとりだすきもん》の指貫《さしぬき》を穿《は》いたその姿は正しく光君そのもの、客たちが文字でしか知り得なかった「源氏物語」の主人公が、いまこの上なく美しく、いく百年をさかのぼって舞台の上で息づいている。

光君は何よりもまず帝《みかど》と並ぶ品位がなくてはならず、次いで多くの女性に恋い慕われる魅力も溢れていなくてはならないが、雪雄の光源氏はそれを十二分に充たしてなお余りあり、観客は恍惚《こうこつ》として夢の舞台に引き込まれてゆくのであった。

鶴蔵が光君か、光君が鶴蔵か、芝居を見たひとと見ないひとの区別なく、ブロマイドは飛ぶように売れ、雪雄はこれで極め付きとなった感がある。

「源氏物語」が劇化されただけでも大きな話題なのに、主人公が原作のイメージ通りを具現しているとなると人気を呼ぶのは当然のこと、連日満員札止めの上、このときから女性のあいだでは「鶴さま」の呼称も生まれた。

雪雄が舞台に出るとあちこちから、

「鶴さまーっ」

「鶴さまーっ」

の声援が飛び、楽屋へは贈り物を持った客がひきも切らぬ有り様で、いつ行っても履物の脱ぎ場がなく、そういう客は楽屋のなかの塵《ちり》ひとつでももらって帰りたい思いになるらしかった。

雪雄がちょっと箸《はし》をつけたまま下げようとするそばを、誰かがいたずらに、

「鶴蔵さまおん食べ残しのそば」

と銘打って売ろうとしたところ、たちまちのうちに長い行列が出来てしまったという話や、道具や持ち物、着物履物の端に至るまで鶴のしるしをつけるのが大流行という話、また床の掛け軸、鴨居《かもい》の額も俄《にわ》かに鶴の絵が売れだし、美術商は在庫一掃したという話

もまことしやかにささやかれ、それは次第に昂《たか》まるばかり、なかには鶴蔵のあまりの美しさを見て気が狂ったという女学生も出たといわれ、ほとんど狂態に近いひとも多かった。

鶴蔵のこの人気を見て、ものを知るひとは、嘉永《かえい》七年に自殺した松川宗家八代目の玄十郎によく似ているとして、眉《まゆ》をひそめているという。

類似点というのは、まず両所が大へん美貌《びぼう》であったことと、三十二歳で亡くなるまで八代目が妻帯しなかったのが、表向き独身の鶴蔵と共通していること、そして女性の贔屓《ひいき》客が圧倒的に多かったことなど挙げられようか。

八代目が吐き捨てた痰《たん》を、「玄十郎さま御痰」と書いて錦《にしき》の守り袋に入れ、肌身離さず持っていたという話や、死後、松川家の菩提寺《ぼだいじ》には毎日参詣《さんけい》者があとを断たず、その墓前に高価な金銀、珊瑚《さんご》、べっ甲などで細工した櫛《くし》かんざし、筥迫《はこせこ》のたぐいがたくさん供えられ、寺の側ではそれが紛失しないよう、見張り番を置いたという話、そして八代目の戒名を書いた紙を一枚一分《いちぶ》で売り出したところ、莫大《ばくだい》な利益を挙げたという話など、伝えられた女性贔屓客の狂態は、いまの鶴蔵にそっくりだというのであった。

ただ、大きな相違点も多くあり、七代目が江戸を追放されたあと、八代目がわずか十六歳で座頭《ざがしら》の位置に就かなければならなかったことや、孝子として幕府から表彰されたことの他に、鶴蔵贔屓としてこれを強調したいのは、八代目の人気が演技の評価によるものよりも、当時の世相、つまり天保《てんぽう》の改革に対する民意の抵抗から出たものとみるほうが正しいとするのに較《くら》べ、鶴蔵の場合はありありと、「助六」以来の、役者としての讃美という支持の理由がある。

これは鶴蔵の強みではあるものの、八代目が自殺によって短い生涯を終えたという事実は、似ているといわれる者にとってはどこか凶々《まがまが》しく、そのぶんだけ、体に気をつけるように、との周囲からの忠告ともなる。

雪雄は、内弁慶の性格だけに外では贔屓の女性客に対してはまことにやさしく、こまやかで、それ故《ゆえ》にいっそう惚《ほ》れ込まれるというわけになり、いいも悪いも、

「鶴さまのためなら命までも」

という応援団をあまた持つようになるのはいたしかたもなかった。

生活も拡《ひろ》がり、贔屓客の席も前にも増して多くなれば、花柳界への出入りの機会もひんぱんで、どこの宴席でも芸者たちにわっと取り巻かれ、ときには着物をめぐって長襦《ながじゅ》袢《ばん》の鶴の模様を見せ、

「あたしの鶴さまへの心中立てよ」

と真顔でいわれることもある。

家を出ず、子供たちとひっそり過ごしている光乃にはその細かな様子は判《わか》らないが、雪雄の人気が昂まり、まわりに女性がたくさん群れて支持してくれているという雰囲気

は、誰に聞かなくともちゃんと感じ取れている。

光乃がまだ宗四郎の家にいたとき、男の浮気については仕事柄、しょっちゅう話題となり、いつかお兼が光乃に話したように、役者の女房は悋気《りんき》ご法度《はっと》ではあるものの、かといって全く無関心、というのも男にとっては張り合いがないということになり、

「適当に悋《や》いて、適当に許してあげるんだよ。この手綱の捌《さば》きかたひとつだわね」

と一人がいえば、他の者も応じ、

「だけど旦那《だんな》が女房に知れないよう、うまくやってる場合もあるしね」

「そこなんだよ。旦那が死にぎわに、実はおれには隠し子があった、なんて打ち明けられちゃ、女房どの、旦那を絞め殺そうかと思うほど憎らしいだろうよね」

「じゃ、夫婦になってこれで一安心ってことはないわね。女房は一生目を光らせてなきゃならないから大へんだね」

「それがね」

とお兼が声をひそめて、

「うちのおかみさんのいうのには、男が浮気を始めると、まっさきにおしゃれになるっての。やたら鏡をのぞき込んでめかし出すから判るって」

「へえ、それじゃうちの旦那さまは、あのお年でまだお元気?」

「しっ、まさか。お若いころのことじゃないの」

と、そこで話は消えてしまったが、何故かこのときの会話は光乃の脳裏にはっきりと灼《や》きついているのであった。

というのも、自分が愛していればいるだけ、まわりの女性も悉《ことごと》く雪雄を愛しているのではないかという強迫観念にときどき襲われる故であって、このことを考え詰めてゆくと、身も細るほどの思いになる。

なにしろ類《たぐ》い稀《まれ》な容貌に、すらりとした体つき、他人にはやさしく礼儀正しく、一点非の打ちどころもない、というふうに思ってゆくと、雪雄を好きにならない女性がいたらふしぎ、とまでに感じられ、そういう危険のまっただなかで同棲《どうせい》している自分のしあわせと不安で、いてもたってもいられなくなる。

光乃の焦慮は、子供二人をなしてから薄らいで来ていたが、いま鶴さま人気が昂まるにつれ、ときどき頭を擡《もた》げて来ているのであった。

光乃は、いつかの女中同士の会話を思い出し、それとなく雪雄の様子に気をつけてはいるのだけれど、もともとおしゃれな人ではあり、とくに身だしなみには気をつけるたちなので、これといって目立った変化は感じられない。

しかし、おばちゃんは、こういう光乃の心のうちを知ってか知らずか、折にふれ、役者についての長談義をして行くようになった。

「源氏物語」第一部が大成功をおさめたあと、雪雄は休む間もなく四月、「鈴ヶ森」の権八《ごんぱち》を演じ、五月、明治座で「河内山」の通しに出た次は、新橋演舞場でまたもや新作の「なよたけ」に挑み、そしてこの年の十月、好評にこたえて三月初演の「源氏物語」にさらに須磨《すま》明石《あかし》の巻を加え、全幕五時間を上演した。

このときは、三階席に学生が毎日のように目立ち、歌舞伎《かぶき》も新しい観客の誘致導入に成功した、と新聞に取り上げられ、雪雄の身辺にはさらにサインを求める若い層が拡がって行った。

おばちゃんは雪雄から切符をもらって悉く観《み》ており、その感想を誰かに述べたくて勇雄の稽古のゆき帰り、上がり端《ばな》に腰かけて必ず、

「ねえお光さん」

から講釈が始まるのであった。

おばちゃんは、父親の関係で裏方の仕事に詳しく、一般観客とは少し見どころが違って、大道具小道具、照明、音響、衣裳《いしょう》、かつら床山などについて意見があり、聞いていると光乃にはずい分勉強になるところがある。

芝居は総合芸術で、関係者すべて、それぞれの持ち場で腕を競ってこそよい出来になるが、素人《しろうと》の目には舞台の上の役者しか映らず、それだけでとやかくの批評をしがちなのを、おばちゃんは役者と同時に鳴物、裏方すべてを見通す眼力を持っている。

これは熟達の学者が読書方法として「十行ともに下《くだ》る」ことが出来るのと同じ仕組み

で、子供の頃から囃子方《はやしかた》の父親に教えられて芝居を見ていれば、役者の演技とともに、その背後にあるものすべて同時に鑑賞できるのであった。

おばちゃんは、光乃が何も知らないと思っていて、いつもこまごまと教えてくれるが、ある日、ちょっと声をひそめて、

「ねえお光さん、鶴蔵さんにはいったい何人いらっしゃるの?」

と小指を見せた。

「え?」

と虚を衝《つ》かれ、言葉も出ない光乃に、

「多いほど、役者の甲斐性《かいしょう》だもんね。あんないい男の鶴蔵さんなら、女が放っとくものですか。

お光さんならすっかり御存知でしょう? あたしゃ誰にもしゃべりゃしませんよ。

知ってたらこっそり教えて下さいよ」

とだんだんそばへ寄って来て、

「ほら、新橋の小奴《こやっこ》さん、柳橋の春駒《はるこま》さん、この二人は有名だわね。何でも小奴さんは半玉《はんぎょく》時代からの馴染《なじ》みだけど、春駒さんはおくれをとっちゃいけないってんで、全部の着物の裏に鶴蔵さんと自分との比翼紋をつけているんですって。

おふたりともきれーいな方。ときどき桟敷《さじき》で見物しているのを見かけるけれど、やっ

ぱりいいものねえ。花が咲いたようだもの。

何といっても役者は花柳界でもてなきゃほんものじゃないんですよ。芸者衆が騒ぐようでなければ、芸は上達しないいんだから」

とおばちゃんは続け、

「そうお？　お光さんその辺りのこと何にも知らないの？　じゃ鶴蔵さん案外遊び巧者だわね。ボロを出さないのね」

とひとり合点し、

「あらもうこんな時間」

とあわてて帰って行った。

そのあと、光乃は魂を抜かれたような面持ちで、しばらくのあいだ、壁にかけてある雪雄の光源氏のスチール写真をみつめ続けた。

誰かが、

「匂《にお》い立つような舞台姿」

と新聞評に書いているのを読んだが、その写真からは妙《たえ》なる香りが立ち上っているほどに思われ、いつ見てもいく度見ても飽きることない美しさが感じられる。

このひとが小奴なるひと、春駒なるひとと懇《ねんご》ろな仲とはとても信じられない気がするが、また一方では、美しいと聞くその芸者衆とはまるで羽子板の二人押し絵、三人押し絵のようにぴったり似合っているようにも思える。

　じっと眺めていると、自分は雪雄を取り巻くはるかな圏外にぽつんとひとりぼっちで立っているように思われ、何ともいえぬさびしさが襲ってくる。

　それに、おばちゃんは光乃に対し、子をこそ産んでも、雪雄の身の廻りの世話をする端女《はしため》という認識からいまだに少しも出ておらず、主の芸のためなら、その浮名を喜びこそすれ、非難するなど思ってもいない様子なのも、光乃にとって驚きであった。

　あたりまえなら、夫婦ではなくとも子を生《な》し、家を形作っている女性に向かって、男の噂《うわさ》など決して告げないと思われるのに、いかにも面白そうにとくとくと打ち明けたのは、考えようによっては光乃のような例を、おばちゃんは多く見て来ているのではなかったろうか。

　例えば、若き日の宗四郎なども、光乃のように、子供を挙げ、家は持たせても、そのまま別れてしまった女は一人二人、あったかも知れず、そこまで考え及ぶと、光乃にはまた新たに背筋が寒くなるような不安が起きてくる。

　役者の女房は悋気《りんき》が大敵だといっても、それは本妻の立場でのこと、いまの光乃はただ子供二人の生みの親というだけの立場なら、まだまだ、ここで縁の切れる心配はないともいえず、嫉《ねた》ましさと心細さですっかり考え込んでしまうのであった。

　おばちゃんにそういわれ、胸に手をおいて考えてみれば、確かに雪雄にも不審な点はいくつかある。

おしゃれこそ目立たないが、「源氏物語」のあと辺りからときどき、浮き浮きしていることがあり、ネクタイを締めながら鼻唄《はなうた》で、

〽初手《しょて》に惚《ほ》れたはわたしがわるい、手だししたのは主《ぬし》が負け、

などと小唄の一ふしをうなっているのを、いく度も見かけている。

ひところの雪雄とはすっかり異なり、いまは上機嫌の日々なのは当たりまえ、とそれを見ていたが、いま思えばあれは彼女たちに逢《あ》いに出かける前の、心の昂《たか》ぶりだと考えられなくもない。

昔、光乃は赤坂の家で、夜ごと新婚の二人の床をのべ、その階下にやすむ苦しさをしたたかに味わわされたし、もうひとついえば築地の家でも、雪雄と麗扇との接触にははらはらし続けだったと告白しても、それは決して偽りではない。が、あのころといまは事情も違っており、子供二人を中心に、ここが自分の家だと光乃は落ち着いてはいるものの、しかしまた、雪雄の浮気を詰問《きつもん》する権利が自分にあるかといえば、それはおばちゃんの態度にあらわれている如《ごと》く、子の母親ではあっても、雪雄の妻ではないという大きな障碍《しょうがい》が立ちはだかっている。

本妻ならば悋気は我慢できよう、という論理でゆけば、内縁だったら嫉妬《しっと》は恥にあらず、というわけになるが、また逆に考えると、自分が激しく修羅を燃やせば、雪雄は逃

げ出してゆく恐れなしとはいえぬ。

もともと雪雄に向かっては何もいえぬたちだけに、以来光乃は悶々《もんもん》とし、片ときも小奴、春駒の名が頭から離れないようになった。

そのひとたちは、さだめし美しかろう、また自分よりは若いにちがいない、いまだにもんぺを離さず、化粧っ気もない自分に較べ、男心を引きつけるような装《よそお》いを凝らし、気むずかしい雪雄の心をほぐすような話し上手でもあるに違いない、と思っているとそのままいつまでも考え込んでおり、ふと気がつくと、子供たちにおやつをせがまれていたりする。

自分でもよくないことだと思いつつも、脱ぎ捨ててある雪雄の洋服のポケットを改めたり、肌着をつい鼻先に持ってくる、そんなくせがついてしまい、はっとしては辺りを見廻したりするのであった。

以前は、雪雄の仕事上の書物には手も触れなかったのに、この頃は掃除のついでについパラパラとめくることがあり、あるとき、そのページのあいだからはらりと一葉の写真が落ちた。

取り上げてみると、どこかの料亭で撮ったものらしく、雪雄をまん中に、両脇《りょうわき》に芸者姿が二人写っている。

二人とも光乃の目には眩《まぶ》しいほどに美しく、気のせいか、雪雄も、家ではついぞ見たこともないような水際《みずぎわ》立った男ぶりで納まっており、眺めているうち、光乃はいいようのないほどの胸苦しさを覚えた。
この二人のうちのどちらかが例のひとであるという確証は何もないが、肩を寄せて親しげにしている姿勢から推察してほとんど間違いないように思われ、一思いに千々に引き裂きたい衝動に駆られるのを必死で押しとどめていれば指先は小きざみにふるえてくる。
書物のなかには謡本《うたいぼん》もあり、つい昨日のこと、「鉄輪《かなわ》」のなかの、
シテ　いでいで命をとらん
地　いでいで命をとらんと笞《しもっと》を振りあげうわなりの、髪を手にからまいて、打つや
宇津の山の、
を読み、おおおそろしい、とすぐさま本を閉じてしまったのを思い出した。
「鉄輪」は、凄絶《せいぜつ》なまでになまなましい嫉妬の謡で、物語は若い女に傾いてしまった夫に復讐《ふくしゅう》するため丑刻参《うしのこくまい》りをし、貴船《きぶね》の神の助けを借りて鬼と化した本妻が、夫と女を取り殺そうというもので、光乃は読んでいて思わず背筋が寒くなったのをおぼえている。
この写真は、案外何でもなく、雪雄贔屓《びいき》の芸者衆が、
「あらあ鶴さまあ、ご一緒に写真撮って下さいな」
と歓声を挙げて寄って来、雪雄も気軽に、

「ああいいよ、さあチーズ」

などと並んでみせたのかも知れないが、しかしやっぱり小奴かも、春駒かも知れなかった。

　光乃はふるえる手で写真をもとに戻したが、衝撃がよほど大きかったものか、その夜、夢を見た。

　その夜も雪雄の帰りがおそく、子供に添い寝してついとろとろとした間に、写真の一人の髪を手にからませ、笞《むち》で打ち据えながら力の限り引きまわしている自分の姿があらわれ、ハッとして目覚めると、腋《わき》の下にはじっとりと汗がにじみ、のどはカラカラに乾いている。

　夢でよかった、と胸を鎮《しず》めたものの、自分も心の奥底をひらいてみれば嫉妬の鬼となっているのではないかと思われ、この先、こんな気持ちですごさねばならないと考えると、暗澹《あんたん》としてくるのであった。

　考えてみれば、子供二人は産んでも、日夜嫉妬にくるしめられ、世間からは未《いま》だ女中と見られている宙ぶらりんの生活、全くのお先まっ暗だが、何よりの光明は子供たちの存在であるとはいえ、これもまもなく勇雄が学齢に達することを思えばさまざまの問題が起きてくる。

　いまでこそマコちゃんキコちゃんまでの友達で日常べつに斟酌《しんしゃく》の必要もないけれど、

学校に上がれば勇雄の世界は拡《ひろ》がり、その置かれた境遇について自他ともに平静でいられなくなる様子も予想されてくる。

雪雄も、勇雄の教育問題や将来については熱心で、出勤前、膝前《ひざまえ》に坐《すわ》らせては、

「踊りはどこまで進んでいる？」

と聞き、

「はい、『寿《ことぶき》』というのをやっています」

と答えると、

「なに、なんだと。『寿』はお前、手ほどき用じゃないか。半年もまだ『寿』ばかりやっているのか」

と説教し、

「『宵は待ち』へ進みました」

と報告すれば、

「やってみろ、おれが口三味線で地方《じかた》をつとめてやる」

と舞わしてみて、

「これじゃ師匠が泣いてるだろう。もっとしっかり習ってこい」

とポンと扇子で頭を叩《たた》いて放免される。

決して勇雄を褒めることはないが、心のうちではその成長を何よりの楽しみとしてい

るのがうかがえるのであった。

子供二人が大きくなれば四畳半一間きりでは如何《いか》にも狭くなり、かたがた、稀《まれ》に連絡にあらわれる番頭の徳山などからも、

「何とか考えなくちゃいけませんねえ」

といわれていることもあって、勇雄が満五歳の年の暮れ、小さな家を建てることになった。

実は前々から、川田家の敷地内に絹屋、と呼ばれる古い蚕室があり、いまは全く使ってはおらぬところから、よかったら絹屋をこわしてそのあとへどうぞ、と申し出てくれており、その好意に甘えて、急場しのぎに二間つづきの家を建てることにした。

昭和二十六年のことで、翌春、近くの子供の国幼稚園に上がるはずの勇雄は大よろこび、光乃も、これでようやく雪の日に子供二人を連れて外をさまよわなくてすむようになる、と胸を撫《な》でおろした。

人の邸内とはいえ、はじめて自分の家を建てた雪雄も、いかにも家長としての重みが備わったかに見え、なおときどき爆発する癇癪《かんしゃく》さえ除けば、一家は申し分なく円満であった。

こうした矢先、光乃は太郎が床に就いているという知らせを聞いた。

太郎は、宗四郎が亡《な》くなるまでずっと付き添って荻窪で暮らしていたが、葬儀が終わったあと、その身の振りかたについては三兄弟が話し合い、結局新二郎のもとに引き取られ、いまは青山でその家族とともに暮らしている。

本来ならば、三兄弟のうち太郎はとりわけ雪雄のめんどうを見て来ただけに、雪雄がその終わりを引き受けるべきひとではあったけれども、筋をいえば雪雄は白木屋《しらぎや》を出て松川家を継いでおり、新二郎ならこの夏にも、亡き竹元宗四郎八代を襲名する手はずになっているため、元来菊間家の使用人ならばこの方法が順当ということになった。

それに、雪雄の場合でいえば、未だ住居は人の家の軒先を借りており、その点新二郎は妻明子の里かたからの助力もあって、太郎ひとり置いても困ることはなく、明子からの言づけに、

「うちも人手が欲しいから、おいで頂くのは有り難うございます」

という懇《ねんご》ろな言葉もあって、太郎も身を寄せやすかったらしい。

しかし、主の死で心の張りを失ったのか、新二郎宅での太郎は目に見えて元気が無くなり、あちこちに体も故障を生じて、もう大分以前から明子の裁量で病院に入り、療養しているよし、これは珍しく新二郎自身、この野沢へ訪ねて来て、雪雄に明かしたのであった。

故意に人の訪問を阻《はば》んでいるこの家へは、光乃が指折って数えるほどしか人は訪ねて

こないが、身内ではあとにもさきにも新二郎ひとり、それも近くまで来たから、と寄ってくれたのは、たしか家が完成した直後だったと光乃はおぼえている。

座敷には上がらず、上がり端《はな》に斜めに腰をかけ、子供たちの様子を聞いたり、仕事の話をしたり、帰りぎわ太郎の上に及んで、

「いま急にどうこうってことはないと思うんだが、暇をみて兄貴、一度見舞ってやってくれよ」

といい置き、立ち去った。

二、三日後、雪雄は病院を訪ねて戻り、

「いやあ案外元気だったよ。しかし中途半端《はんぱ》じゃ退院できないと本人固く思い込んでいるからね。新二郎の家で寝込むのを恐れているからだろう」

といったが、光乃はむごいこと、と感じ、ふっと自分の身の上を思った。

幸い、いままではかぜぐらいで過ごしてきたが、自分が病気になれば、多分雪雄は見捨てはしないと思われるものの、やはり太郎のように、家に迷惑はかけられぬ、と考えるに違いなく、一生奉公の果て、足腰立たなくなる身の哀れを感じるのであった。

光乃は雪雄に許しを得、勇雄の稽古の留守に雪代の手を引いて一日、青山の病院をたずねて行った。

新二郎の家に近いという青山のその病院は新築の三階建てになっており、明るく清潔

で、太郎のベッドは二階大部屋の端にあった。

入り口の名札をたしかめ、光乃が雪代とともに仕切りのカーテンをめくると、太郎はうとうとしていたらしく、いく度かまばたきをしてからゆっくりと目をひらき、

「おう、おう」

と驚きの声を挙げた。

数えてみれば、いつかみぞれの降る日、野沢へ訪ねて来てくれて以来だから六年ぶり、というのに、太郎の目は凹《くぼ》み、頬ひげはのび、皮膚も黝《くろ》ずんでがっくりと老《ふ》けているのに光乃は驚きをかくせなかった。

久しぶりにお互い笑顔で話し合いたいと考えながらやって来たのに、見るなり光乃はもう瞼《まぶた》の底が熱くなり、ベッドの近くに寄って思わず、

「太郎しゅうさん、苦しいの？」

と聞いたところ、太郎は首を振って、

「いいや、苦しかなんかねえ。体はどうもない。おいらはただ」

と言葉をつまらせ、

「何の役にも立っちゃいねえのに、新さんに厄介かけるのがつらいんだ。新さんのおかみさんはよくできたひとで、嫌な顔ひとつせず、毎日のようにおいらの顔を見に来てくれる。申しわけねえ、すまねえ、と思うと飯もろくにのどに通らねえ」

とてのひらを目に当て、どうやら忍び泣きしているらしい。

光乃はハンカチを差し出しながら、

「太郎しゅうさん元気出して下さいね。病気がよくなれば新二郎さんにはいくらでもご恩返しが出来ますから、いましばらくの辛抱よ」

と励ますと、太郎も気をとりなおしたのか、鼻先をこすってようやくかすかな笑みを浮かべ、

「悪かったね、せっかく野崎村が来てくれたってえのにしめっぽい話を聞かせちまって。いやなに、ここの病院は居心地がいいんだが、泣いても笑っても一日二百円の部屋代がかかる。その他に給食代、薬代は別だから、おかみさんがどんなに苦労してやりくりしているかと思うと、おいら身も細る思いだ。このつらさを誰かに聞いてもらいてえと、つねづね思っていたところだったから」

と、自分から話に区切りをつけ、雪代に目を向けて、

「たしか雪代ちゃん、ていいなすったねえ。父《ちゃん》によく似てかわいいいね。ようし、おじさんがお小づかいあげるよ」

と手をのばして枕《まくら》の下をさぐり、古びたがま口を取り出して五十円札をつまみ出した。

太郎が自分の死に銭、とまではいわずとも、守り銭ともいえる虎《とら》の子の金をさし出したとき、光乃は危うく、やめて下さい、と叫んでとどめようとしたが、太郎の心根を思

うとやっぱりその言葉は飲み下してしまった。

太郎の肌で温《ぬく》もった札を一旦《いったん》光乃が押しいただき、雪代に渡して、

「おじさんに有り難う、おっしゃいね」

と教えると、雪代は頭を下げ行儀正しく礼をいう。

それを見て太郎は目を細めてよろこび、

「おいらまだ勇雄ちゃんにはご対面させてもらってねえんだが、いい子だってねえ。何でも六円さんまでが、あんな立派な跡取り息子をいつまでも日かげ者にさせちゃいけねえってやきもきしているって聞いたんだが、坊ちゃんからはちゃんとしてくれる話はないのかい？」

と光乃に聞いた。

そう聞かれると光乃はせきあげてくるものがあり、相手は病人、愚痴をこぼすのはいけない、と思っていながらもつい、このところずっと悶々《もんもん》としている苦しさが堰《せき》を切り、

「あたしはどうなってもいいのですけれど、子供たちが可哀相《かわいそう》で」

と、思いもかけず、心のたけを聞いてもらう羽目になった。

光乃自身が確かめたわけではないけれど、雪雄にはどうやら花柳界に深い馴染《なじ》みのできているようす、そうでなくてさえ、人気上昇につれ、身辺人の往来がはげしくなるなかで、外部に向かって雪雄も自分もいまの暮らしをひた隠しするつらさは増してくる。

ひょっとすると雪雄は、その馴染みの妓《こ》と結婚する気かもしれず、或《ある》いはまた、しかるべき家の娘を迎えて新しい家庭を作るつもりかも知れず、そうなると子供二人はどうなるか、考えていると気持ちは平衡を失い、あの圭子のような運命に陥《お》ちはしないかという恐怖も芽生えてくる。

ぽつりぽつり、と口下手の光乃がこう打ち明ける話を、太郎は仰臥《ぎょうが》したままじっと聞いていたが、しばらく目を閉じたあとで、

「そう聞くと、どうにもおいら自身がはがゆくなるね。元気でいたらおいらが出て、一切始末つけるんだが」

と口惜《くや》しそうな面持ちで、

「なあ野崎村の。おいらの考えるところ、それはこういうゆくたてだ。

あのおひとが、妻子を世間から隠す気持ちと、花街で遊ぶのとは全く話は別なんだよ。構えてこんがらがらしちゃいけねえ。

お前さんも知ってのとおり、あのおひとのぶきっちょは筋金入りだ。戸籍のこともよく判《わか》らねえし、ま、判っていてもその辺、てきぱきとできるたちじゃあねえ。

きっといまのままじゃあいけねえいけねえと、雪の字自身も考えているに違えねえが、さし当たって頼めるひともなし、そのうちどんどん日が経《た》っちまうもんだから、自分も少々あわてている、どうもそんな様子だねえ」

「坊ちゃまが渋っておいでなのは、子供たちは即座に認知して籍に入れても、私まではと考えてためらっておいでなのでしょうね。

ねえ太郎しゅうさん、あたしは子供二人も産ませてもらいましたし、この上、松川家の嫁になるなど、あまりにもったいなくて考えただけでおそろしい。でも、子供たちと別れるのは嫌です。どんなことがあっても勇雄と雪代を手もとから離すのは嫌」

話しているうちに胸がいっぱいになり、雪代が廊下で遊んでいるのをさいわい、光乃はハンカチで目をおおって肩をふるわせた。

太郎は痩《や》せた手でまあまあ、というふうに空《くう》を掻《か》いて、

「何も悪いことはしちゃいねえのに、世間の目を恐れるってのは野崎村の、さぞつらかろうよ。

しかしおいらの見るところ、雪の字がお前さんを嫌っている故《ゆえ》に何も彼《か》もうっちゃらかしてるのとはわけが違うね。

大旦那《おおだんな》もいまは亡《な》いし、すべて自分の決断でいいんだが、あのお方は知ってのとおりの慎重居士《こじ》、石橋を叩いて渡らぬという気質だろう？

芝居の科白《せりふ》だって、初日開くまでにはきっちりと完全に入ってなきゃ舞台に上がらねえというおひとだ。そのうちきっと全部、うまくいくさ。四方八方見定めてのち、必ずお前さんを女房に据えるに決まっている。

その日が来るまで、もう少し我慢してくんな。これはおいらからの頼みだ」

と、片手を立てて拝むしぐさをする太郎に光乃はあわてて、

「太郎しゅうさん、私は決して催促してるんじゃありません。一生かげの人間でいいんです」

といっているうちにまた悲しくなってくるのはどうしようもなかった。

「それに、おいらのもひとつの願いは、役者の遊びを、女房はどうぞ止《と》めないでいて欲しいね。

男の肩を持つわけじゃねえんだが、家に角《つの》生やした女房がいて、旦那の浮気を糾明したり、出るの入るのの騒ぎを起こしたりすると必ず男の芸はちぢこまる。

旦那を大きくさせようと思ったら、手綱を伸ばし、見て見ぬふりをしているのが賢い女房だ。役者はいつも春らんまんの浮かれ心でいてこそ、花があるってもんだもの。その点、新さんのおかみさんは旦那の行跡などおくびにも出したことがない。

いつとても家庭円満で、こちとらも世話になりやすくて助かっている。おかみさんはきっと、実家のおふくろさんを見て育ったんだと思うねえ。幸右衛門さんのおかみさんもよくできたひとだっていうからね。

野崎村もゆくゆくは役者の女房の修行をしなくちゃなるめえが、新さんのおかみさんにならいろいろ教えてもらって間違いはないよ。

ま、雪の字のような天下の美男を亭主に持てば、最初っから苦労承知、という入れ墨をしているようなもんだから、これだけは了簡《りょうけん》しておくことだ」

とここまで話すと、さすがに疲れたのか太郎は大きな息を吐き、枕にぐっと頭を沈めた。

光乃は、その頤《あご》の下まで蒲団《ふとん》を引き上げてやりながら、

「お見舞いに来て自分の話ばかり、ごめんなさいね。長話させて容体が悪くならないかしら」

と案じると、

「大丈夫さ」

と太郎は笑ったが、なおしばらくそのそばで様子を見てのち、光乃は、

「今度は勇雄も連れて伺いますからね」

といって病院を辞した。

帰りみち、光乃は久しぶりに胸の辺りが軽やかになっている感じがし、改めて太郎の存在と、その誠実さに深く感謝する思いであった。

自分が何でも話せるのは姉のたき子と太郎だが、とりわけ太郎は芝居の事情に精通していることもあって、このひとの言葉はいつもまっすぐ、光乃の方向を指し示してくれるように思える。

もう少し我慢しな、といわれれば、これまでも先の希望も確かでないまま、ただひたすら雪雄のそばに寄り添ってきただけに、なおこの上の忍耐ならできないはずはないのであった。

それに光乃の心を大きく弾ませたのは、このあとまもなくの、勇雄の幼稚園入園式で、母親として公《おおやけ》の場に出られたときの晴れがましさは、のちのちずっと忘れられないほどの喜びであった。

実をいえば雪雄が付き添って行きたかったらしいが、いまだ子持ちを憚《はばか》る身であり、なら三河屋のおばちゃんか、と思案の末、

「お光、お前行くか」

といい、そのあと反物の包みをぶら下げて帰り、

「これ、着て行けよ」

と無造作に渡したのは、渋い色目の縞《しま》のお召しであった。

これまでも雪雄はときどき、思い出したように光乃に着物を買ってくれていたが、入園式用、として改めて調達してくれたのは、この上なくうれしかった。

縫いものの得意な光乃は、さっそく反物を裁ち、子供たちが寝静まったあと、その枕もとで夜毎《よごと》針仕事にいそしんで縫い上げた。

上等の品の、それも子供の入園式に着てゆく晴れ着を、一針一針縫うよろこびは女な

らではのもの、その上、人にいえぬ事情を抱えている身なら、唯一《ゆいいつ》許されたその日を、手繰り寄せたいほどに待ち兼ねる。

当日はよく晴れ、花という花はらんまんと咲き誇り、どちら向いても目出たさいっぱいというおもむきのなかで、お召しに黒紋付きの羽織を着た光乃と、白いエプロンの勇雄は、並んで雪雄のカメラに納まり、そして歩いて十分ほどの幼稚園に向かう。

地域の幼稚園入園式は、かねて顔見知りのひとも多く、従っていまさらせんさくする目にも出会わず、子供中心に和気あいあいの雰囲気だったが、気がつけば光乃はやっぱり、人の後ろのほうに立っている。

なるべく目立たぬよう、目立たぬようと身を引く習慣は身に染《し》みついており、しかしいまはまだ、こうした態度をあくまで通しているほうが無難であった。

光乃はこの日の喜びを、このひとより他に伝える手だてもないと思いつつ、たき子に書き送った。手紙文はいつも型どおりのものしか書けないが、
勇雄も無事、幼稚園に上がりました。入園式には私が付き添って参りました。

というたったこれだけの文字の底には、足かけ二十年の昔、叔母の家を追い出されるようにして偶然、役者の家に奉公した、頬の赤い娘の上に、いまこんな運命が開けようとは誰が予想し得たか、という驚きと無限の喜びが秘められているのであった。

勇雄はこうして毎日、幼稚園と踊りの稽古《けいこ》に通い、雪雄の地位も人気も定着し、五、

六月「源氏物語」の第二部を勤めたあと、七月は戦後初めて名古屋に下って出演した。

一カ月間、旅館住まいをしての出演はいろいろと不自由も多かろう、と案じている光乃の耳に、三河屋のおばちゃんは相変わらず気楽とんぼの噂《うわさ》好きで、

「鶴さんもいまごろは旅の空でのんびり羽を伸ばしているでしょうよ。

何しろ名古屋は西川流と名古屋美人の本家だし、役者にとっては縁も深けりゃ、居心地もいいって土地なんだものね。

一カ月間、中村遊廓《ゆうかく》から御園《みその》座へ通ってすっかり脂《あぶら》が抜け、東京へ帰ってきたときはふらふらになってた役者もいるっていうからねえ。

でもま、それが命の洗濯ってものかも知れない。鶴さんなら身銭《みぜに》切ってでもお世話する芸者衆もいるだろうしさ」

おばちゃんが役者の浮気の話をするたび、まるで毒針で肌をつっつかれるようだと光乃はいつも思う。

痛さとともに毒はゆっくりと体中にまわり、二、三日は気分がわるく、ついでに自分というものがほとほと嫌になってくる。

困るのはおばちゃん自身、それが光乃を傷つける言葉とは毛頭考えてはいないらしい点であって、その証拠に、おもしろい噂を聞かせてあげたでしょ、と鼻うごめかし、必ず、

「ねえお光さん、そう思いません?」

と同意を求めてくるのであった。

ここで、そんな話もうやめて下さい、と光乃がいえば、おばちゃんはびっくりすると同時に、

「何故?」

と詰問《きつもん》するに違いなく、そうなると間柄はややこしくなることは判っており、勇雄が世話になっている以上、やっぱり内心の波立ちを押しこらえて相槌《あいづち》を打つより他、なかった。

光乃はこんなある日、ふと思いついてトランクの底から古い聖書を取り出した。

これを買ったころの身を切られるような苦悩は、亮子が幸福な再婚をしたと聞いたときから結末はついているが、いまはまた新たに、嫉《ねた》ましさから来る不安で心おののき、何ものかに向かって祈らねばならぬ気持ちになっている。

パラパラとめくり、目についた一節を読むと、その短い時間だけでも落ち着く故に、常に茶簞笥《ちゃだんす》の上に置いておくようになった。

母ではあっても妻でない身の、人につっつかれるとすぐ動揺するなさけなさ、自分をどんなに叱《しか》ってみても我が身ひとりで解決できぬだけに、せめて聖書の教えに頼るしかないのであった。

雪雄は十月に、作家大佛次郎《おさらぎじろう》が雪雄のために書きおろした「若き日の信長」に挑み、大好評を得たあと、十一月には十年ぶりに大阪歌舞伎座へこの新作を持って出演した。そして千秋楽の夜行で戻り、翌日から十二月明治座の「忠臣蔵」の稽古に入ったが、初日の前日、起き上がれなくなり、光乃は駅前の公衆電話に走って、このよしを明治座に伝えた。

熱はさして高くはないものの、悪心《おしん》がひどくて食物を受け付けず、強いて粥《かゆ》をすすめるとすぐ吐いてしまう。

光乃は、まもなくやって来た番頭の徳山と相談の上、ハイヤーを呼んで新橋の慈恵医大病院に診察を受けに行ったところ、入院して精密検査の必要があるといわれ、その場で徳山は十二月休演の手続きを取った。

病室が決まり、ベッドに横たわった雪雄を見ると光乃は、いやでもチフスで入院したころが思い出されてくる。

聖路加病院七舎の入院生活は、いま思い出しても寒気がするほどおそろしかったが、このたびは幸い、過労から来た胃炎との診立てで、事実雪雄も日々目に見えて快《よ》くなり、十日余りで退院許可が出たのはうれしかった。

舞台俳優の仕事というのは「雪隠詰め《せっちんづめ》」ともいわれるとおり、興行期間中舞台に縛りつけられ、寸時の融通も利《き》かないので、とくに代役の立て難《にく》い幹部たちは病気と事故をとても恐れる。

雪雄も若いうちは、出演の時間と時間のあいだに外へ出歩き、仲間とともに映画館などをのぞいて「ちょんの間遊び」を競ったものだったが、このごろはそんな早わざは固く慎むようになり、とりわけ主役を演《や》っていれば、人一倍体を気づかっていたのに、今回は思わぬおとし穴であった。

しかし考えてみれば、二十六年三月の光源氏以来、ファンの声援にこたえてほとんど休みなし舞台を勤めており、医者からの、

「緊張の連続の結果といえるでしょう。やっぱりどんなに忙しくても、休みだけは思い切って取るようにしなければいけません」

という助言もまことにもっともで、十二月の後半は家でのんびりと過ごすことになった。

徳山のはからいで、病気休演と発表はしても、入院も病名も一切伏せ、単にかぜ、とのみ伝えてあったので、人気役者にしては極めて静かな日々を送ることが出来たが、退院四日目の夕方、母屋《おもや》から呼び出し電話の連絡があった。

母屋に迷惑をかけるので、電話は緊急の場合にのみ限られ、これまでも仕事上、急を要するときだけにかかって来、それには必ず雪雄が出ていたのだけれど、臥《ふ》せっている

身のいま、雪雄と光乃は思わず顔を見合わせた。

光乃が出れば決まってどなたで、の確認があり、奥さまでしょうか、といわれて、はいとは答えられないもどかしさに、光乃は日頃電話を嫌っており、雪雄は一瞬思案していたが、よしっとそばのどてらを羽織って、

「おれが出よう。会社からだろう」

と、まだ少しふらつく足に下駄を突っかけて小走りに母屋へ入って行った。

戻ってきたとき、仕事上の嫌な話だったのかな、と光乃が思ったほど、落胆のいろを浮かべていて、座敷に上がるなり、

「太郎しゅうが死んだよ。明子さんからの知らせだった」

と低い声で告げた。

光乃は、そのとき持っていた湯呑《ゆの》みを思わず取り落としたほど驚き、ぽかんと口をあけたまま、しばらく言葉が出なかった。病気とは十分に知っていても、死ぬなどとは光乃は一度も考えたことがなかっただけに、これは全く思いがけない知らせであった。

光乃が太郎の入院先を訪れたのはたしか二月末、そのとき、体はどうもない、といい、事実自分の病気は棚に上げ、光乃の愚痴を逐一聞いてくれた上、こちらを励ましてくれるほどの気力はあったのに、といまさらのように思い返される。

聞けば秋口から血圧が上昇し、ほとんどうつらうつらしている状態のまま推移して、

息を引き取るときは明子がしっかりと手を握ってやっていたという。

　雪雄はかえすがえすも残念、といいつつ、

「よくよく運の悪い男だよ。いま少し元気でいてくれりゃあ、おれの手許《てもと》に呼んでやることが出来たのに」

というのは、いま都心部に家を物色しているところで、それが間に合わなかったのがいかにも口惜《くや》しいようすであった。

　折あしく新二郎は京都南座に出ており、雪雄もまだ本復とはいえないまま、明治座に出ている優の助けを借り、明子が中心で簡単な葬儀を行なうことになった。

　ふらふらしながら支度する雪雄の着替えを手伝いながら、光乃はしきりに太郎のことが思われてならず、葬儀のあと、せめてその眠っている場所へなりと詣《まい》りたいと考えていると、雪雄がふっと、

「お光、お前も行こう。子供たちも連れて行く」

といった。

「え？」

と聞き違えかと問いなおすと、雪雄はおだやかな顔つきで、

「ほんの内同士だよ。みんな知っている間柄ばかりだ。お前が送ってやれば太郎しゅうも成仏《じょうぶつ》しやすいだろう」

といい、それを聞いて光乃は思わず目を伏せると、ぽろっとしずくがひとつ、膝《ひざ》にこぼれ落ちた。

思い起こせば、はじめて渋谷の菊間家に面接に行ったときが太郎との出会いで、以来、離れて住んではいても、常に心の隅にこのひととの存在を感じることでずい分救われてきたものであった。

いわば慈父のような、或《あ》るいは仕事の先達のような、またもうひとつ心の奥をいえば、このひとならば自分と雪雄の仲の、無条件の味方だと考えており、まさかの場合の何よりの頼みの綱だという気もしていただけに、よそながらでも柩《ひつぎ》なりと送ってやりたく思っていたところであった。

「私が伺ってもいいでしょうか」

と念を押すと、

「知らん顔していればいいさ。お前が太郎しゅうを送りに来たって、不思議だと思うひとは来やしないから」

といわれると逆に、それでは皆、昔馴染《むかしなじ》みのお方ばかりと心臆《おく》する思いもある。

太郎の亡骸《なきがら》は、京都の新二郎と雪雄の電話のやりとりの上で、菊間家の菩提寺《ぼだいじ》の、亡《な》き宗四郎の碑のわきに葬《ほうむ》ることになり、その寺で簡単な葬送の式をいとなんだ。

師走《しわす》もおしつまっての、雪もよいの寒い午後、参列者もまばらでさびしい葬式だったけれど、光乃は、太郎は柩のなかできっと満足して目を閉じているに違いないと思った。

奉公人たる者の出世の極みは、死んだのち主の墓所に葬ってもらうことだといわれているが、太郎は宗四郎亡きのちも、同じ菊間家に仕え、そして最後まで主を守るようにして眠るのを思えば、これ以上はもはや望むべくも非《あら》ず、満ち足りて彼岸に到達するのは疑いもなかった。

菊間家の身内は全部揃《そろ》ってはおらず、明子と、それに優の妻の蝶子の他は番頭の林と徳山が雪雄の指図を受けて働いており、他には明治座、歌舞伎座の古い馴染みが手伝ってくれている程度だったが、光乃は終始目を伏せて人と視線を合わさず、座の隅に体を小さくして坐っている。

もちろん喪服などは着ず、ふだん着の上に黒の羽織だけの略装で、目立たないように気を配っているのだけれど、そういう光乃に対し、無関心でいるひともあれば明子のようにわざわざ膝をつき、

「いつぞやは太郎を見舞って下さいまして、有り難うございました」

と礼を述べてくれるひともある。

勇雄と雪代の二人は全くむとんじゃくで、新二郎の子三人、優の子二人のいとこたちと無邪気にふざけ、それを眺める大人たちはこの七人の子を、分けへだてなく亡き宗四郎の孫たち、と受け入れているふうに見える。

昔、雪雄新二郎優の三兄弟が、太郎に相手してもらったように、いま徳山や林が、

「さ、子供たちはこっちいらっしゃい」

と集め、あたたかいおしるこをふるまってくれているのを見ると、光乃は涙の出るほどうれしかった。

読経《どきよう》が終わって出棺を見届けると、光乃は子供たちを連れて雪雄より一足さきに帰ってきたが、久しぶりの菊間家身内の集まりに出て、胸の昂《たか》ぶる思いがあった。

親のひいき目かも知れないが、いとこたちに伍《ご》して何ら遜色《そんしよく》あるとも思えぬ勇雄の、その母親は自分であることの喜びと誇らしさ、それ故かどうかは知らないが、集まったひとびとから少しもおとしめられたような感じを受けなかったことも、光乃にはひとつの安堵《あんど》ではあった。

こうした感じを、ことさら言葉で伝えなくても、雪雄も暗に読みとったものと見えて、その夜帰ってきたときは、すっかり上機嫌であった。

妻

雪雄の病も全快し、昭和二十八年一月は新橋演舞場でお坊吉三《きちさ》などを勤めたが、千秋楽も近いある日、同じ舞台の和尚吉三《おしよう》を演《や》っている優《まさる》と、歌舞伎《かぶき》座に出ている新二郎とを、雪雄が誘った。

一月の二十七日は宗四郎の五回忌にあたるので、その前晩、いまは荻窪《おぎくぼ》の家を処分して子供たちに遺産の分配をしたあと、娘のもとに身を寄せている継母の家を訪ねて父親の位牌《いはい》を拝むと、雪雄は赤坂の小料理屋へ二人を案内した。

「三人揃《そろ》うなんて、親父《おやじ》の葬式以来だな」

といいつつも、まずの話題はどうしても芝居のこと、一しきりあれこれと論じ合ったあとで、優が、

「兄貴、今夜はいったい何の話だい？　おれたち二人に相談したいことが何かあるんじゃねえのかい？」

と水を向けると、雪雄は、

「うむ」

と、口ごもっていたが、少し改まり、

「実はお光のことだが」

と二人の顔いろをうかがい、

「知ってのとおり、子供を二人、産んでいる。このままでもいいんだが、勇雄《いさお》がこの四月に小学校へ上がるんで、籍のことをきちんとしておいてやりたいと思うんだ。どんなもんだろうか」

といったとき、新二郎と優は思わず顔を見合わせ、そのあとで優がワッハッハッと笑いながら、

「何だ、そんなことだったのか。それならおれたちに何も相談しなくても、自分で勝手にやりゃいいじゃないか。何しろ既成事実を作っているんだし」

とこともなげにいうと、雪雄は真面目《まじめ》な顔で、

「あのとき優はいたな。親父がおれにお光を女房にする気か、と聞いたときさ。おれはそんなはずはない、と答えたろ。それが気になってしょうがないんだ」

「バカだな、兄貴は。親父は死んでるんだぜ。よしんば生きていたって、二人も子供を作りゃ仕方ねえ奴《やつ》、と思うに決まっている。

そんなことでくよくよするなんて。だから病気になるんだよ」

と優に押されつつもやっぱり思案深げで、

「しかしだな。正式に堀留の家の籍に入れるとなると、お光の家はもと行徳の塩焚《しおた》きだ。うちの女中だった女だ。

ここでおれが二の足踏むのも、お前たち判《わか》るだろうが。勝手にしろっていわれても、どこやら先祖に相済まぬような気持ちになるのも無理はないと思わないか。

そこでおれは考えた。

おれがお世話になっている鎌倉の横田黄邨《こうそん》先生な。この先生は肩書といいお人柄といい地位といい、まことに申し分のない立派なお方だ。夫人もとても気さくで、おれの芝居のときは毎たび欠かさず楽屋をのぞいて下さる。

そこで、どうだろう。このご夫妻にお願いしてお光を一旦《いったん》養女にして頂き、そこからこちらへもらうようにしては、と思うんだが」

と雪雄が二人の顔をかわるがわる見廻した。

新二郎はにやにやしているばかりだったが、優は盃《さかずき》を置いてまたもや笑いだし、

「兄貴もよくよくアホなことを考えだすもんだな。ほん気なのかい、そんな話」

「もちろんだ。そうすれば堀留の家にも申し開きが立つってもんだ」

「そんなら兄貴に聞くがね。いったい自分のことを何さまと考えているんだよ。

松川家は名門かも知れねえが、それも芝居の世界でのこと、おれたちも含め、役者は

もともと何の位もなかったんじゃねえか。昔は苗字《みようじ》も許されなかったくらい低い身分だったから、それで屋号をつけたんだって親父も始終いってたろう。その無冠の男の女房に、いつから偉いさんの娘をもらわなきゃならねえようになったんだよ」

優の顔からはそのうち笑いが消え、腕まくりするように上衣《うわぎ》の袖《そで》をつまみ上げながら、

「兄貴は『源氏物語』で天子さまの落とし子をやってから少しヘンだぜ。役と現実とはちがうんだよ」

「しかしだな。松川にはまだ六円さんがご存命だし、六円さんは殊《こと》の外、家名を重んじるお方だ。かたちだけでも黄邨先生の娘、ということにしてもらえば、六円さんの立場も立つと思うんだ」

雪雄もいつになく気長く説得しようとするのへ、優は強硬で、

「反対」

といい張り、

「おれは松川家のことは知らねえが、いい話ばかりじゃなかったはずだぜ。何でも江戸追放の七代目玄十郎は六人だか七人だかの女がいて、妻妾《さいしよう》同居の暮らしだったたっていうし、八代目が自殺したのはこの妾《めかけ》たちにいびられたためだという説もあるって、聞いたことがある。うちの菊間だって、もとを辿《たど》れば似たり寄ったりの話はごろごろ転がっているんじゃねえのか」

というのを新二郎が手をあげてとどめ、二人の盃に酒を充《み》たし、

「こりゃよく聞け」

と、低い調子で声いろを使い、

「天下の旗本青山播磨《はりま》が、恋には主家来《しゅうけらい》のへだてなく、召使のそちといい交わして、日本中の花とみるは我が宿の菊一輪と、弓矢八幡《はちまん》、律義《りちぎ》一方の三河武士が、ただ一筋に思いつめて」

「お前、そりゃ『番町皿屋敷』じゃないか」

と雪雄がいうと、

「そうだ。いまおれが演《や》っている」

新二郎はうなずき、なお続けて、

「一夜でもそちのそばをはなれまいと、かたい義理を守っているのが、嘘《うそ》や偽りでなることか、つもってみても知るるはず、なにが不足でこの播磨を疑うたぞ」

「あいあい、その疑いはもう晴れました」

と優がひきとって腰元お菊の声いろを使い、けりをつけたあと、

「去年暮れの太郎しゅうの葬式のときも、集まったひとが、どう見ても奥さんだが、まさか奥さんとは呼べまい、さりとてお光さん、は失礼だし、困ったもんだねえ、とずい分ささやき合っていたぜ。

兄貴、決心したときがやるときだ。さっそく明日にでも区役所へ行ってきな」

と歯切れよく、どやすようにいうのへ、なお雪雄は煮え切らず、生返事をしているばかりであった。

竹を割ったような気性の優は、雪雄の話に酒がまずくなったのか、

「おい、飲みなおそう。河岸《かし》を変えよう」

と二人をせきたてて戸口まで出たが、まだ考え込んでいる様子の雪雄を見て、

「兄貴はもうまっすぐ帰りな。おれは新の字と二人で飲《や》るから」

と袂別《べいべつ》を宣言し、雪雄も強いて逆らわず、手を上げてから歩きだした。

優はその後ろ姿を見送っていたが、

「ちぇっ」

と舌打ちし、

「けったくそ悪いや」

と靴で地面を蹴《け》って、

「おい行こう。派手にぱあーっとやろうぜ」

と新二郎の腕を取った。

こういうとき新二郎は終始無言、しかし意思表明はしないかに見えてその実、きちんと意見を持っており、いまの場合、止めだてせずに優に従ったのが、そのあらわれだと

見てよかった。

二人に別れた雪雄は、タクシーを拾おうか拾うまいかと迷いながら歩いていて、結局、生酔いでは帰れず、乃木坂《のぎざか》にあるバーの階段を上って行った。

「あらあ、鶴さまお久しぶり」

という大勢の嬌声《きょうせい》に迎えられて席についたものの、心の隅ではなお考え続けている。

優も新二郎も、おれの人気を嫉《ねた》んでいる、あいつたちがどんなに背のびしたって、光源氏の役は演れまい、光源氏を演れるのは当代自分ひとり、となると、やっぱりここは黄邨先生に肩入れしてもらったほうが役者の格、というものだ。

同じ役者同士ならば兄弟ではあっても芸仇《げいがたき》、血の通い合う親近感の裏側では互いに競い合う気持ちがあって当然のこと、それに、うるさい楽屋雀《すずめ》は、兄弟三人のうち、容姿からいえば上から一、二、三だが、芸の巧《うま》さなら下から一、二、三、という点をつけるひともいる。

つまり優は、腕ならおれが上なのに、容姿ばかりで兄貴が評価されすぎる、と思っていないともいえまい、それに、新二郎の妻の明子は名優のほまれ高い幸右衛門の一人娘だけれど、優の妻の蝶子《ちょうこ》は赤坂に出ていたもと芸者だから、光乃が黄邨の養女となるのを、あれほど反対したのだろう、と雪雄はハイボールのグラスを重ねながら考えつづけ、

「鶴さま、今夜は何だか浮かないお顔ね」

と話しかける両側の女給の言葉にも生返事しながらあしらっている。

それに、このごろでは、子に大学教育まで受けさせる役者も珍しくないし、役者自身の社会的な地位も高まりつつある。お光もきっと、黄邨の養女になることを喜ぶだろうし、将来子供たちも肩身が広いにちがいない、と思うと弟二人に反対されても、ここはやはり自分の方針を通そうと思うのであった。

雪雄はグラスを置いて立ち上がり、階段を駈《か》け下りるとすぐタクシーを拾い、家に向かった。

光乃《みつの》にとっては、待ちに待った吉報にちがいない、と考え、雪雄は一刻も早く喜ばせてやりたく、家に戻るなり、

「お光、今夜はお前に折り入って話がある。そこへ坐《すわ》れよ」

と、火鉢の前を指した。

「子供たちは寝たな」

と確かめ、

「お前にも長いあいだ心細い思いをさせたが、勇雄も春から一年生だし、この際、皆堀留の籍に入れ、世間からうしろ指を差されることのないよう、きちんとしようと思う」

と告げた。

瞬間、光乃の顔にぱっと喜色が走り、

「まあ」

といったきり、あとの言葉が出ないのへ、雪雄はさらに嬉《うれ》しい話を贈るつもりで、

「ついては、黄邨先生にお願いして、お前を一旦横田家の養女として入籍して頂き、しかるのち、こちらへ移すようにしたいと思っている。

おれも来月がちょうど休演だから、先生に連絡して、うち中で鎌倉へお願いに上がるつもりだ」

どうだ、いい考えだろう、と胸を張って雪雄がそう伝えたところ、光乃は次第に目を落とし、とうとう深く俯《うつむ》いてしまった。

見れば、その膝《ひざ》にぽたぽた、とつづけざましずくが落ち、木綿縞《じま》の着物を濡《ぬ》らしている。

雪雄は最初、それを嬉し涙と受け取り、

「もうこれで人目を恐れないですむようになるよ」

などと重ねていっていたが、光乃がいつまでも顔を上げないので、

「お前、うれしくないのか」

とのぞき込んだところ、光乃は鼻をすすり上げながら、きれぎれに、

「私が行徳の在の、名もない家の生まれのため、坊ちゃまにご心配をおかけして、ほんとうに申しわけございません」

と謝り、

「私は、前から思っておりました。勇雄も雪代も申し分のないいい子ですから、いずれは晴れて堀留家の人間にしてやって頂きたいと、そればかり念じておりました。ご決心下さってうれしゅうございます」

「なら、思いどおりになったじゃないか。何で泣くことがある」

「いえ」

と、光乃はちり紙を取りに立ち、鼻をかんでは袂《たもと》に入れながら、

「入籍は子供たちだけで結構でございます。私はご遠慮させて頂きます」

といい、そういうとまた涙はどっと溢《あふ》れてくる。

雪雄は呆気《あつけ》にとられ、

「判らねえな。それじゃお前はどういう了簡《りようけん》だ。おれの女房はまっぴらだってえのか」

「いえいえ、とんでもない。入籍はしなくとも、よろしければこのまま、ずっとおそばにおいて下さいませ。子供たちは私の手放せない宝でございますもの」

「おいっ」

と雪雄は苛立《いらだ》たしそうに、

「そんな奥歯にものはさまったようないいかたはよせ。せっかくのおれの妙案を受け入れられないってのか」

と声が大きくなるのを暗に制するように光乃は黙っていたが、しばらくたって、

「申し上げてもよろしゅうございましょうか」

と伺った。

霜夜はもう更《ふ》け、鉄瓶のしゅんしゅんと滾《たぎ》る音のあいまに、隣の部屋の子供たちのやすらかな寝息が聞こえて来る。

光乃は涙を拭《ふ》いて、ぽつりぽつりと、

「黄邨先生にもらって頂くのは、私にとってこの上もない光栄でございますが、私はとうていその柄ではございません。

先生も、ご承諾下さいましても、内心はとてもお困りになることでございましょう。世間体をつくろうために、無理を通して私を立派な家の娘に仕立てましても、しょせんは付け焼き刃ではございませんか。居なおったいいかたではございますが、私は塚谷清太郎の娘で、菊間家に女中奉公に上がった者で結構でございます。

背のびして、つくろったところで、事実は曲げられません。かえってこちらのほうが、いまよりももっともっとうしろ指をさされるような気がいたします。

一人の人間が、偶然女中という職を得て、一所懸命その仕事に励むのは、決して恥ずかしいことではない、と私もこの頃、思うようになりました。

太郎しゅうさんというお手本もございますし、私も一生奉公で、坊ちゃまと子供たち

のそばで過ごせればそれで満足でございます。

おっしゃるように、堀留家は歌舞伎界一の名門でございますから、私ではとても釣り合いません。どうぞ黄邨先生にはご迷惑をおかけになりませんよう、いまのままでお見過ごし下さいませ。

子供たちのことはくれぐれもよろしくお願いいたします」

と、手をついて頭を下げたあと、光乃は長い息を吐いた。

いままで雪雄に向かって二言と長い言葉を述べたことなく、何事も逆らわず、まして自分の考えを披瀝《ひれき》した例《ためし》もなかった光乃が、これは一世一代、と自分でも思えるほどの長講釈であった。

我ながら驚き入っている光乃に対し、それよりもっと雪雄も驚き、すっかり毒気を抜かれた顔でまじまじと光乃をみつめていたが、反論の態勢もできないまま、気も萎《な》えたかに、弱々しい声で、

「寝床敷いてよ。おれはもう寝る」

と命じ、蒲団《ふとん》に倒れ込むように身を横たえた。

光乃も同様に、続いて寝床に入ったが、気が昂《たか》ぶっていて眠るどころではなく、転々と寝返りを打つばかり、どうやら雪雄も同じ気配らしかった。

翌朝、勇雄を幼稚園に出したあと、朝食の膳《ぜん》を囲みながら、雪雄が光乃に宣言したの

は次の言葉であった。

「ともかく、おれはおれの考えどおりやることに決めている。二月に入れば四人で黄邨先生のもとへご挨拶《あいさつ》に伺うから、そのつもりでいろ」

光乃はそれを聞いて、

「はい」

と答えただけであった。

もと女中、というのは、もと女給、もと芸者などのように、うまく隠しおおせたと思っても、どこかの綻《ほころ》びの目から必ず洩《も》れてくる、そんな姑息《こそく》なつくろいかたはしたくない、と光乃はなお、思っている。

しかし雪雄のほうは、自分に向かってはじめて堂々と意見を述べた光乃の気迫に打たれはしたものの、いくら考えなおしても結婚については横田黄邨の力を借りたかったらしい。

或《ある》いは意識の底に、別れた亮子への意地と見栄《みえ》があったかもしれないし、また、いまや天下に鳴り響く鶴蔵という名の手前、家と家とが釣り合う縁組を望むのかも知れなかった。

番頭を通じて連絡をとり、雪雄が光乃と子供二人を連れて鎌倉をたずねたのは、二月も半ばの、もう春のようなあたたかい日であった。

光乃は心臆《おく》し、お伺いするならどんななりで、どんなご挨拶をすればよいのか、しきりと迷ったが、結局、いつも通りのひっつめ髪に化粧なしの素顔、服装は勇雄の入園式の際の一揃《ひとそろ》いを着て雪雄に従った。

黄邨邸に到着すると雪雄は勇雄、雪代、と紹介したあとで、単に、

「光乃です」

と引き合わせたが、黄邨夫妻は弟子の徳遊からかねて聞いていたと見えていぶかしむ様子もなく、

「やあよく来てくれたね」

と至極にこやかに受け入れてくれた。

一しきり歓談のあと、子供たちをねえやが庭に連れ出してくれたときを見計らって雪雄が、

「実は今日、折り入ってお願いに参上いたしました」

と切り出した。

黄邨夫妻は黙ってうなずきながら聞いていたが、

「鶴蔵君、そちらの光乃さんがわしどもの養女になって下さるのは光栄だよ。異存のあろうはずはない。なあ、ばあさん」

と、かたわらを振り返ると、

「うちは娘ばかり四人でございましてね、男の子はどうもふさわしくないと見えて、八つの年、ジフテリアで亡《な》くなりましたの。

この上、娘がもう一人増えるとうれしいわ。お支度はうんと気張ってさし上げますわよ」

というのへ、雪雄はあわてて、

「とんでもございません。養女とは単に戸籍の上だけのこと、また入籍すれば皆さまに披露もいたさねばなりませんが、そのせつ、先生とご縁続きというふうに発表させてもらえれば有り難いと思いまして」

「そうだわねえ。天下の鶴さまの結婚発表ですものね」

と捌《さば》けた夫人は同意しつつも、

「光乃さん、とお呼びしていいかしら」

と、念のため、と前置きして、

「あなたはそれでいいの？　ご実家の方々とはお話はついているのですか？　ご両親さまはお元気で？」

「はい、母は早くに亡くなり、父は六年前に他界いたしました。いまは姉と弟が元気でおります」

「じゃその方々のご了解を得ないでもいいのかしら」

「はい」

と光乃はじっと考えてから、

「私は女学校四年のときから家族と離れて暮らして参りましたので、その点につきましては、べつに相談の必要もないと考えておりますが、ただ」

といいよどむと、夫人は助け舟を出して、

「ためらうことがおありなのね。何でもおっしゃいよ。あたしたちはひょっとすると、あなたの親になるかもしれない瀬戸際《せとぎわ》なんだから」

と気持ちをほぐしてくれ、

「はい」

と光乃が小さい声で、

「私のようなものを養女になぞと……先生と奥さまにご迷惑をおかけするばかりで……私にしてはあまりに大役すぎるのではないかと」

と切れ切れにいうと、

「そんなご心配は要りませんけどね」

と夫人は女だけに光乃の心中が読み取れたと見えて、

「ねえ鶴さん」

と、鶴蔵に向かい、

「男は簡単に考えがちなのね。なあに書類の上だけのことさ、と思っているんでしょ。でも光乃さんの気持ちにすれば大へんなのよ。養女とはいっても一応横田黄邨の娘、という目で世間から見られることになるしね。その重荷は光乃さんが一生背負っていかなきゃならないし」

というのを今度は黄邨がさえぎって、

「そんなこと、はじめから判《わか》っているじゃないか。鶴蔵君は承知の上で頼みにいらしたんだ。喜んで協力してあげるよ」

しかし夫人は負けておらず、

「だめだめ。そんなに事を急いじゃ。大事なことですもの。ねえ」

と光乃に同意を求め、また鶴蔵のほうへ、

「お見受けするところ、光乃さんは立ち居振る舞い、言葉づかい、まことによく出来ていらっしゃる。申し分ない方ね。

きっと鶴さんにとって無くてはならぬ奥さんになることでしょう。

あたしの気持ちをいわせて頂きますとね。光乃さんはこのままで十分じゃないかと思うの。

失礼だけど、菊間にご奉公したという実績は、即《すなわ》ち行儀見習いの修行を積んだのとおなじことじゃありませんか。

　鶴さんは誰に恥じることなく、光乃はうちで行儀作法を教えました、と胸を張っていえばいいじゃないかしら」

　夫人の言葉はよく筋が通っており、光乃がほっとした表情を浮かべるのに対し、黄邨は雪雄の気持ちを推しはかり、

「それもそうだが、しかし鶴蔵くんの折角のご希望じゃないか。やっぱり養女に来て頂こう」

　と遮るのをきいては雪雄も黙っていられず、

「奥さまのおっしゃるのはごもっともでございます。もう一度よく考えてみます」

と引き、この話は熟慮の上、改めて出直してくることになった。

　夫人がくり返しいう、

「あたしのようながさつ者の娘でございい、というよりも、宗四郎さんのもとでみっちり躾《しつ》けられました、というほうが、世間にははるかに通りがいいかも知れなくてよ」

　の言葉は、なるほどと思わせる響きがあり、それが決して、養女の件を拒否するための理屈ではなく、雪雄にも光乃にも、そのほうがより自然であるのを、しんじつ伝えてくれる様子なのがよく判った。

　この日は、黄邨夫妻に歓待され、いい気分で戻っては来たが、雪雄の胸のうちを推し

はかると、光乃は咽喉《のど》に小骨のささったような感じはまぬがれなかった。

こちらからはいい出しは出来ないが、三月を目前にして雪雄は少し焦《あせ》っているかに見え、それというのも、勇雄の入学を希望する青山学院の願書締め切りも迫っており、それに自分も大佛次郎《おさらぎ》の新作「江戸の夕映」に取り組まねばならないからであった。雪雄は、暁星《ぎょうせい》校の学生時代を思い出すのか子供たちの教育にはとりわけ熱心で、勇雄の入学については早くから各学校の説明書を取り寄せ、慎重に検討して青山学院を決めただけに、もしや不合格であったら、といたく案じてもいたらしい。

そして一晩、稽古から夜更けて帰って来た雪雄は、子供たちの寝ているのを確かめて、

「籍のことは、横田先生の奥さまのおっしゃられたようにしよう。結局、お前の望んだとおりだ。

明日にでも区役所へ行って手続きの方法を聞いて来てくれ」

と光乃に告げた。

長いあいだ、この言葉を待っていたはずの光乃にしては、自分でも驚くほど冷静にそれを受け取り、

「はい」

とだけ答えて、火鉢の火を繕った。

雪雄も何もいわず、光乃の入れた茶をすすりながら台本に目を通しており、家のうち

はいつもと同じようにしんと静かであった。

雪雄の決断を、光乃が当然の帰結、と考えていたかといえば決してそうではなく、強いていえば、子供二人を生《な》し、一つ屋根の下に住んでいれば、当面正妻であろうと女中であろうと心の充足に変わりはなく、入籍の件などはるかに超越した心境だったといえば、嘘《うそ》になろうか。

翌日光乃は区役所でもらって来た届け出用紙を雪雄の前に拡《ひろ》げ、まず、婚姻届、次に子供の認知届、そして入籍届の三枚に署名、捺印《なついん》してもらった。

ふーん、案外めんどうなものだな、と首をかしげながら署名を終えた雪雄は、

「おい、酒持ってこい。冷やでいい」

と命じ、湯呑《ゆの》み二つに注《つ》ぎ分けて、

「これで一件落着だ。明日でも新二郎と優にはおれから知らせておく」

と目の高さに湯呑みをあげ、光乃のそれに音をさせて当て、ひと息にあおった。

酒の呑めない光乃はにっこりし、

「有り難うございます」

と呟《つぶや》いたが、さすがに万感胸に迫り、湯呑みを畳の上に置いてうつむいた。

やさしい言葉の苦手な雪雄は、光乃の様子を見て、

「すべて今までどおりでいいから」

といったが、それはいまの場合、何にも勝るいたわりであった。

とうとうここまで、長い長い道のりだった、と光乃は思った。

前途に光明があるでなし、ただ雪雄のそばを離れたくなさの一心で我慢を重ね、ようやく続けて子供二人を産んでも、まだまだ不安定な日々ばかりだったことが振り返られる。

しかしいま、天下晴れて夫婦になり、誰に恥じるところもないかといえば、やはり光乃には拭《ぬぐ》うことのできぬ大きな気おくれがある。

いま光乃には、喜びよりも雪雄の譲歩に申しわけなく、世辞のない口でせいいっぱい、

「私のために、これから先、ご迷惑をおかけすることになってしまいました。ほんとうにすみません」

と詫《わ》びると、雪雄は湯呑みに冷や酒をつぎ足して、

「お光の辛抱勝ちだ。さっそく太郎しゅうの墓詣《まい》りに行ってやんな。墓の下できっと、『そうこなくっちゃ』なんて手を叩《たた》くぜ」

と他意なさそうにさっぱりと笑った。

翌日三枚の用紙を区役所に届け、これで親子四人堀留姓になって、すっかり世間が変わったかといえばそうでもなく、光乃にはまたいままでと同じ明け暮れであった。

これまでどおりでいい、と雪雄もいってくれたし、もとより光乃は、

「鶴蔵の家内でございます」
などと名乗ることもなく、ふと気がつくとやはり、見知らぬ顔の訪問客があったときなど、思わず身を隠そうとしていたりする。
そして四月、雪雄の休みに、かねて建築中の麻布笄《あざぶこうがい》町の家が完成、ようやく引っ越し、そのあと黄邸邸へ打ち連れて報告に行った。
人気役者ともなれば家に人の出入りも多くなり、かねてまわりからも、
「きちんとした門構えの家を」
といわれていたのを、林の才覚などで金の工面もでき、念願達成することができた。
今度の麻布笄町の住居は、名のあるひとの設計で、五室と離室《はなれ》の部屋の他に檜板《ひのきいた》の稽古《けいこ》場も小さな庭もある二階建てであった。
黄邸邸へお礼と報告を兼ねての手土産は、父宗四郎の「暫《しばらく》」の押隈《おしぐま》を軸に仕立てたもので、宗四郎自身の筆蹟《ひっせき》で、
昭和戊辰如月、もとめにより暫の暈《くま》とりを押して、
と冒頭の文字のあとに、
千枚も一枚づつや春の風　琴籟《きんらい》
と自作の句と俳号が記されてある。
黄邸は大いによろこび、

「父上の押隈は、お宅に秘蔵されていたのですか」

と聞き、雪雄はその質問を待ってました、とばかり、入手の経路を説明した。

役者は皆俳号を持ち、句作したり俳画を描いたり、或《ある》いはまた、隈取り化粧の上に羽二重を押し当てて型をとったりしてご贔屓《ひいき》に配るのだけれど、そういうものを自宅に貯《たくわ》えてあるかといえば、これはどの家でも皆無に等しい。

雪雄も振り返ってみると、父親が色紙へ何かしたためたあとは、大ていその場の客に与えてしまい、たまに脇床《わきどこ》にでも飾っておくと、

「照れるじゃねえか。さっさと誰かにくれちまいな」

と片付けてしまい、まして家の者で押隈の羽二重など持っているはずもないのであった。

持参した軸は、昭和三年二月、大阪中座で「暫」を上演した際、一日二枚ずつを押したあと、また千秋楽になってから化粧しなおし、いく枚かを加えて上方《かみがた》のご贔屓筋に配ったもので、それがめぐりめぐって東京の古書店に出ていたのを知らせてくれるひとがあり、さっそく買い取って改めて表装してもらったものだといきさつを語った。

黄邨は大そう喜び、

「もはや得難い品だからね」

と受け取って、自身も、新築祝い、入籍祝いにと、かつて雪雄が「助六」を演じた際、

楽屋で面相筆でスケッチした横顔を、立派な額に入れて贈ってくれた。

双方とも貴重なものの交換になり、すっかりいい気分になって盃を重ねる雪雄のわきで、夫人はやさしい心づかいをよせ、

「あたしたち戸籍はそうでなくとも、気持ちの上では親と思ってね。何かの場合には相談してくれるとうれしいわ。力になりたいの」

と、光乃には有り難い言葉をかけてくれるのであった。


家も出来、勇雄も小学校へ上がり、光乃も名実とも雪雄の妻になってこれ以上、何もいうところがないかといえば、それはそれでまた新しい問題も生じてくる。

いまのままでいい、という雪雄のいたわりを、光乃は素直に受けとめており、それは、夫と子供たちの世話、家の片付けと掃除、そして決して化粧せず、髪結いの門をくぐらず、着るものはすべて雪雄が選んでくれるものを身にまとい、客の前へ出ず、という暗黙の決まりを、その通り守っていればいいと考え、疑いもしないのであった。

しかし、家のうちで光乃の仕事はこのところ増えており、例えば雪雄が舞台で着る肌《はだ》襦袢《じゅばん》や、綿入れなどは光乃の縫ったものでないと着ず、そうすると野沢の家のときから近所の娘にときどき家事手伝いを頼むようになって来ているのを、笄町に移ってからは、新聞広告で在出身の娘を一人雇い入れている。

光乃は自分の経験から、女中は渡り者の年配者でなく、身元のきちんとした在の若い娘を望み、栄子というその娘に玄関番をも兼ねさせ、自分はほとんどといっていいほど、客に顔を見せないのであった。

しかし、幹部級の名題《なだい》役者ともなれば、いかに番頭や弟子たちが万全に取りしきっていても、女房がしなくては叶《かな》わぬ役割というものがあり、光乃もいつまでも引っ込んでいられないということがある。

例えば、贔屓客にはいまだ独身というふれこみを訂正してはいないが、内情を知っている会社や弟子たちに、何かにつけ、礼の一言も述べずにすませるのは、即ち雪雄の評判にかかわってくる。

笄町は都心にも極めて近く、雪雄の帰りは誰かに送られてくることが多いけれど、いままでのように家のうちでじっと息をひそめて待っているほうがいいか、さりとて飛び出して行って、相手からもしや、

「あなたはどなたで？」

と聞かれた場合、名乗ってよいものかどうか、迷ってしまう。

籍の件が片づいてからは、雪雄の芝居をのぞくことも許されたものの、人に会えば挨《あい》拶《さつ》に困るため、昔どおり、柱のかげか三階の立ち見で一幕だけ見て、そっと帰ってくるのであった。

それに、まわりでは、勇雄にそろそろ初舞台を、という勧めもかかり、その言葉は無下にも斥《しりぞ》けられぬ意味合いを持っている。

勇雄の従兄弟《いとこ》にあたる三人の男の子たちは、年の順からいってまず、新二郎の長男正秋が、すでに七年前の昭和二十一年に外郎売《ういろううり》の子の役で東劇の「助六」に出ており、ついで次男典康が二十三年、「俎板《まないた》長兵衛」の長松の役で初舞台を踏んでいる。

子供のころ初舞台をつとめたからといって、必ず将来役者にならなければならぬ、という決まりはなく、成長後、転身しようがしまいが自由だけれど、正秋、典康の二人ともその後、折々は舞台に上がって、どうやら父親の道を継ぐ気配が見える。

雪雄たち三兄弟が、親近感と同時に芸仇《げいがたき》を暗に意識し合っているのと同じく、その子たちもこの宿命は受け継がざるを得ないところがあり、まだ子供の本人たちは全く念頭になくとも、まわりが煽《あお》りたてるということがある。

とくに、勇雄のあと、二カ月余りの差で生まれた優の子の稔《みのる》は、すでに昨二十七年二月、歌舞伎座で「先代萩《せんだいはぎ》」の鶴喜代と、「お祭佐七」の丁稚《でっち》長太とで初めて舞台に上がっており、その後も引き続いて出ているのを、勇雄は客席からいく度も目にしているのであった。

三河屋のおばちゃんは何といっても勇雄びいき故《ゆえ》に、

「ほらね、勇雄ちゃんより後で生まれた稔ちゃんはもうあんなに立派にできるでしょ。

負けちゃいけませんよ、負けちゃ」

と盛んにけしかけ、なら年上の新二郎の子供二人は競争圏外かといえば決してそうでなく、

「勇雄ちゃんは知らないでしょうけど、正秋ちゃん典康ちゃん二人のお母さまはね、名優といわれている初代幸右衛門さんの一人娘なの。

幸右衛門さんには男の子がいないもんで、娘さんがそっくりその血を受け継いだと見えて、明子さんとっても芝居がお上手なんだってよ。

もっとも女は役者になれませんからね。二人の子供のお稽古を見てあげるだけなんでしょうけど、まわりの人の話では、新二郎さんより明子さんのほうがよっぽど巧《うま》いって。

勇雄ちゃん、うかうかしてられませんよ。稔ちゃんもお父さんの筋で踊りはなかなか達者だし、正秋ちゃん典康ちゃんにはお母さんがついていますからね」

と吹き込むが、当の勇雄にはまださっぱり自覚はなく、従兄弟たちの板の上の活躍を、すごいな、えらいな、と見ているばかりであった。

初舞台はほぼ学齢前、というような不文律もあり、雪雄もそのつもりで勇雄に芸事を仕込んでいるのなら、周囲の誘いも受けざるを得ないところがあり、そうなると、子の初舞台には母親の役割が大きく占める故に、もはやこれ以上、家族の存在を秘匿《ひとく》することは難しかった。

しかし、いままで独身で通して来た雪雄に、妻と二人の子があるのを発表すれば少なからぬ騒ぎとなることは予想され、その時期をいつにするか、番頭は頭をひねることになる。

昨二十七年のこと、雪雄は時事戯評で有名な漫画家の訪問を受けることになり、楽屋で一時間ほど対談をしたとき、

「鶴蔵さんはどうして結婚しないいんですか」

と真顔でたずねられ、

「いや、その、一回したんですが」

と逃げたものの、

「男ざかりの四十四歳、人気絶頂、前途有望なら、縁談は降るほどあるでしょう。目下意中のひとは？」

との攻撃に雪雄は頭をかいてだんまり戦術で押しとおした。

この訪問記は夏の「オール読物」に掲載され、漫画家は独白のかたちで、雪雄の相手は定めし花柳界のひと、と頭に描いたら、それもきっぱり否定されたと但《ただ》し書きをしてあった。

こんなかたちの記事はあちこちに出ていて珍しくはないものの、最近では加えて鶴蔵の十代松川玄十郎襲名の話題もちらほら上っており、勇雄の初舞台とともに私生活を明

らかにするのはもはや避けられなかった。

こういうとき番頭の林はいい智恵《ちえ》を貸してくれ、まず会社に相談持ちかけて勇雄の初舞台にふさわしい役の外題《げだい》を決めてもらうのが先決で、結婚発表はその直前がいいのだという。

こうすれば、勇雄という何よりの証拠の披露もでき、全部が一挙に片づくとあって、九月末に結婚発表の記者会見、十月の歌舞伎座の外題に久々の上演で「大徳寺」と内定した。

「大徳寺」焼香の場というのは、亡《な》き信長の法要の席、誰が真っ先に焼香をするかで柴田勝家が信雄《のぶかつ》を推し、信孝を推す他派との争いが白熱化している最中、そこへ衣冠束帯で秀吉が三法師《さんぼうし》君《ぎみ》を抱いてあらわれ、並み居る大名を斥けて三法師君焼香第一番、と強引に決めてしまう。

舞台は正面に信長を祀《まつ》る大きな祭壇、左右に居流れる正装の大名、という絢爛《けんらん》たる雰囲気のなかで、信長の世継ぎ問題が決定するというもので、秀吉を雪雄が、三法師君を勇雄が演じるのは、この際、私生活を投影した極めて象徴的な芝居になる。

ただ雪雄も勇雄も、今後順調に発展してゆけば松川家を継承する運命にあり、そういう輝かしさを背後に持つ子に、丁稚《でっち》や小僧の初舞台では少々粗略に過ぎるという考えかたが関係者のあいだにはあったらしい。

話が固まったのは勇雄の夏休みに入ってからのことで、雪雄はまず、

「九月末にうち同士で飯を食うことになった。まあ結婚式のまねごとだ。

おれはモーニング、お前は黒紋付き一式、新調することにしよう。そうだな。おれが見つくろってもいいが、一度呉服屋にうちに来てもらうか」

光乃は黒紋付き、と聞いてたじろぎ、

「私のようなものがとてもそんな。ふだん着で末座に加えて下されば結構でございます」

と尻込《しりご》みすると、雪雄は笑って、

「これからはそうとばかりもいってられないだろう。出しゃばりはいけないが、まわりの人たちへの心づかいも必要になるよ」

と役者の女房の覚悟を問い、そう聞くと光乃は顔から色が引いてゆくような思いになる。

いままでは野沢のかくれ家にひっそりと暮らしていてよかったが、これからは、いまをときめく鶴蔵の女房と公表されればいかなる事態になるか、考えただけでおそろしい。

役者の生活は全くの特殊世界で、民主主義の浸透によって世間がいかに変わろうとも、ここだけは頑固に古い因習を守り続けているというところがある。

ほとんどが過去の時代ばかりを演じるのだから、まず忠孝の大本、長幼の序、義理人

情のしがらみをこけにしていては芝居は成り立たず、異を唱えたいならこの世界より出てゆくより他はない。

このたび光乃が堀留雪雄の妻となるならば、まずいまだ現存の舅《しゅうと》六円に嫁として孝養を尽くし、叔父に当たる勘之助、従姉妹《いとこ》になる麗扇に義理相勤め、次には実家菊間の弟二人の一家とも交流を深めなければならなくなる。

そして松川家の息のかかった関係者たちへの心やり、また代々続いているという贔屓客たちのとりなし、さらには新しい後援者を増やす才覚、これらいっさいを含めての金のやりくり、と考えていると、光乃には目の前に険阻な山が聳《そび》え立っているような気がする。

この点、明子はいつも笑顔を絶やさず、人をそらさぬ会話を心得、内外ともに定評があるし、蝶子も客あしらいが巧みで、姐御肌《あねごはだ》の気質もあって弟子たちのめんどう見のよさは抜群だという。

かつて太郎しゅうは、

「亡くなった大旦那《おおだんな》のおかみさんたちは、みんな役者の女房の修行に、先輩の家へしばらく住み込みで入ってたもんだっていうからね。野崎村は新さんのおかみさんに教えてもらえばいいよ。このひとなら満点だ」

と智恵をつけてくれたが、考えてみれば明子は光乃よりは七つも年下、しかも妹にあたるとなれば忸怩《じくじ》たる思いがないとはいえぬ。

それに雪雄は、光乃がそういうかたちで改まるのを好まず、

「何も法律で決まっているわけでなし、お光はいままでどおりやればいいさ。足りないところはおれが補う」

と、慰めてくれ、それは永年にわたって家を切り盛りして来た光乃の質素な暮らしかたを何より支持している証《あか》しであった。

ただ、これを限《き》りに、雪雄が、

「これだけはやめてくれよ」

というのは、坊ちゃま、との呼称であって、子供の前では光乃も心してつつしんでいても、二人きりになるとつい出てしまうのを、もはや坊ちゃまでもないところから、以後は旦那さま、と呼ぶことにしたのである。


呉服屋がつづらを運んで来、座敷いっぱいに拡《ひろ》げた晴れ着のなかに坐《すわ》って、光乃は目のくらみそうな昂奮《こうふん》と戦いながら、すっかり紅潮しきっている。

このうれしさ、この晴れがましさ、年は三十八歳、花嫁には薹《とう》の立ち過ぎもいいところだけれど、とうとうやってきた一生一度の機会であった。

これもいい、あれもすてき、と目移りし、結局手が出せない光乃のわきで、楽屋入り

の前の時間をさいて雪雄がつきあっており、

「そうだな、やっぱり地味めがいいな」

と二、三枚を選び出し、

「ちょっと着てごらん」

と光乃に手渡す。

紋付き裾《すそ》模様はどれも仮ぬいしてあり、エプロンの上からそれをまとって立つ光乃を見て呉服屋は如才なく、

「奥さまは中肉中背のほどよい体つきでいらっしゃいますので、どれもよくお似合いになります」

と世辞をつかい、

「江戸《えど》褄《づま》はお仲人《なこうど》役や、お子さまの結婚式や、生涯にわたって出番が多いものですので、旦那さまのおっしゃるとおり、落ち着いた品のよいものがようございます」

と助言もし、結局、松竹梅をあしらった目出度い柄の一枚に決まった。

続いて丸帯には鶴《つる》を織り出した西陣のものがぴったりと合い、ついでに長襦袢《ながじゅばん》まであつらえて晴れ着一式の段取りはできた。

光乃に何より喜ばしかったのは、紋どころに六つの円の、松川家の定紋をゆるされたことで、しっかり染め抜いた五つ紋のこの晴れ着に恥じない嫁にならなくては、と思う

のであった。

日時は九月二十八日、時刻は十一時から、場所は永田町の料亭八百善《やおぜん》、と親戚《しんせき》縁者にふれたあとは光乃は何かと忙しくなり、自分の晴れ着の小物に加えて子供二人の晴れ着もととのえねばならず、そうしたある日、雪雄から、

「当日、頭はいつもどおりでいい。これを挿して」

と小筥《こばこ》を手渡され、開けてみると、それは照斑《てりふ》のべっ甲の櫛《くし》であった。

こういうところはまことによく気のつくひとで、光乃は高価なべっ甲の櫛を押しいただくと同時に、やっぱり身じまいのことまで、すっかり雪雄に頼り切っている自分を感じるのであった。

当日は、着物のしきたりからいえばまだ単衣《ひとえ》物だけれど、新調の晴れ着は袷《あわせ》にしてあり、光乃はいつもどおりに自分で髪を結い、化粧もせず、ひとりで比翼の留袖を着、丸帯だけ栄子に手伝ってもらって締め、モーニングの雪雄と二人の子供とともに、ハイヤーで八百善へと向かった。

八百善では、床前の二人のわきに上座から六円、勘之助の松川家、片側は菊間の弟妹たちが並び、全部で二十八人ほどのごく内輪の集まりであった。

当然のことながら、塚谷の姉弟衆は一人も招いておらず、これが二人の結婚披露宴なら嫁の実家が顔を出さないのは不審だけれど、本日の出席者全員、光乃とは古い馴染《なじ》み

ばかりなら、そんな野暮なことを口にする者は誰もいない。

しかも、その古い馴染みはすべて光乃の主人、または主人に準じる立場のひとばかり故に、光乃は固くなってじっと俯《うつむ》いている。

そのかわり、嫁の実家という格を兼ねて、横田家からは豪華な祝いものが届けられ、反物、飾り物など一つ一つ奉書に包んで金銀の水引をかけた品々が山型に床に積まれてあった。

客のなかには、何の含みもなくその祝い品に感嘆し、ついでに、

「お光さん、きちんとしてもらってよかったね」

とあっさり肩を叩《たた》いてくれるひともあるかたわら、光乃を全く無視し、話題がそっちに及ぶのをつとめて避けようとするひともいる。

光乃の幸運を、心の底でねたんでいるのか、或《あ》いは、ふつうの家では女中が話題の中心になることはないという習慣から抜け出せないのか、光乃に注ぐ座のまなざしも必ずしも好意ばかりではないという感じは避けられなかった。

改まった祝詞などなく、親の六円が一言挨拶《あいさつ》しただけであとは雑談ばかり、会席料理が終わると、三兄弟はしきりに時計を気にし、稽古《けいこ》に遅れないよう一人ずつ先に座を立って行った。

雪雄は、歌舞伎座で「大徳寺」の稽古のまえ、その隣室で多くの記者たちからのイン

タビューにのぞまなければならず、モーニングのままで入ろうとすると、室内はすでに黒山の人だかり、その人数を見ただけで心臆《おく》し、すぐ事務室へ引き返して番頭を呼びに行った。

もともと、松竹の演劇担当の重役と、林との三人でこの席にのぞむはずだったが、生来言葉がなめらかでない雪雄は、八方から降りかかる質問に明快に答える自信がなく、林を拝み倒して、この場を自分だけ抜けた。

会見の模様がどんなだったかは、稽古のあとで林から聞いたところ、林は雪雄を傷つけまいとし、

「大したことはありませんでしたよ。女性ファンが減るんじゃないかと記者さんみんなとっても心配していましたが」

という程度しか伝えなかったが、どうしても本人の口から聞きたいという記者たちは、幕が開いてのちも直接楽屋へ押しかけてくる。

当代一の人気役者、松川鶴蔵の結婚が発表されたあとのさわぎは大へんなもので、「貫き通した純愛」などと各紙いっせいに大きく扱い、そのあとの読者からの投書欄はこの話題でもちきりであった。

女性からの投書は専《もっぱ》ら、奥さんばかりか子供まで、しかも二人もいるとは、「知らなかった、知らなかった」という口惜《くや》し涙の絶叫型や、「裏切られた、裏切られた」とい

う怨《うら》み骨髄型もあり、それに対して雪雄は、裏切られたとは心外な、という含みで、「私は自分の口から、独身だなどとはただの一度も申し上げたことはありません」ときっぱりいい、そういわれれば確かに、ファンのほうで勝手にひとり合点していたふしはある。

別のかたちの「裏切られ」解釈は、いまをときめく歌舞伎役者の妻たるひとは、花柳界の名妓《めいぎ》であるとか、或いは財界の大立て者の令嬢とかを想像していたひとが多く、なあんだもとは女中か、そんなだったらあたしだってなれるんだったのに、と地団駄踏んだというひともあり、女性ファンには、残念無念、と力落とした向きも多かったらしい。

そしてもうひとつの辛口の反応は、どこから洩《も》れたのか、光乃が結婚のため黄邨の養女として入籍したという批判で、「松川鶴蔵の勝手な階級意識」として、こちらは主に男性側からのごうごうたる非難の声であった。

民主主義の世のなか、たかが芸人の鶴蔵が何故に妻を名士の養女として結婚しなければならないのか、女中という地位を、何故昔ながらの卑《いや》しいものに見下げようとするのか、という多くの投書は歌舞伎芝居のありかたにも及び、古い道徳によって組み立てられている古典ものを演じても、役者は現代人でなければならぬという意見が圧倒的であった。

また、役者の多くがもと芸者を妻にめとっている事実をふまえて、芸者ならよくて、女中ならどうしていけないのか、という女性からの抗議も、無視できなかった。

こういう鶴蔵さわぎを見かねた、年配の中大夫という役者は、東京新聞に「鶴蔵君を弁護する」と題した一文を寄せ、彼がお光さんに仮親を作ると考えたのは、周囲の古い考えのひとたちにすすめられただけだとし、また、かかる些少《さしょう》な問題で、前途有為な青年俳優の私行に対し、過重な非難を浴びせるな、という同情論を発表したが、これはあまり大きな反響を引き起こすには至らなかった。

黄邨養女の件は鶴蔵の人間性を浮き彫りにした感があり、詰め寄られると雪雄は、

「そういう事実はありません」

と逃げていたが、のちには、

「家内には両親がいないので、先生のご好意に甘えようと一時思っただけです。現実には、先生に親以上のお世話をかけています」

という答えで納得してもらうことが出来た。

この騒ぎを、あるコラムニストは好意的に取り上げ、

「鶴蔵君の階級意識を非難する前に、彼の勇気ある行為に対してまず敬意を表したい。人気絶頂の美男俳優が、妻と子供の公表を敢行するというのは、よほどの覚悟がなくては出来ないことだ。彼はこの行為によって、歌舞伎という封建的な世界に対し、反逆の精神と革命行為を以《もっ》て報いたということができよう」

と、雪雄の立場を擁護した。

折から舞台では「大徳寺」がはじまり、信長の継嗣問題で大名たちが甲論乙駁《こうろんおつばく》のまっさい中、秀吉の雪雄が衣冠束帯の正装で、勇雄の三法師君を抱いてしずしずと現れ、およそ十五分間にわたり、りんりんと響く美声で柴田勝家の臆病をなじった上、三法師君を家督に推す、と諸侯を威圧する。

観客は、このところ毎日のように論じられている鶴蔵さわぎを頭に描きつつも、舞台の雪雄の威風堂々、辺りを払う朗詠の名調子に打たれ、この三法師君が将来、天下取りの役者になることを信じ込まされてしまうのであった。

雪雄も、家族公表がこれほどの騒ぎになるとは思っていなかっただけに、最初は少なからず打撃を受けたが、人の噂《うわさ》も七十五日、とくに人前に顔をさらして暮らす芸人一般はさばさばしていなければ生きられず、そのうち鎮静してくれれば、やっぱり披露してよかった、と肩の荷をおろした気持ちであった。

雪雄は、家でも用件以外無駄口をきかないが、決して愉快とは言えないこの騒ぎについても話題にせず、光乃もそれを察しているからには、何ひとつ読まず、聞かれてもしゃべらず、家のうちは極めて平静であった。

ただ、一家揃《そろ》っている場面を写真に撮らせて欲しいという申し込みについては、目的を十分に検討した上で雪雄が応諾し、このころ、あちこちの婦人雑誌に、笄町の家の一家団欒《だんらん》風景が掲載されている。

茶の間で紅茶を飲んでいる親子四人の笑顔、庭で犬のポールを中心に何やら談笑しているところ、勇雄のランドセル姿をうれしそうに眺めている光乃の笑顔、どれを見ても、人の非難や中傷が入り込む隙《すき》もないような完璧《かんぺき》に平和な家庭の風景で、女性ファンはこのグラビア写真に五寸釘《くぎ》を打って呪《のろ》ったひともあったという。

その上、雪雄は対談やインタビューの席では決まって光乃をたたえ、お針も出来るし料理もうまい、何より静かで家庭的なので、自分は安んじて仕事に打ち込める、有り難い妻であることを公言して憚《はばか》らなかった。

決して取り繕っているのではなく、以前からこういうことをいいたかったのに、ずい分長いあいだ我慢しなければならなかった思いが、いま一度に禁が解け、こころからうれしそうに発表しているのであった。

事実、この騒ぎのあと、予想されていたような人気の急落の現象も起こらないこともあって、雪雄はすっかり落ち着き、かえって発表の勇気を評価する声が高まって来たのは有り難かった。

騒ぎがすっかり落ち着いてのち、光乃は用があってもとの野沢の川田家を訪ねたとき、ふと思いついて、産婆《さんば》の下村かねの家をのぞいた。

ちょうど在宅で、かねはなつかしそうに縁側に座蒲団《ざぶとん》をすすめ、

「まあ奥さま、すっかり立派におなりになって」

と光乃を上から下へと眺めつつ、

「どこから見ても鶴蔵さんの奥さまとして、押しも押されもせぬ貫禄《かんろく》でございますよ。

勇雄ちゃん雪代ちゃんお元気でいらっしゃいますか」

二人は手を取り合うようにして昔を語り、ひとときを過ごしたあと、名残惜しそうに立ち上がる光乃に、かねはしみじみと、

「私は前から、奥さまは必ず正妻に納まるお方だと思っていました。お二方には結ばれるべき宿世《すくせ》の縁《えにし》がおありだと感じていました。その証拠に神さまが勇雄ちゃんをお授けになったのだと思います。

長年こんな仕事をしておりますと、ひとの運命というものについて、何か感じやすくなるのでございますね」

と心をこめた言葉を寄せた。

光乃は帰りみち、その言葉をいく度も反芻《はんすう》しながら、かねの第六感を素直に信じようと思うのであった。

それというのも、光乃の気持ちをいえば、いまなお唯一《ゆいいつ》の気がかりは、雪雄の癇癪《かんしゃく》癖がやはり治まっておらず、年にいく度か爆発するときは光乃が最大の被害者となるのは避けるべくもない。

ふだんから口より先に手が早いのは子供たちもよく判《わか》っており、父親に稽古をつけてもらう勇雄はいくたびげんこつをもらうやら。それをむごいと見ても口出しはならず、風向きによっては光乃にも飛び火してくる。

雪雄の癇癪は、子供の頃からの内蛤《うちはまぐり》の外しじみの性癖もさることながら、芝居で重用されるに従い、外では出せぬ鬱積《うっせき》を、内で捌《は》け口にしており、まわりに客がいようが子供の前であろうが、些細なことで爆発するのは昔以上だと光乃は受け取っている。

先だって、朝の出がけに、玄関で靴をはいている雪雄のうしろで光乃は、

「今日のお帰りは遅くなりますでしょうか」

と何気なく聞いたところ、雪雄は突然、手に持った長い靴べらで力まかせに光乃の顔をなぐりつけた。

瞬間靴べらは二つに折れて飛び、女中の栄子と迎えに来ていた弟子たちは悲鳴をあげたが、雪雄は一言も発せず、手のなかに残った靴べらを投げ捨て、弟子に向かって、

「おい、行こう」

というと先に立って歩き出した。

光乃の顔は、頬から瞼《まぶた》にかけてみるみるふくれ上がり、二目とみられぬ有り様で、栄子が見かねて、

「奥さま、お医者さまをお呼びして参りましょうか」

と聞いたが、光乃は、

「いいの。しばらく横になって冷やしてみるから」

と濡《ぬ》れタオルを顔に当てて痛みに耐えた。

この筓町に越して来たときも、原因はおぼえていないほど小さなことで、光乃は荒れ狂った雪雄に階段から蹴落《けお》とされたことがある。

一家揃って食事のとき、卓袱台《ちゃぶだい》をひっくり返すのも一年に一度はあり、子供たちは父親の雲行きを見て、危ないとみれば膳《ぜん》の上の好きなものを手に持ってさっと逃げるが、それができない光乃は、そのたび飯粒や醤油《しょうゆ》や汁などを頭からかぶることになるのであった。

雪雄の荒れ狂う姿には昔から馴《な》れているとはいっても、感情を持つ人間なら平気ではいられないし、ましていつも被害を受ける身は、口惜しさに滾《たぎ》る思いがある。

しかし、口答えすれば火に油をそそぐようなもの、いつも黙って後始末するばかりだけれど、階段から落とされたときと、靴べら事件のときは、光乃はもはや耐えられない、とさえ思った。

雪雄の不満の捌け口の、まるで飛沫《しぶき》をあげながら落下する滝の水の、その滝つぼ同様の自分だと思うと、悪くすれば殺されるのではないかという恐怖に襲われ、とりあえずしばらく姉たき子のもとに身を寄せようと、長い手紙を書いた。

が、結局手紙は投函《とうかん》せず、破り捨ててしまったのだけれど、それというのも、怒りの興奮が覚めたあとの雪雄はまるでなめくじに塩、小さくなって光乃の顔いろをうかがう。その様子をみれば怒ってばかりもいられず、結局許してしまうことになるが、靴べらのときはしんじつもうこれが最後、だと光乃は思った。

いくら私でも、我慢には限りがある、とずきずきする痛みのなかでそう思い、顔の腫《は》れがひいたら今度こそきっとたき子のもとへ行こう、と決心した。

その夜帰って来た雪雄は、光乃の枕元《まくらもと》にそっと坐《すわ》り、

「水じゃなくて、氷で冷やしたほうがいいんじゃないのか」

といい、返事をせずにいると、

「おれが氷、買って来てやろうか」

と顔をのぞきこむ。

結構です、もう私はお暇を頂きます、と胸のうちで呟《つぶや》いていても声には出せず、黙っていると、雪雄も無言でとうとう夜更《よふ》けまで坐ったままであった。

このあと、せめてもの腹いせに光乃は雪雄に口をきかず、用は栄子にいいつけて足していたところ、女の子だけに雪代が、

「お母さまはどうしてお父さまとお話ししないの」

としきりに問いかけ、まだ「四谷怪談」のお岩の顔のままで、またもや仲なおりせざ

るを得なかった。

かつては坊ちゃま、坊ちゃまと仕えていた身が、いまは話しかけられても返事もせぬ反逆ができるようになったのを、人は思い上がりと見るかも知れないけれど、原因はすべて雪雄にある、と光乃はなじりたい思いがある。

兎《うさぎ》という動物は至っておとなしいが、その性癖に乗じていじめつづけていると、ついには嚙《か》みつくという。

光乃は戸籍上は辰《たつ》年となっているが、自分では卯《う》年だとおもっており、この兎は嚙みつくほど強くはないけれど、檻《おり》を破って逃げ出すことならできなくはない、と考えるものの、さてその先は、と思案するとハタと行き詰まってしまう。

苦しまぎれにたき子に手紙を書いたところで、そこへ逃げ込めるわけもないのは判っており、ときどき深いためいきを吐《つ》いては、

「お母さまはね、どこへも行くとこがないの。ここにいるより他しょうがないのよ」

と、きょとんとしている雪代相手に呟いてみることもある。

それに、以前、暇を出されて山形へ行ったときの苦しさと、逆戻りしたときの雪雄の思いがけぬ喜悦の涙は心にきっかり灼《や》きついており、下村かねのいったとおり、二人はやっぱり前世の因縁なのか、と自分をなだめざるを得ないのであった。

結婚発表からまる一年ののち、明子の実父、初代幸右衛門が心筋梗塞《こうそく》で亡くなり、劇団葬のまえ、まず内輪で密葬を行なった。

折から歌舞伎座では雪雄たち三兄弟の父、七世宗四郎の七回忌追善公演をやっており、そういうこともあって光乃は雪雄よりも先に幸右衛門宅の手伝いに行くよういいつけられた。

幸右衛門はさき頃亡くなった六世梅五郎とともに名コンビとうたわれ、芸術院会員、文化勲章の栄に輝く名優であっただけに、密葬とはいえたいへんな混雑で、ふだん着のままの光乃がエプロンの包みをかかえ、裏口から入ろうとすると、出合いがしらに若い男とぶっつかり、

「ちょっとちょっと」

と呼びとめられ、

「あんた、だれ？」

と聞かれた。

「はい、松川鶴蔵の家の者でございます」

と答えると、へえー、あんたがあの、と上から下へ光乃の服装に目を当て、

「鶴蔵夫人なら堂々と玄関から入って下さいよ」

といっておいてから、

「ただし、そんななりじゃ、女中と間違えられるかもしれませんがねえ」

と一言、鋭く浴びせ、身をひるがえして入ると裏口の扉を音をたてて閉めた。

光乃は、勝手口、と書かれた表札のかかっている扉をみつめて、しばらくその場に立っていた。

つらい、というより、悲しいというより、いま自分が大へんな間違いを犯しているのではないかという不安であった。

結婚発表のあの日以来、いや正確にいえば入籍して堀留光乃となったときから、明子は他人ではなくなっており、光乃からいえば弟嫁になったのは判らないではなく、それ故《ゆえ》にまず台所の手伝いを、とエプロン持参で駈《か》けつけて来たのだけれど、ここではその必要もないのだと光乃は知った。

どうするかを咄嗟《とっさ》に考え、やはり一旦《いったん》引き返して喪服に改め、出なおして来ようと帰りかけると、表から大ぜい群れて裏口へ廻ってくる一団のなかに通りいっぺんの黒でなく、これはまた白無垢《しろむく》の喪服という、改まった明子の姿があった。

一瞬、顔を合わせないでいよう、と思ったが、さきに見つけられ、明子がそばへ寄って来たので光乃は仕方なく、

「お父さまのご不幸で、まことにご愁傷さまでございます」

と小声で挨拶《あいさつ》すると、明子はていねいに礼を返し、

「お忙しいでしょうに、こんなに早々においで頂きまして申しわけございません。どうぞ奥へお上がりくださいませ」

と誘った。

光乃はもじもじして、

「いえ、あの、私、お手伝いを、と思いまして。こんななりでございますから、ちょっと改めて参ります」

というと、明子は、

「いえいえ、そのようなお心づかいはどうぞご無用になさいまして。お気になさいますようでしたら、母の黒い紗《しゃ》の羽織がございます。それをお召しになればかたちはつきますから」

と先に立って光乃を案内し、人なみをかき分けて奥の一間で羽織を着せかけてくれた。

まもなく喪服姿の蝶子もあらわれ、きちんと挨拶をかわしたあとは、極めて自然にこの混雑のなかに融《と》け入り、顔見知りのひとたちに丁重な礼を述べている。

明子はもちろん、舞台に縛られて戻ってこられない夫に代わって喪主の立場にあり、客の一人一人に心のこもった応接をし、その様子は光乃の見るところ、振る舞いから口のききかたまで行きとどき、一点非の打ちどころもないものであった。

この場合、身内が台所の手伝いなどあり得べくもなく、光乃は自分の不明を恥じながらそっと便所に立つと、隣の部屋からこんな会話が洩《も》れている。

「これで白木屋《しらぎや》の三嫁揃ったわけだが、いやあ、かわいそうなくらいダンチだねえ」

「仕方ないさ。台所這《は》ってた女中なんだもの」

「だから、こんな場へは出てこなきゃいいんだよ。もっさりした恰好《かっこう》で」

「鶴蔵さんももの好きだなあ。蓼喰《たでく》う虫か」

白木屋の三嫁、もと台所這っていた女中、もっさりした服装、とつぎつぎ耳に入ってくる襖越《ふすまご》しのその言葉は、まるで頭から煮え湯を浴びせられるような熱さで光乃の体内に浸《し》み込んで行った。

一刻も早く、耳を塞《ふさ》いでこの場を逃げたい気持ちとはうらはらに、足は根の生えたようにその場から動かず、立ち尽くしている光乃のうしろから、

「ちょいとごめんなはいよ」

と次なるひとが便所を借りに来、それを機にようやく光乃はもとの座に戻った。

恥ずかしさに目も上げられず、借りてきた猫のように隅で固くなっている光乃のわきで、如才ない蝶子は次々と客を捌《さば》いて挨拶し、明子はそういう蝶子を頼みにして、

「すみませんね。少し奥でお休み下さいな」

とねぎらいの言葉をかけている。

長いあいだの習慣で、裏かたの仕事なら黙々とやれるけれど、長男の嫁として弟嫁ふ

たりを引き廻し、この場を取りしきるなど、光乃にはとうていできない相談で、じっとしていればいるで、まるで針のむしろの座であった。

幸右衛門には二人の弟があり、美貌《びぼう》の女形仙蔵と、雪雄の芸仇《げいがたき》とされているひょうたん改め仙三郎は、雪雄たち三兄弟とともに相前後して戻って来、ひょっとして雪雄と何かで衝突するのではないかとはらはらして見守っている周囲の目をよそに、さすがに表面は何ごともなく挨拶し、ようやく密葬の行事を終えた。

夜が更けて客たちは三々五々引き上げてゆき、雪雄も光乃を伴って帰途に就いたが、光乃は今日の苦しさは口にしなかった。

タクシーのなかで雪雄が、

「おれが松川へ入った当座、あいつは雪雄にもようやくお鉢が廻ったってところさ、といって笑ったそうだ。六円さんから、まずひょうたんに養子要請の話があったのを、幸右衛門さんが断ったっていうんだが。そういうことを聞くと、おれは何とも思わなくとも、弟子たちがいがみ合う。困ったもんだ」

と珍しく仲間うちの話を口にし、しばらく窓外を眺めていたが、ふと光乃をかえりみて、

「お前、夏の喪服は持ってなかったっけ」

と聞き、光乃は、

「はい、絽《ろ》を作って頂いております」

と答えると、

「九月上旬の弔事というのはむずかしいもんだな。大体喪服は袷《あわせ》と絽の二通りしか皆作ってないようだが、いまはどちらも合わないね。厳密にいえば単衣《ひとえ》物の季節だからね。今日見渡したところ、大半は絽だった。しかし一年中で六月と九月しか着ない単衣物の喪服を作るってのはなかなかの心がけだ。

明子さんを見たろう? 白羽二重の単衣重ねをつんと着て、まるで『下は覚悟の白装束』を地で行ったみたいだった。まことに幸右衛門おじさんの娘としては申し分のない作法だと思うが、まあちょっとふつうでは真似《まね》のできないことだねえ」

と、今日の参列者の服装について語ったが、光乃はそれを、借りものの紗の羽織を着て小さくなっていた自分に対する慰めの言葉だと受け取った。

こういうとき、雪雄の思いやりは光乃の胸に一入《ひとしお》深く沁《し》みとおるように感じられる。

白木屋の三嫁という言葉は、光乃の胸のうちにしっかりと根を下ろし、ことあるごとに思い出しては苦しめられたが、その痛みがようやく薄らいで来たのは、やはり二、三年ののちであった。

どんなに歯ぎしりしても、自分が明子や蝶子に太刀打ちできるはずはなし、ありのままの姿で兄嫁の役を勤めさせて頂こう、と決心すると、気分はずい分と楽になった。

その根拠には、もうかなり以前、祐天寺《ゆうてんじ》から目黒の蛇崩《じゃくずれ》に引っ越していた六円がこのところ体調が思わしくなく、臥《ふ》せっている日が多くなって、光乃が看病のためひんぱんに、訪ねるということがある。

昔から従っていたおしのさんもなお付き添ってはいるが、このひとも七十をはるかに越した高齢なので、光乃の訪問を二人して待ちかねる様子であった。

六円はどうやら老人結核らしく、昼間気分のよいときには起き上がって読書もするが、夕方になると必ず微熱が出て臥床《ふしど》に入り、そのままいく日も起き上がれないこともある。光乃は、掃除をし、食事ごしらえをし、汚れ物を持って帰って来るのだけれど、老いて気弱くなっている六円は何かにつけ光乃を頼りがちで、

「雪雄もいい嫁さんもらってよかったね。どうかたびたび顔見せて下さいよ」

と親しくいい、光乃はここではじめて、自分が嫁として歓迎されている喜びをおぼえるのであった。

このお方は、養子でこそあれ、松川家を継承され、この上なくご先祖を大切になさった方、三十歳近くで役者を志されたため、芸の大成はおぼつかないけれど、自分などが気易《きやす》くお父さま、などと呼びかけられるはずもないご身分、と光乃はいつも敬愛の気持ちで接し、そうすれば六円も感応していっそう嫁を大切に扱ってくれるのであった。

まもなく六円は、医者の指示であたたかい場所に転地することになり、小田原の近く

の二宮《にのみや》に移ってゆき、そうなると光乃はたびたびは訪ねて行けなくなった代わり、折々のものを小包にして送った。

二宮へ越してからの六円は比較的元気で、気分のよい日は海の近くまで散歩に出ることもあったらしいが、昭和三十一年の二月一日、七十六歳を一期《いちご》として、その生涯を閉じた。

前日、危篤《きとく》の報で雪雄は光乃とともに二宮に駈けつけたもののすでに意識はなく、姪《めい》の麗扇に手を取られつつ安らかな最期であった。

松川家の血を引くのはいま麗扇ひとりだが、養子雪雄、義弟勘之助とで相談の上、葬儀は雪雄宅で執り行なうことになり、亡骸《なきがら》を運ぼうとして身辺整理しているうち、雪雄は意外なものを発見した。

六円の生前愛用していた道具に桑の文机《ふづくえ》があり、その上に載せてある同じ桑の手文庫を開けたとき、雪雄は声を挙げるより前、しーんと心が凍る思いがした。

手文庫のなかには、第十代松川玄十郎、或《あ》るいは松川家十世利三郎などと彫られたさまざまの印形《いんぎょう》が、まるで出番を待つように朱肉とともに整然と並べられていたのであった。

印形は、凝り性の六円らしく、木、牙《げ》、角、水晶、石などの素材を用いて、字形もひとつひとつ変化をつけており、それは使途によって使い分けるべく、配慮のあとが見える。

雪雄は呆然《ぼうぜん》とし、そばの和紙を取り上げてそれらをひとつひとつ、丁寧に押してみたが、見れば見るほど、どの印形も、そこに六円の十代襲名への深い執念を感じずにはいられなかった。

松川家は、不世出の名優といわれた九代目玄十郎が世を去ってのちは長いあいだ十代目の名は挙がっておらず、近ごろになってチラホラ襲名の沙汰《さた》が取り上げられるようになったが、その名は六円でなく、六円を飛び越して雪雄の名であった。

雪雄がいまどんなに思い返しても、六円を十代目にという声を聞いたことがなく、ときどき松川家の威を以《もつ》て六円が出演する「助六」の髭《ひげ》の意休《いきゆう》や、「対面」の五郎など、かげでは皆、首や手を振って暗にその芸を否定していた姿が雪雄の目の底に残っている。

雪雄は、印形を押した紙を持って勘之助と麗扇の前に行き、黙ってそれを指し示した。

「これは?」

と問い返す勘之助に雪雄は、

「お父さんの手文庫のなかに」

とだけ告げると、勘之助はとたんにてのひらで瞼《まぶた》を掩《おお》い、肩をふるわせながら、

「何とおいたわしい。お義兄《にい》さんはどれほどか十代目を継ぎたかったろうに。さぞ無念だったろう。さぞ口惜しかったろう」

と嗚咽《おえつ》すれば、麗扇も父親の背をさすりつつ、

「かわいそうな伯父さん。このままでは浮かばれないかも知れない」

と親子相擁して涙とめどもない。

二人のその様子を少しひがんで受け取れば、雪雄さん、生前に何故、子のあなたが十代目の襲名のお膳立《ぜんだ》てをしてあげなかったのですか、六円はこんなにも十代目玄十郎の名が欲しかったのです、と抗議しているように見え、雪雄は居たたまれなくなってついと縁側に立った。

家の襲名は、極く私的な行事とはいえ、芸で立っている家としては名を汚《けが》さぬだけの腕を持つ者にこそ譲るのが本筋であって、ついては周囲からの推輓《すいばん》や慫慂《しょうよう》や、あるいは協力の声など一切が熟してのち執り行なうのが慣例となっている。

どこからも呼び声の上がらない六円の十代目襲名など、子としてどんなに孝養心が厚くても雪雄にはできなかったことであった。

しかし六円の心情を考えれば、単に松川六円のままで葬《ほうむ》るのもむごく、この場合、芸はさておき、家の芸、歌舞伎十八番のうち、埋もれていたものを復活させた功績を買うべきではないかと雪雄は思った。

座敷へ引き返して勘之助と麗扇に向かい、

「叔父さん、坊やちゃんも聞いて下さい。私から申し上げるのは甚だ僭越《せんえつ》だとは思いますが、如何《いかが》なものでしょう。お父さんの霊に第十代松川玄十郎の名を贈ることにしては」

と伺うと、勘之助はぱっと顔を輝かせ、

「雪雄さんほんとうですか。そうして下さるか。亡《な》き人に名を追贈する例もないではないし、それならば義兄《あに》もどれだけ喜ぶか」

と麗扇ともどもお礼を述べ、これで松川家に久しく空白だった十代目玄十郎は当人の死後、実現することになった。

この決定は口から口へと伝えられて報道されたが、六円も十代目玄十郎と改まれば松川家正統の役者としての格で葬儀を営まねばならず、日を経て青山斎場で告別式を行なうことになった。

当日、正面祭壇に白いのぼりが掲げられ、それには、墨痕《ぼっこん》あざやかに、

「故十代目松川玄十郎堀留利三郎之柩《ひつぎ》」

と大書され、参会者の目をひいた。

焼香者はひきもきらず、そのささやきは、

「六円さんも、死ななきゃ名がもらえなかったってことだね」

「どんなにひいき目に見たって、六円さんの舞台は形も悪いし、声も響かなかったからね」

「しかし殿さま役は品がありましたよ。さすがでしたよ」

「それに書、絵、俳句、骨董《こっとう》の鑑識眼は劇界一だった。六円さんの右に出る者はなかった」

「あんまし教養があるのも考えものだね。役者は何にも知らないほうがいいじゃないのかねえ」

「こちらの九代目さんもたしなみが深かったですからね。勉強は必要でしょう」

「それにしても松川宗家の名は重いものですねえ。死とひきかえですからね」

とさまざま交わされ、中年から役者となった特異な例の六円の生涯について、それぞれに悼《いた》むのであった。

光乃はこのときも、笄町での密葬にひきつづいて青山斎場の告別式と目のまわるほど忙しく、手伝いに来た蝶子が、

「役者の女房って、きれいに着飾って旦那《だんな》の芝居見物に行くものだけだと思われてるかもしれないけど、ほんとは冠婚葬祭の裏方と、お金のやりくりばっかりなのよね」

とためいきを吐《つ》いていたが、しんじつ蝶子のいうとおり、義理礼節の欠かせないこの世界では、仲間の慶弔には夫のみならず妻まで顔を出さなければ末代までそしられる、といわれ、その催しが我が身内であれば裏方部隊長の女房たるもの痩《や》せるほど気を遣わねばならぬ。

六円が逝《い》ってから、忌日ごとの祀《まつ》りも重ね、ようやく一年を迎えようとする昭和三十二年の一月、あれほど六円の死を悼んだ勘之助がまるで義兄のあとを追うようにして七十三歳の一生を終えた。

これで松川家の身内は、雪雄は別としてもはや麗扇ひとりとなり、父親の死を前に呆然としている麗扇のわきで、やはり光乃の手は必要とされるのであった。

六円の看病から勘之助の葬式まで、光乃はほとんど休む間もなく立ち働いたという感じがあり、誰も出払った留守を見計らい、ときどき横になることがあった。

それは勘之助他界の年の暮れ辺りからで、考えてみれば結婚発表の直後から人前に出ざるを得なくなっているため、体の疲れよりも気疲れかもしれないとも思い、光乃はこの症状をあまり気にもとめなかった。

というのも、勇雄はもう小学高学年になっており、三法師君では松川勇雄の名でお目見得したけれど、そろそろ二つ目の名を、それも松川家ゆかりのものをという周囲の声に応《こた》え、勇雄には大叔父に当たる勘之助の名を継ぐべき話も出て来ている。

襲名というのは、本人はもちろんだが、身内にとっては大へんなことで、万端ぬかりなくしおおせたあとは、女はいっぺんに五つも年をとった様子になるという。

ましてや光乃は何も判《わか》らず、いままでどおりでいい、といった雪雄でも、

「誰々さんには勇雄がお世話になるから挨拶《あいさつ》に行っておくように」

とたびたびいい、いわれれば衣服を改め、手土産を提げて懇《ねんご》ろに訪問しておかねばならぬ。

もっとも、子供の襲名は一人前の役者ほど大げさでなく、配りものも手軽なものでいいが、それだけに頭を下げてまわる母親の物腰がものをいい、口下手の光乃にはひとつの関所となる。

初舞台の三法師君のときは、結婚発表の直後でもあり、光乃の才覚を期待する向きは全くといってなかったが、今回は勇雄ももう六年生、それに勘之助という重い名を頂くとあれば当人の態度如何《いかん》によっては松川家の名を汚すことにもなる。

雪雄も気になると見えて、毎夜必ず寝床に身を横たえると、

「勇雄は自覚しているか。ちゃんと挨拶できるように躾《しつ》けておけよ」

を忘れなかった。

勇雄は母親とともに雪雄の前にかしこまり、手をついて、

「このたび六代目勘之助を襲名させて頂くことになりました。名前に恥じないよう、一所懸命つとめさせて頂きます」

と教えられたとおり挨拶し、父親からはこの興行中、誰をみても、

「よろしくお願いします」

と頭を下げるよう、きびしくいい渡された。

襲名の舞台は歌舞伎座、役は襲名や改名披露などでよく上演されるお目見得《めみえ》だんまりのひとつ、「鞍馬山《くらまやま》だんまり」の牛若丸で、これはかつて松川家九代目玄十郎が演じたというゆかりのもの、牛若丸は眠っている姿で舞台にせり上がってくる。

幕が開く五月が近くなると、雪雄は自宅で稽古をつけてやり、光乃は必ずそばに侍《はべ》ってそれを見守る。よくできないときは雪雄のげんこつが大音声《だいおんじょう》とともに降りかかるが、本人は至ってのんびりしており、

「このお芝居に出ると、僕は修学旅行へ行けなくなるのね」

とそっちが惜しそうに母親にいう。

初舞台以来、勇雄はときどき役をもらっているが、そういうときの学校は一時間目の授業を受けただけで帰ってこなくてはならず、ふっとむごいと思わないでもないものの、これも役者の子として生まれた勇雄の運命かとも思う。

やがて初日を迎え、光乃は毎日高なる胸の鼓動を抑えながら勇雄に付き添い、片ときも目を離さなかったが、一度だけ、木の葉天狗《てんぐ》との立ち廻りのとき、足をすべらしそうになっただけであとは大過なく終えることが出来た。

雪雄も同じ楽屋だけれど、「鞘当《さやあて》」「弁天小僧」「鞍馬山だんまり」「文覚《もんがく》」「御所五郎蔵《ごしょのごろぞう》」と幕たびに出ているので勇雄にはかまっていられず、心づかいの一切はやはり母親が買って出なければならなかった。

楽《らく》の日、だんまりの幕が下りたときの光乃の安堵《あんど》といったらたとえようもないもので、まだ牛若丸の扮装《ふんそう》のままの勇雄をつれて、あちこちへ礼に廻り、そのあと、このたび一切を引き廻してくれた新入りの弟子、玉助に勇雄の扮装を解くべく渡し、光乃はしばらく廊下に立っていた。

玉助は女形で、日ごろ雪雄の身辺を小まめに世話をしてくれるので光乃は全幅の信頼をおいており、このたびの勇雄の顔も作ってもらえば、頭衣裳《いしよう》の点検など万事目を配ってもらっている。

光乃がつづらのかげでほっと風を入れているとき、目の前を通りすぎる一団があり、そのなかのひとりが、

「おや、これは鶴蔵さんのおかみさん」

と足をとめ、

「勇雄ちゃん、お目出とうございます」

声をかけたのは、皆が六さん、と呼ぶ、所属不明、仕事不明の五十がらみの男で、いつごろからか歌舞伎座に出入りして使い走りなど引き受けているひとで、光乃は顔こそ覚えているものの、言葉を交わしたことはないのであった。

六は光乃に近づき、

「いやあ勇雄ちゃん、立派でしたねえ。かわいかったねえ。将来が楽しみでござんす

ね」

と一しきり褒めあげておいて、

「ねえおかみさん、余計なことだが、おたくの玉助ね。あれは気をつけたほうがよござんすよ。

あっしが直接聞いた話じゃあないが、おかみさんの悪口をあれこれかげでいいふらしてるらしいですぜ。

今度の襲名も、配りものが少ないって。鶴さんはただいま歌舞伎界一の取り頭《がしら》なのに、おかみさんが握りやの、六日知らずだもんだから、決まったものより他、何のおこぼれもないって。勇雄ちゃんの襲名だって精出したって甲斐《かい》がないとぼやいてますぜ。

え？　六日知らずのことですかい？　一日二日三日、とこう指折っていけば五日で握りこぶしになる。六日、と指を開けることを知らないってことでさ。つまり金を握ったら出すのが嫌な吝《しわ》んぼをそういいますのさ。

おっとこれは口がすべっちまった。でもおかみさん、このことは聞いておいてよかった、と思う日がきっと来ますよ。六さんありがとよってね」

と六は光乃の耳もとで早口にこれだけしゃべると、ひょいひょいと体をゆすりながら先に行った一団を追いかけた。

光乃は背中をどやされた気がし、そのあとを呆然と見送った。

これは全く思いもよらぬ噂《うわさ》、玉助は誠実そのものの男で、礼儀正しく口数少なく、懸命に雪雄を気づかってくれる様子は、ときどき太郎しゅうのおもかげを重ねて見ることもある。

このひとがまさか自分の悪口をいいふらすわけがない、と光乃はきっぱりといい切れる自信があり、よく考えているとだんだんいまの六の言葉の裏側が見えてくる。

得体の知れぬ六という男は、どうやら廊下とんびの札つきで、あることないこと仕入れて来てはおひねりをもらっているらしいと察しはつき、とすれば、さっきの忠義顔にこっちもだまされたふりして、

「六さん、ご親切にありがとう。これでちょいといっぱいやって下さいな」

と、ポケットに札一枚入れてやるべきだったが、光乃にはまだ、咄嗟《とっさ》の気働きができなかった。

この世のなかに、金の嫌いなひとはまさかいまいが、芝居の世界はとくにお祝儀《しゅうぎ》が派手に飛び交えば盛り上がるところ、無い袖《そで》振って見栄《みえ》を張ることはないものの、いせ辰《たつ》やはいばらの木版刷りの纏《ぽ》頭袋《ちぶくろ》をいつも帯のあいだに挟み込み、人を上手に使う術《すべ》など、光乃にはとうていできっこない芸当であった。

それに光乃は、金のことはあまりよく判らず、雪雄から月々渡されるものは家計費とのみ解釈し、つましく使った残りはきちんと貯金し、まさかの場合に備える習慣は以前

から少しも変わらず、自分の才覚で金を動かすなどまるで念頭にもないのであった。

ただ、六のいう、歌舞伎界一の給金取りという雪雄の稼ぎについては、高は知らないが、上機嫌のとき自身の口からそのしくみについて聞かされたことはある。

ふしぎなことに、身上《しんしょう》という名の役者や裏方の者の給金は昔から一切極秘とされ、本人以外は誰も知らないはずだったが、昭和七年に三越デパートで催された松川玄十郎追善の記念展覧会に、明治三十二年当時の、九代目玄十郎自筆の給金受取証が陳列され、その額は八千円だったという。

当時一等席の観覧料は五円五十銭、その割で換算すると、いま幹部クラスは莫大《ばくだい》な額になるが、六のいうように、決して口にしてはならぬとされている役者の給金をひょいと話題にするようになったのも、昨年来毎年のように観覧料が値上げされ、それに伴って新聞雑誌、またこの頃たくさん出廻っている週刊誌のたぐいが揃《そろ》って憶測の額を書き立てているということがある。

それによると、これまでは亡き初代幸右衛門が最高で六十万円だったのを、現在は雪雄の鶴蔵が受けついで六、七十万円、ついでひょうたんの仙三郎、弟新二郎、優、女形では春右衛門、栄幸などが並んでいる。

記事はまず揃って経営者側の談話をのせ、この鶴蔵を旅公演に呼ぶとなると、決まりによって二倍半の額を出さねばならないので、二百万円の出演料となり、他の役者も加えるとうてい興行は成り立たないという。

何しろ大小の差はあれ、どの小屋でも一興行二十五日間で十万人そこそこの観客しか動員できないのだから、地方では毎日九〇パーセント以上席が埋まらなければ赤字になるといわれ、ふつう興行は大入り満員で八〇パーセント故《ゆえ》に、鶴蔵どころは出血覚悟で一度呼べば、二度とは呼べないというのであった。

これに対し、役者側からの記事は、額を聞けば高給かも知れないが、これを映画スターに比較するとはるかに少額だといい、そして実際には、一年中満額手にすることはあり得ないのだという。

芝居の世界には昔から「分を食う」という制度があり、決められた額の七分しか支給されず、夏枯れなどの興行には六分になることもあるという。

この減俸制度は徐々に改善されつつあるが、いまだに「一杯」と称する満額支給は滅多とないし、他に立ち役の役者が女形までやれば加役料というものがついたり、また亡き宗四郎などのように子供の多い役者は、

「私の給金は上げなくても、倅《せがれ》だけはもすこし上げてやって欲しい」

というかたちになるらしい。

しかも休演月にはほんの涙金の手当てしかもらえないので、月給の高は大きくても年間の稼動《かどう》月は六カ月から八カ月どまり、あまり高給になると四カ月くらいしか出しても

らえないことになる。

それに、役者にとって手痛いしきたりに、中日《なかび》の出銭《でせん》、というのがあり、これは一興行のまん中の日に、役者でない幕内の、下足番に至るひとたちにまで祝儀を出さなくてはならぬ。祝儀だから、出す側の心次第かといえばそうではなく、いわば薄給者の既得権益ともいうべきものだから、これは義務とされ、金額も決まっている故に、役者の給金はこの祝儀で頭から二割ほどの減になってしまう。

そしてその上、幹部俳優には奥役という名の会社の重役がついており、これが役をおさめたり給金を決めたりする故に、礼として折り返し金を差し出さなければならない仕組みになっている。

また、弟子を抱えている役者は、大てい自腹切って給金に上のせして渡すのがふつうで、この他、目に見えない費《つい》えを数えればどの家でも赤字がふつう、借金がかさむばかりというのが長いあいだの実情であった。

かつて雪雄の赤坂時代、東宝は給金が三倍だと聞いて若手俳優は皆走り、雪雄も少し遅れて加入し、宗四郎から勘当されたが、そのとき真っ先に馳《は》せ参じた関東豆助は、昭和十年七月号の「改造」に、「出発の辞」と題して移籍の理由を、「生活のため」とはっきり書いて発表している。

そのなかで豆助は、父親から受け継いだ債務を返済するため、生活を切りつめ、まず借り着の背広を着て電車で楽屋入りをし、一個八銭の東京パンで腹ごしらえをして舞台を勤めたが、これはものの一年と続かなかった。

結局もとに戻って、ハイヤーを使い、ちりめんの座蒲団《ざぶとん》に坐《すわ》っていい着物を着ていてもふところには一銭の金もないという日が続き、つもりつもった二万四千円という借金を清算するために、豆助は東宝と契約し、この契約金ですっかり返済することができたという。

豆助の行動とこの記事については当然賛否両論だったが、若手俳優たちはおおむね賞《しょう》讃《さん》して迎えたもので、雪雄もこの赤裸々な告白に大いに共感し、触発されてあとに続いたことを覚えている。

このころに較《くら》べると、老優たちのいう、

「借金は結局、芸の資本《もとで》になるのだから」

という論はこのごろ通らなくなっており、どの役者も家庭を大事にする風潮にのって、家の経済についてはしっかりした考えを持つようになって来ている。

こんなわけで、昭和三十一、二年ごろの雪雄の給金七十万を、ほぼ同時代の総理大臣十五万、都知事二十三万などと較べると、経費が多いため手取り高はほぼ同じか、或《ある》いは出演月が少なければ少々下廻るくらいの程度でもあったろうか。

かつて若き時代、無名の三兄弟を見て人がその職業を憶測し、

「いちばん上のお兄さんは銀行員、中の方は哲学者、下の端はさあ、ひょっとすると役者さんかな」

といわれ、大笑いしたことがあるが、その後新二郎は次第に役者らしくなってゆくのに、雪雄はいつまでたっても銀行員の雰囲気だといまでもまわりがいう。

理由は、容貌《ようぼう》、振る舞い、口のききかたがいかにも堅く、頑固そうに見えることの他、金に渋いということも加わっている。

光乃の見るところ、使うところへは惜しみなく使うのだけれど、調子に乗って札びらを切るというタイプでは決してなく、その意味ではたしかに手堅い使いかたをする。

廊下とんびの六のいう、光乃の「握りや」は、質素が普通だと思って暮らしているにすぎないが、雪雄は光乃の、そういう点を何より気に入り、心から信頼して金を渡していることもあるらしかった。

光乃は、六から「六日知らず」とまでいわれたあと、頭からは片ときも我が身の至らなさが去らず、ときどき、こんなふうではゆくさき役者の女房としてやってゆけるだろうか、と陥《お》ち込んでしまう。

鬱《ふさ》いでいれば、この世界のさまざまな挿話が思い出され、亡き六代目のおかみさんは、いまの築地の家を建てるとき、金の工面にひとりで大阪へ行かされたものの、いい出せなくて身投げでもしようと思ったところ、偶然別の贔屓《ひいき》客が融通してくれた話や、また、雪雄が人気の点でつねにその後継、と目される亡き喜左衛門夫人はもと芝の芸者、君若で、あまたの競争者を抜いて正妻となったとき、「恋の勝者」と騒がれたのに、結婚後はつつましやかに家庭を守り、その後も浮名の絶えなかった夫を、かげながら支え続けた話なども耳によみがえってくる。

要するに役者の女房とは、男以上に一門を率いる度胸と金の才覚がなくてはつとまらず、光乃のように、つつましく貯《た》めるばかりが能でないことを、ことあるごとに知らされるのであった。

襲名

雪雄は、昭和三十四年の五月、歌舞伎座《かぶき》で「高時」に出演中、激しい腰痛に襲われ、新橋の慈恵医大病院へ入院した。

「高時」は新歌舞伎十八番の一、九世玄十郎が得意とした芝居で、亡《な》き宗四郎も試みているが、活殺自在のせりふの妙味が聞かせどころだけに、雪雄は朗々たる声をたのみに取り組んだのだったが、あまたの烏天狗《からすてんぐ》になぶられる場面があり、転がされたり胴上げされたりする個処で、どうやら腰の骨をいためたらしかった。

医者の診断ではギックリ腰の一種で、病名は椎間板《ついかんばん》ヘルニアだという。

咳《せき》やくしゃみや、大声でものをいってさえ飛び上がるほど痛く、医者は雪雄に、側臥《そくが》位《い》で下肢をちぢめ、背を丸くするかっこうで寝れば楽だと教え、その姿勢で痛みをすこしやりすごしてのち、ギプスの型をとり、それを装着して静養することになった。

症状は比較的軽かったので、牽引《けんいん》などは行なわず、毎日ギプスへ入ったまま安静第一に過ごしたが、医者は図を書いてくわしく病気の説明をしてくれた。

この方法の療法でなおらない場合は、神経根を圧迫している軟骨ヘルニアを手術によって除去しなければならず、手術はかなり厄介であることや、またたびたび再発しやすいことなど聞くと、いまこの病気を根治しておかなければ将来にわたって不安が残ると、光乃《みつの》もよく判《わか》った。

そのせいもあって雪雄はまことに模範的な患者で、ときは六月、扇風機だけの病室ではふつうでさえむし暑く、その上体にギプスをはめていればどれだけ不快か、と察せられるのに、雪雄はじいーっと耐えている。

看護婦でさえそれには感心し、

「大ていの患者さんは勝手に取りはずして、掻《か》いたりしますのよ。堀留さんはかゆくありません？」

と聞くと、雪雄は、

「かゆいですとも。一旦《いったん》かゆいと思いはじめると気も狂いそうになります。しかし療養の忍耐については僕はいささかの自信がありますからね」

と、若き日の、足かけ五年にわたる肺結核治療の苦しさを思い出し、慰めにしているらしかった。

光乃はもちろんずっと付き添い、少しでも汗をかかないよう、神経を苛立《いらだ》たせないよう、細かな注意を怠らなかったが、それでも辺りに人のいないのを見澄まして光乃にものを投げつけたり、声を殺して叱《しか》りつけたりするときがあり、これが我慢のやり場なのか、と納得して光乃はそれを受けている。

それにしても、一度もギプスを外さないこの忍耐とは、といまさら驚かされもし、これが芸道のきびしさなのかと察せられるのであった。

入院したのは五月千秋楽の日、以来病院生活も一カ月以上過ぎた七月初め、突然病室へ訪問者があった。

入院の件は外部に対して極秘にしており、ここを訪れるのは会社の重役と二人の番頭、弟子に限られ、それも長居せず、すぐに帰ってしまう。

病院の午後は蟬《せみ》の声が聞こえるだけ、雪雄はうとうとしており、ベッドのそばの椅子《いす》に腰をおろして団扇《うちわ》で風を送ってやっている光乃も、睡気《ねむけ》を誘われついその手も休みがちとなる。

そのときドアをノックする音がし、光乃が立って行って開けると、そこにいるのは一見して玄人《くろうと》ふうの、和服姿の女性であった。

たったいま美容院から出て来たと判る、きれいに櫛目《くしめ》の通った頭を傾けてそのひとが、

「あの」

といったのと、光乃が不審そうに、

「あの」

といったのは同時で、そのあと、ベッドから対角線の視線のなかに入っている雪雄が、

「あ」

と声を挙げた。

ほんの一瞬、気まずいものが流れ、中へ招じ入れるべきかどうか迷っている光乃に、雪雄はベッドから、

「新橋の小倉克代さんだ。どうぞ、どうぞ」

といい、光乃は、

「家内でございます」

と挨拶《あいさつ》してのち、ベッドのそばへ案内した。

年のころは三十半ばくらいか、この世界の水で磨きあげた様子がありありと判る、美しいひとだが、目鼻立ちがはっきりしているのがいささかきつい印象を与えないでもない。

「ご病気と伺って心配のあまり、お母さんがとめるのも聞かず、お訪ねしました」

という挨拶を聞いて、これからきっと何かが始まる、と悪い予感に胸を昂《たか》ぶらせている光乃に、雪雄は、

「おい、ちょっと売店行って、週刊誌を買って来てくれないか。何でもいい」

と用をいいつけた。

判りました、判りました、私がいてはお邪魔なのでしょう、と胸のうちで呟《つぶや》き、廊下へ出たものの、光乃はドアの前にしばらくたたずんでいた。

いつか三河屋のおばちゃんに聞いた、新橋の小奴《こやっこ》さんとはあのひとか、お母さんがとめたというのは置屋のおかみさんが阻止したことか、芸名をいわず、雪雄が本名を紹介したのはそれだけ親密、ということか、それにしてもきれいなひと、気のせいかどうやら昔の圭子さんに似ている、と光乃が胸のむらむらを鎮《しず》めながらその場に立ち尽くしていると、室内からはすすり泣きに似た声が洩《も》れてくる。

男が病気療養中、訪ねて来た愛人をどう扱うかについては、世間によくある例とみえて光乃も太郎しゅうなどから聞き知っている。

本妻の権威を見せてドアの前から追いかえし、一目さえ会わせぬひと、会わせても自分立ち会いの上のひと、或《ある》いはまた、さりげなく座を外《はず》し、しばらくの逢瀬《おうせ》を許してあげるひと、などさまざまだが、今日の自分の場合は、気を利《き》かせてあげたのではなく、雪雄の命令で追い出されているにすぎない、と思った。

しかしふしぎに、目のくらむような怒りはなく、さざなみくらいの波立ちで自分をなだめていられるのも、いまは安定した妻の座を得ているいささかの自信でもあったろうか。

とはいえ、二人きりの室内ですすり泣きの声はおだやかならず、ふっとそしらぬ顔して入って行こうかとも思ったが、それはできず、足音をしのばせてドアの前を離れた。

売店へ行き、週刊誌をえらんで時間をつぶし、外来の柱時計がおよそ二十分を過ぎたと思われるころあいを見計らって病室に戻ると、もうそのひとはいなかった。

雪雄は仰臥したまま天井をみつめており、椅子には残り香が漂っていて、聞かずともここで愁嘆場が演じられたことは察せられたが光乃は何もいわず、その代わり、窓を全開にして、しばらく室内の匂《にお》いを散らした。

ふと見ると、サイドテーブルの下に花束がおかれてあり、拾いあげると白百合《しらゆり》ばかり束ねてピンクのリボンがかけてある。

花は、芝居の関係者たちから届けられるもので室内は充《み》たされており、これを生けようにも花瓶がない。看護婦の詰め所でもう三つも借りており、バケツに入れるのもあまりに景色が荒々しく思われ、そのまま壁際《ぎわ》の床に寝かせておいた。

まもなくおやつの時間が来て、光乃は、

「冷たいいちごのゼリーはいかがですか」

とすすめると、

「うん」

といったきり食欲もなさそうだったが、思いなおしたのか、

「起こしてくれ。半分くらいなら食べてみよう」

といい、ギプスの体をベッドの背にもたせて、ゼリーの皿とスプーンを手にした瞬間、きっとした顔になり、

「その花束を何故《なぜ》捨てるんだ」

と光乃を詰問《きつもん》した。

寝ていれば視角に入らなかったものが、身を起こせば目に入ったらしく、癇癪《かんしゃく》をおこすまえの狂気じみた表情に変わりつつあるのを見て光乃はおそれ、

「捨てたんじゃありません。もう花瓶がないので、栄子が連絡に来たら家へ生けておいてもらおうかと思いまして」

相手は病人、ここで怒らせてはいけない、と光乃が懸命に弁明すると、さすがに隣室や廊下を憚《はばか》って雪雄は口を閉ざしたものの、唇はぶるぶるとふるえており、何とか収まって欲しいと、

「すみません。申しわけございません」

と頭を下げる光乃めがけて手にしたゼリーの皿とスプーンを発止《はっし》と投げつけた。

投げたものは光乃に当たり、皿はそのまま落ちたが、赤いゼリーはこまかく砕け、肩から下へまるで返り血を浴びたよう、悪いことにはちょうどそこへ午後の検温に看護婦が入って来、

「あらあ、どうなさったんですか」

と大声を挙げた。

光乃はあわてて、うしろ向きになり、

「いいえ、私が粗相してしまいまして」

と、後始末にかかった。

それにしてもいつもなら、一目眺めたあとは、

「花はもういいよ。楽屋でいつも取り巻かれているから。看護婦にあげてよ」

というひとが、今日ばかりはいやにこだわること、やっぱり下さるひとによってずい分と違いますわね、と、沼のなかにふつふつと湧《わ》くガスのように、胸のうちで口惜《くや》しさが呟き続けている。

この件で光乃は、あのひとが確かに小奴さん、と判ったたし、光乃が看病しているのを承知で乗り込んで来て、病室で泣くとは一通りでない仲、と推察できたが、不愉快でこそあれ、このことで雪雄に抗議などしようとはつゆ思わなかった。

昔は、花柳界の女性はみなかげの役割に甘んじ、表から堂々と旦那《だんな》に会いに行くことなんか決してなかった、とは蝶子に聞いた話だったか、戦後はそんな慎みは取り去られ、芸者も立派な職業なら、恋人としての権利も主張できるのは、いいことだと光乃は日頃考えている。

同じように、自分の前身も決して恥ずべきものでないというひそかな自負もあるから

こそなのだけれど、しかし実際に白昼訪ねて来られ、座を外させられ、見舞いの花を粗末に扱うな、と皿を投げつけられれば心おだやかでなく、皮肉のひとつでもいって報いてやりたいものの、光乃にできる唯一《ゆいいつ》の抵抗は、しばらく無言でいることだけであった。

「おいお光」

と呼ぶ雪雄に返事をせず、

「起こしてくれ」

「寝させてくれ」

も、わざと聞こえないふりをしていると、

「起こしてくれよ、おい」

と続けているうち哀願めいた響きになり、そうなると雪雄がむごく思えて来て、こちらの頬もついほころびるのは、やっぱり好きな弱みかと思ってしまう。

二カ月の入院生活のあと、自宅で一カ月休養し、九月から雪雄は復帰したが、入れ替わって光乃は自分の体力が急速に衰えて来ているのに気がついた。

勇雄《いさお》の勘之助襲名のあと、光乃は立ち居の際、着物の裾《すそ》がいやに足にからまる感じを持ち、ある朝よく見ると、着物の幅がやけに広くなって腰に深く巻きついている。

ということは、明らかに痩《や》せ細り、いままでの着物では幅が余ってしまい、その分だけ裾の重なりが深くなっているのであった。

光乃は、小さいとき、弟の幾也《いくや》といさかって互いに「白豚」「黒蠅《くろばえ》」とけなし合ったほど肥《ふと》り肉《じし》で、最近までずっと身長百五十五センチ体重六十キロの体格であった。

戦争中、芋や南瓜《かぼちゃ》の代用食ばかりでも少しも痩せず、雪雄からはいつも、

「お光はひとりだけうまいもの食ってるだろうと人に怨《うら》まれるよ。もう少し遠慮しな」

と笑われていたのに、着物の幅が余るほど痩せて来たのはいったいいつからだったろうか、と思った。

振り返ってみると、雪雄に従って赤坂の家へ移って以来、女中という仕事もさることながら、気持ちの上で食べること寝ることすべて自分をかえりみる暇のない日々で、片ときも雪雄から目を離さず、すごして来たことが思われる。

少々の頭痛腹痛などいたわっていられず、雪雄がこれが食べたいといえば作って自分もそれを食べ、雪雄が行くといえばどこへでも従い、一所懸命仕えて来て、そしてあの戦争末期のチフスのときの献身的な輸血のあとも、養生など頭にもなかったのが、いまごろ体にこたえて来たのかなとも考えられるのであった。

とくに結婚発表からあとの日の心労と忙しさは激しく、このころからときどき昼間、横になることがあったのを、もう自分も四十代半ば、これをトシというのだろうとやりすごしていたのであった。

一度、雪雄からも、

「お前、頬がこけたみたいだね。忙しければもう一人、手伝いを増やしてもいいんだよ」

といわれたことがあるものの、同時に、

「ここは手狭だから、もう少し広い家を捜そう」

とも告げられ、ならばいっそう、出る金は少しでも惜しまねばならず、ひとりであれもこれもと抱え込んでいた感がある。

それに、雪雄には懸案の十一代玄十郎の襲名を控えており、歌舞伎界一の松川家の名跡ならば空前絶後の催しとなるのは必定だけに、光乃の忙しさはこれから先、たとえようもないほどのものになることが予想されている。

昭和三十六年はまことに事多い年で、まず三月には弟新二郎が二人の息子、弟子たちをひきつれて東宝に移籍、東宝劇団を結成、雪雄を驚かせたが、自分のほうもこの秋にはいよいよ十一代松川玄十郎の襲名を、と会社のほうから催促されており、それに、新しく買い求めた土地に建設している家も着々完成に近づきつつある。

そしてようやく七月下旬、出入りのひとたち大ぜいに手伝ってもらって新築の上目黒の家に移った二日のち、張りつめていた気もゆるんだのか、光乃がとうとう病に倒れてしまった。

七月は舞台は休み、木の香も新しい家で次なる襲名の段取りを考えながら、雪雄がひとつひとつ引っ越しの荷を解いているとき、便所から出て来た光乃が青い顔をして、

「明日、病院へ行ってもいいですか」

という。

このところ目に見えて痩せているのに、ときどき顔がむくんだように見えることもあり、雪雄は、

「だから一度診てもらえといってるだろう、どうしたんだ」

と聞くと、光乃は口ごもりながら脇腹《わきばら》や腰の上部あたりに鈍痛があり、尿が濁っているとだけいう。

その夜雪雄は林に電話し、病院をどこにしたらよいかと相談すると、泌尿器《ひにょうき》系統なら慶応病院に知り合いの医者がいるから、とそちらに連絡するように取りはからってくれた。

翌日光乃はひとりで病院へ出かけて行ったが、昼すぎに戻り、病名は腎盂《じんう》腎炎《じんえん》、安静にして化学療法を受ければよくなるが、それには入院がもっとも望ましい、という医者の言葉を雪雄に伝えた。

雪雄が光乃に出会って以来、もうほどなく三十年が近いが、その間、風邪で鼻をずるずるいわせることはあっても、雪代のときの悪阻《つわり》以外には寝ついたことなく、長い年月

のうちにはそれがすっかりふつうとなり、光乃が病気になるなど、万が一にもあるはずがない、と考えていたことを雪雄は思った。

入院、といわれて、のけぞるほど驚きはしても、光乃は自分の足で病院まで往復し、少々大儀そうではあるものの、家に帰ればそこら辺りを片付けている。

果たして入院するほどの病状なのか、医者の診立て違いじゃないのか、との疑いはあり、

「入院はどのくらいの期間？」

と確かめれば、光乃自身もさして大病とも思っていないらしく、医者にも問いただささなかったものと見え、

「さあ」

とはっきりした答えは出せなかった。

入院、といわれて即刻その勧めを受け入れられないのは、雪雄も光乃も、ともに十一月頃予定の襲名の問題がしっかりと念頭に彫り込まれている。

勇雄の勘之助の場合でも、母親はつきっきり、父親は飯もうまくない、というほどの気づかいなら、玄十郎の名は命がけ、とも考えられ、当人、女房、子供たちまで捲《ま》き込んでの大行事となるため、病気のなんのといっていられないのであった。

雪雄はすっかり考え込んでしまい、それを見ると光乃も我が身のふがいなさが情けな

くなり、

「申しわけございません。お薬を三日分下さいましたから、これを飲んでしまったらまた病院へ行って先生にくわしく聞いて参ります」

といえば、いまの場合はそれより他なく、

「そうだな、そのあとのことにするか」

とその場はそれで打ち切った。

雪雄は役者子供、光乃も自分は健康、と信じていれば二人とも病気に対する深い知識などあろうはずもなく、薬飲んで養生していればすぐ快《よ》くなる、と簡単に考えていたところがあった。

それに、引っ越したばかりで家中荷物だらけ、横になっていなくては、と思っても、つい手が出てつぎつぎと働いてしまう。そうすると決まって夕方には八度にも上る熱が出、動悸《どうき》と寒気と体のだるさに台所からは離れるものの、箪笥《たんす》などにもたれて栄子に指図している。

医師は、

「通院でなおして頂けないものでしょうか」

という光乃に、

「困りましたねえ。通院では安静も守れないし、食餌《しょくじ》療法もでき難《にく》いのですがね」

これ以上悪化して危険な状態になっても責任は持ちませんよ、と釘《くぎ》を刺し、光乃はその言葉を了承したまま、現状維持を続けるより他なかった。

いまは主従でなく、夫婦となっていても、光乃にすれば雪雄が家でくつろいでいるのに、女が昼間から臥《ふ》せっているのは何としても申しわけなく、もうどうしても起きてはいられないというところまで我慢をして、それから倒れ込むように寝床へ入ることになる。

それでも、八月は雪雄も子供たちも何となく夏休みという気のゆるみがあって、光乃も楽にすごせたが、九月に入るとまた舞台に上がり、雪雄の家に在る時間にも気をつかわねばならなくなる。

光乃は十月に入ると、雪雄に許しを得て、ときどき姉のたき子に手伝いに来てもらうことにした。若い栄子だけでは心もとなく、任せきりにできないが、たき子なら心配もなく家事万端委《ゆだ》ねられるのであった。

このころには光乃の容体は悪化するばかり、もちろん八月上旬には雪雄も心を決め、関係者各位に襲名の延期を申し出、承諾してもらったのだが、このことが光乃にとってどれだけの重荷になったか知れなかった。

玄十郎襲名は、六円存命のころから親を飛び越して雪雄への期待が昂《たか》まっており、もうかれこれ七、八年のあいだ、雪雄は辞退しつづけていて、いまやっと機が熟したといういきさつがある。

このようやく盛り上がって来たときに、女房が病気ですので、という口上でまたもや雪雄に延期させなければならぬ身になれば、どれだけ心苦しいか、そのあせりが病を進行させるということもないではなかったらしい。

奥の十畳で、並んで寝ている夜半、あれこれ考えているとこらえ切れなくなり、つい枕《まくら》を濡《ぬ》らしていると、闇《やみ》のなかから、

「泣くなよ、バカだな」

と声がかかり、そういわれるといっそう申しわけなさがこみ上げてくる。

「すみません。私、自分がなさけないんです」

「病気なら仕方ないさ。いままで無理をしすぎたんだ」

雪雄もしみじみと昔を振り返っているのか、やがて、きれぎれに、

「お前は、勇雄をたった一人で産んだんだもんな。あのあと、養生もせずに。それがいまごろ祟《たた》っているんだ、きっと。

おれも悪かったと思っている」

と、雪雄にしては初めての、やさしいいたわりの言葉を聞いたとき、光乃は思わず枕に顔をおしあてて声を忍びながら、肩をふるわせた。

「こっちへおいで、さあ」

と雪雄は体をずらし、掛け蒲団《ぶとん》をよせて光乃を呼び、その背をさすりながら、

「ずい分瘦せたなあ」

といったきり絶句したのは、自分も闇のなかで瞼《まぶた》を濡らしていたにちがいなかった。

「今度の病院の日はおれもついてってやろう。先生にくわしく聞いて、入院するならすぐできちんと療治しなくてはいけない。

襲名の段取りはお前が快《よ》くなってからだ」

というのを聞いて、光乃は雪雄の胸の中で涙とめどなかった。

雪雄ももう五十坂。自分も四十六という年を迎えて病気に倒れるのはいかにも口惜しいが、しかし病めるときにこそ力になってくれる、これが夫婦というものか、と光乃はいま、せつせつと胸に迫ってくるものがある。

ありがとうございます、旦那さま、光乃はきっとすぐに快くなります、お気持ちを思って懸命に養生いたします、と胸のうちで泣きつづけている。

十月二十四日、光乃は慶応病院内科に入院、治療に専念することになった。

泌尿器科でなく何故《なぜ》内科かといえば、これまでの検査の過程で、光乃の肺尖部《はいせんぶ》には小さな空洞が見られ、腎臓の治療に並行して肺結核をも退治しなければならないためであった。

雪雄と光乃を前にして、肺結核という病名を医師が告げたとき、二人ともそれをべつ

に重大なこととは考えなかった。

雪雄はかつて五年もその病に臥して克服しているし、光乃も義父六円の老人結核を看《み》取《と》っている。

この病はおそろしいが、いまは特効薬ができ、ほとんどが完治する、と医者からもいわれると、しばらく入院していればあとかたもなく癒《なお》ってしまうだろうと、二人ともたかをくくっていたところがあった。

が、光乃にとってははじめての入院生活とあれば不安もとまどいもあり、そして残して来た子供のこと、家のこと、果てしなく気がかりで、最初のころは毎日夕方になるときまって帰りたくなってしまう。

家は、もう自分の子供も手がかからなくなったたき子に乞《こ》うて泊まりこんでもらい、委細取り仕切ってもらっているが、それでも自分の手でするようなわけにはいかず、はやる気持ちを宥《なだ》めるより他ない。

光乃は入院の荷物のなかにこのところ遠のいていた聖書をしのばせて持って来ており、心が波立ちはじめるとそれをひらくのであった。

雪雄のほうも、考えてみれば光乃が家を明けたのは山形へ行ったときの二晩だけ、うちへ帰れば必ず玄関へ出迎えていたものが、かき消すように消えて無くなっているそのさびしさはたとえようもないらしかった。

いれば有り難味は感じないけれど、いなくなればいかに日常、光乃をたよりにしていたかが省みられ、こちらも毎日必ず一回は病室を訪れ、しばらくベッドのそばに腰かけてすごす。

話とては何もないが、光乃も雪雄の顔を見れば安心だし、雪雄もまた光乃のそばでたとえ二十分でもすごせば、さびしさをいく分まぎらわせることができる様子であった。

光乃が入院した二日後の十月二十六日の夜半、丑三《うしみ》つどき、熟睡していた雪雄はもの音にふと目を覚ました。

この十畳の部屋は、光乃がいなくなると急にひろびろとし、ここにひとりぽつんと寝るわびしさを味わいたくないため、雪雄は早々と灯りを消して蒲団に入るのだが、一寝入りした雪雄の耳に、部屋のまわりの廊下を、誰かが足音をしのばせて歩いている気配がする。

子供たちなら声をかけるはず、とすると外からの怪しいお客さん、と雪雄は緊張した。

このとき雪雄の頭を過《よぎ》ったのは、江戸末期の、川原崎丹之助という座主《ざす》のこと、ある晩、川原崎家に抜き身をさげた三人組の強盗が押し入り、気丈な丹之助は賊を取りおさえようと勇気をふるって立ち向かったが、何しろ相手は武器を持っており、とうとう丹之助は斬《き》り殺されてしまった。

雪雄が咄嗟《とっさ》にこの事件を思い出したのは、この争いの一部始終を、蒲団のなかからふるえながら目撃していた子供があり、この子供が長じてかの九代目松川玄十郎になったためであった。

つまり松川家にはこの件以来、丑三つどきのお客さんには逆らうな、という家訓があり、雪雄も腹を決め、心を落ち着けて、

「そこにいるのは誰だい？」

と声をかけた。

返事の代わりにすうーっと障子が開き、男が部屋に入って来たのへ、雪雄が、

「何ですか？」

と聞くと低い声で、

「金が欲しいんだ」

という。

「灯りをつけていいですか」

と下手《したて》に出て聞き、いいよ、という返事を確かめてのち、枕もとのスタンドのスイッチを入れた。

男は、右手に白布を巻いてピストルを持っており、雪雄が違い棚の上の手文庫を開けて黒の革財布を取り出して手渡すと、左手で中身を数え、

「もっとないか」

といった。

雪雄はさらに手文庫から小銭入れを取り、渡したところ、重いばかりにふくらんでいたためか、それ以上は要求せず、ピストルを突きつけたまま後ずさりして出て行った。

雪雄はそのあと、賊が引き返しはしないかとしばらくの時間をおいたのち、非常ベルを鳴らして家中の者を起こし、泊まり込みの玉助が直ちに一一〇番した。電話線は切られていたものの、切り替え用のほうから通じ、すぐさま警察が来てくれ、雪雄はくわしく事情を聞かれたが、被害額は計二万と数百円だったという。

翌日は週刊誌などが押しかけて来て、雪雄はいく度も同じことをしゃべらされ、ついにはとうとう逃げ出して光乃のもとへ報告に行った。

驚いて口もきけない光乃に、

「お前は幸運だったよ。二日ちがいで家にいたら、ショックだったろうぜ」

と慰め、光乃はようやく、

「でもさぞびっくりなさいましたでしょう」

といたわれば、雪雄は笑って、

「なあに、一幕物のパントマイムさ」

強盗事件では雪雄も命に別条なく、盗《と》られた金も二万円そこそこですんだものの、この出来ごとは長いあいだ光乃の胸の底に残った。

強盗なんて、人の一生のうち、出会う例は稀《まれ》なのに、松川の身内としては二度も襲われ、しかも一人は殺されている。

何やら因縁めいたものを感じないわけにはゆかず、そうすると、松川家の先祖を辿《たど》れば舞台で刺されて死んだ初代、若年で逝去《せいきょ》した三代と六代、江戸追放の憂《う》き目に遭った七代と自殺した八代、と不吉なことばかり思い出されてくる。

もちろん松川家の名を挙げた名優も代々揃《そろ》っている故、案じる必要はないのだけれど、病床で長い一日を送っていると、どうしても悪い予感に傾くのはしようもなかった。

しかし留守宅は一同元気で、雪雄も十一、十二月と続いて歌舞伎座に出、折から来日中のフランスのシャンソン歌手、ジュリエット・グレコと、イギリスのアレクサンドラ王女とがそれぞれ雪雄の勘平を見物、その芸と美を激賞したという記事も新聞を賑《にぎ》わした。

光乃の病気はあまりはかばかしくはなく、とうとう翌年まで持ち越して病室で昭和三十七年を迎えたが、この間雪雄は毎日見舞い、ときには主治医に会って詳しく容体を聞いた。

というのも、一旦《いったん》取りやめた襲名の催しを、もはやこれ以上は延引できぬところへ来ており、光乃の病状好転待ちという状況になっているためであった。

こういういきさつが判《わか》っている以上は光乃も気力を振るって病を撃退せざるを得ず、「私の病気は大したことはありません。先生にお願いしてまもなく退院させて頂きますから、どうぞ襲名のことは進めて下さい」

とくり返し懇願し、雪雄も、主治医は首をかしげているのを承知でいながら、会社側へは、家内はほどなく全快の見込み、という連絡をせざるを得なかった。

正月過ぎからさっそく実行委員会が作られ、いく度も会議を重ねた末、日時は四月からの二カ月間、演《だ》しものはもちろん家の芸で昼「勧進帳《かんじんちょう》」夜「助六」と大筋が決まり、二月からは上目黒の自宅の階下二間を明け払い、「松川玄十郎、襲名披露興行準備事務所」の看板を掲げることになった。

襲名には先《ま》ず何といっても金がなくては一歩も進まず、あら算用で総額一億円が必要だという。

このころ、日本でいちばん高いとされる銀座四丁目付近の地価が、実売価格で坪三百六十万円といわれ、都電十五円が高い高いと嘆くひとたちはこの地価に腰を抜かすほど驚いたものだけれど、一般人にとっては一億円はもはや天文学的数字のような感じであったにちがいない。

ゼロが八つも並ぶという、おそろしいほどの金額の内わけは、松竹の会社が七千五百万円、雪雄個人の出資が二千五百万円となっているが、こんな金が家にあるわけはなく、番頭二人は汗をかきかき銀行をまわり、ご贔屓《ひいき》をまわり、バッタのように毎日頭の下げ続けであった。

興行の成否は金の調達にかかっているといわれるだけに、二人とも目が血走るほど必死になっており、ときには雪雄に、

「ここところは旦那《だんな》が直接出向いて頭を下げて下さい」

といわれれば、雪雄自身も衣服を改め、挨拶《あいさつ》に伺わなくてはならず、もっとも苦手な金の話から逃げることもならなかった。

そして光乃が、医者のとめるのもきかず退院してきたのは一月二十五日で、この事務所開設の六日前であった。

腎臓のほうはいくらか好転しているものの、ヒドラジッドを使っている結核のほうは三カ月の入院くらいではまだまだ完治しているとはいえないが、光乃は病名が病名だけに他人にはひた隠しにしており、ひとから、

「おかみさん、ずい分と痩《や》せなすったね。病気のほうはよろしいんですかい」

などと聞かれると、

「ええ、もうすっかり快くなりました。長いあいだご迷惑をおかけしましたね」

と強いて笑顔で答えている。

しかし誰が見てもまだ病人で、顔いろ悪く声も力無いが、もともと静かなひとなのと、いちいちかまっていられないほど家中忙しいのとで、誰も光乃が病後なのを忘れてしまっているのであった。

事務所へはひきもきらぬ訪問客、鳴り続ける電話、つぎつぎと持ち込まれる祝いの品々、きびきびと声高なやりとり、と活気あふれ、そういう雰囲気が伝わってくれば、奥でじっとしてはいられなくなる。

宣伝のほうも着々進行し、三月末から白木屋《しろきや》で松川玄十郎展が開催され、ポスターのほうもふつう二千枚のところを五千枚と増し刷りして配布、各方面との提携も順調で、玄十郎ネクタイ、玄十郎もなか、弁慶、助六等の人形などこまごました品が至るところで売り出されている。

配りものは扇子一万五千本、手拭《てぬぐ》い二万本、ふろしき一千枚、うるし塗りの器五百個、他に劇場内外で働くひとたちには松川家定紋の入ったはんてん、たっつけもあつらえ、また横田黄邨《こうそん》意匠の黄金地の夫婦《めおと》扇子も用意し、これらがつぎつぎと出来上がって事務所に運び込まれてくると、家族の寝る場所もなくなってしまうほどであった。

会社の宣伝部も、

「今世紀では二度と見られぬ豪華な舞台となるはず」

という内容の声明を発表する。

何といっても松川玄十郎は歌舞伎界一の名跡、襲名披露も、仮にもしみったれた真似《まね》はできぬ、とすれば、用意した金はまるで火事場のように出てゆき、会計元締めの林は、

「手でせきとめたいほどだ」

と嘆く。

同時に、この一大祭典のご当人、雪雄もひしひしと重責を感じる様子で、演《だ》しものの稽古に一入《ひとしお》励むのはもちろんのことながら、四千人に上る贔屓筋への挨拶も少しもおっくうがらず、そしてまるで人が変わったように下の者たちに笑顔で接するようになっている。

三月に入ったある夜、十二時をまわってやっと事務所も空になり、光乃が戸じまりをして寝室に入ると、ねまきに着更《きが》えた雪雄が蒲団に腹這《はらば》って寝酒のブランデーを嘗《な》めているところであった。

「まだおやすみじゃなかったんですか」

と声をかけると、

「うん、死んだ親父《おやじ》の弁慶の引っ込みの型を思い出していたところだ。あのひとは初めはたしか観世《かんぜ》流の鷺飛《さぎと》びという型などやっていたが、のちには金春《こんぱる》や喜多の流儀も取り入れて、終わりは能の五流合作なんていってたんだなあ。

いや、親父の演じた千六百回の弁慶は、そのたび工夫を加えていたらしい。考えれば

考えるほどむずかしいや」

と、頭は襲名の舞台のことでいっぱいの様子、しかしふと気づいて、

「お前、体のほうは大丈夫かい。五月末まで気張ってもらわなくちゃならないんだから。夜も早くから寝てていいいんだよ」

といたわれば、光乃もしみじみと、

「私よりも旦那さまこそ、お大事になさって下さい。『勧進帳』は一時間二十分、『助六』は二時間以上の芝居と聞いております。これを五十日間続けなければならないのですから、よほどお気をつけないと」

と心からの言葉をかける。

襲名興行は二人三脚のいのちがけ、どちらに怪我《けが》があっても疵《きず》になるとあれば、いまはしっかりと互いに助け合うより他ないのであった。

「私は明日、恵方詣《えほうまい》りに行って参ります。いまごろのお願かけでは今年神の寅《とら》の神さまも苦笑いなさるでしょうけれど」

「そうかい。頼むよ」

と雪雄はグラスを置き、枕《まくら》をひきよせた。

夜の静寂のなかで、雪雄は仰臥《ぎょうが》してしばらく天井を眺めていたが、光乃が寝床に身を横たえるのを確かめて、

「なあお光」

と呼びかけた。

「はい」

と応じると、ごくりと唾《つば》をのみ込む気配で雪雄ののど仏が動いたあと、

「おれはな、襲名を機会に、すべてのものに三下り半《みくだりはん》を書いて渡したよ」

といった。

すべてのもの？　と光乃は一瞬考えたが、三下り半、というからには女の話？　と思われ、それは誰？　先年病院にあらわれたひと？　それとも他にもあって？　と頭のなかはめまぐるしく廻るうち、ふたたび雪雄が、

「判るだろう」

と問い、

「え、はい」

とあいまいにうなずくと、

「だからもう安心しな」

といい、そして歯切れよい掛け声で、

「寝るぜ」

と、手をのばしてスタンドのスイッチを切った。

闇《やみ》のなかで光乃はいく度も寝返りを打ちながら、いまの雪雄の言葉を考えつづけた。

このひとは、いや自分も同様ながら、話に委曲を尽くすという芸当のできないひと、光乃の最初の妊娠のときも、「え？」と聞き、「はい」と答えただけの、まるで禅問答みたいだったのを考えれば、たったいまのように、女どもとはすべて手を切ったよ、と具体的に話してくれたのは稀《まれ》なること、と思える。

きっと雪雄は、十一代玄十郎の名の重さをひしひしと感じ、このさい私生活もすっきりときれいにし、世間からうしろ指を差されることは何ひとつ無いようにしよう、と決心したにちがいなく、その決心が動かないために光乃に伝えたと思われた。

それにしても、すべての女たちに、といわず、ものといったのは照れていたのかしら、或《あ》るいは女の他に、たとえば女形の役者にでも好きな方がいたのかしら、とにかく十把一《じっぱひと》からげのような口ぶりだったのは、一人や二人じゃないにちがいない、とそれからそれへと考えているうち、光乃はふっと、自分自身の冷静さに目を見張る思いがした。

野沢にいるころは、本のあいだから落ちた写真を見てさえむらむらと燃え、面と向って詰問《きつもん》できないだけ内に溜《た》まって口惜《くや》しかったのに、いまは落ち着き払って、会ったこともないひとを想像したりしている。

しかしこれもすべて、襲名前の緊張と、そしていまだ病体のなせるわざかもしれなかった。

雪雄も五十四歳の男ざかり、人気は並ぶ者のない高さだが、芸はいまひとつという声も聞かれないでもなく、これから充実期にかかる役者として、身辺すっかりきれいにして果たして大丈夫か、と推量するだけ光乃もこの世界が理解できるようになっている。それに自分は病身、家庭をこわさない程度の遊びならば何もきっぱり三下り半など渡さなくとも、と考える反面、雪雄のこの決心は涙のにじむほどうれしくはある。

ともあれ、襲名は五十年余生きてきた雪雄の人間を根こそぎ変えてしまうほど重大なものだと思われ、光乃も身のひきしまる気持ちでその日を待つのであった。

表のことは光乃にはよく判らないが、このたびは入場料もふだんの一等席千二百円が二千円にはね上がり、それでも三月十七日の前売り開始を待たず、三月三日には席がほとんど埋まり、一日貸し切りもつぎつぎと申し込みがあるという。

三月半ばには出演の顔ぶれもすっかり決まったが、出演者総数は何と六百名、これまでの顔見世興行では二百人が最高だったのをはるかに上まわり、そして襲名につきものの「口上」は名題《なだい》以上の役者百人近くが三十分にわたって述べるという破格の舞台となる。

「助六」の、「河東節《かとうぶし》のご連中」には、御簾《みす》うちだというのに、この豪勢な舞台勤めたさに河東節の心得のある会社社長や重役たちが一人三万円の出演料を支払ってまで申し込みに殺到しているそうであった。

光乃は、この目のまわるほどの数字に接するたび、雪雄はたったひとり、まるで大きなコマの芯《しん》だと思った。このひと一人《いちにん》を中心にすべてが大きく廻っており、もし万一、芯が倒れたらコマもまた倒れてしまう。

それを思えば、興行が終わるまで、何卒《なにとぞ》無事息災に過ごしますよう、と我が身を忘れ、まるで腫《は》れ物に触るように雪雄を扱うのであった。

「私にも何かできることがあれば、どうぞおっしゃって下さい」

という光乃に、雪雄は心配かけまいとして、

「皆がそれぞれやってくれるから、格別何もしなくていい」

といったものの、思い出して、

「そうそう、いつものようにおれの晒《さらし》を頼むよ」

と注文した。

雪雄はこれまでも、舞台での下着は光乃の縫ったものがいちばん具合がいいと好み、ときどき作らせていたが、このたびは弁慶と助六、ともにまっ新《さら》のおろしたてで初日にのぞみたいという。

光乃は雪雄のその頼みをうれしく受け、精進潔斎、祈りを込めて懸命に縫おうと思った。

晒にもいろいろあり、雪雄は目の粗い、ガーゼのように柔らかいものを好む故《ゆえ》に、一日銀座の店に買いにでかけたが、その帰り、電車のなかで目まいがした。ようやくホームに下りると、目の前の景色がぐるぐる廻っており、ベンチにもたれてしばらく目を閉じていたが、目を開けたとたんに体の重心を失ってしまう。

家にはいま栄子の他にもう一人手伝いを雇っているし、呼べば迎えに来てくれないことはないのだけれど、公衆電話まで立ってゆくことすらできなかった。

頭をベンチの背にもたせ、どれだけの時間そうやっていただろうか。

駅員が近寄って来て、

「もしもし」

と肩を叩《たた》かれたのを機に、うすく目をあけてみると目まいはいくらかおさまっている。立ってそろそろと歩き、駅の外に出てタクシーを拾って家に帰ったが、帰れば家はまるで戦場、事務所でできない話は奥の座敷でしているひともあり、こんななかでは我が身をいとってなどいられず、そのうち目まいのことは忘れてしまった。

そして下着は、当日よりずっと手前に縫い上げておこうと、晒を座敷にひろげ、ものさしをあてたとたん、

「おかみさん、誰々さんがご挨拶におみえです」

などと呼ばれ、やっぱり昼間は落ち着かなくて先へのばしのばししているうち、初日

までもはや数え日となり、そうなると雪雄の切迫した息づかいまで感じるようになって、なお縫い物など手につかなくなってしまう。

そして前日、昼間、光乃は栄子を連れて車で七社詣《まい》りをし、お守りを頂いて帰ってくると、二階の納戸《なんど》を片づけてそこへ籠《こ》もった。

今日こそどうでも仕上げなければならぬ、とたすきをかけ、衿《えり》を刳《く》った肌じゅばんと膝《ひざ》までの下ばき、これを二揃い、裁って少し縫いかけてあるものを取り上げ、一心込めて針を運ぶ。

雪雄は、「今日は鶴蔵という名の最後の日」だと、皆で名残の宴を張ったよしで、その帰りを玄関に迎え、

「どうぞ今夜はごゆっくりとおやすみ下さいませ」

と寝床へ入るのを見届けたのが、かれこれ十二時近くであったろうか。

そのあと納戸に入り、心に明日の首尾を念じつつ懸命に縫いつづけ、最後の針をおいて目をあげると、明かり取りの小窓はすっかり明けている。折から朝の陽がご来光のように射《さ》し込み、光乃はいいしれぬ尊さに打たれて、思わず手を合わせた。

いよいよ本日初日、今日ばかりは家のうちでも些《さ》細《さい》なしくじりは許されず、台所では粛然と主首途《あるじかどで》の用意がされている。

雪雄はまず東窓を開けて昇る太陽に柏手《かしわで》を打ち、神棚に灯明を挙げ、六根清浄《ろっこんしょうじょう》を唱え

つつ神道《しんとう》の松川家先祖代々の御霊《みたま》に襲名興行成功の祈願を込める。

父とともに「助六」で福山のかつぎを勤める勇雄《いさお》もこれに従い、祈禱《きとう》のあと雪雄は廊下で六方の稽古《けいこ》を五、六回軽く試みてから家族一同祝いの朝餉《あさげ》を囲む。箸《はし》をとるまえ、

「どうぞ、上首尾でありますよう、念じております」

と光乃が言葉を贈ると、雪雄も緊張した表情を一瞬解いて、

「有り難う。いや大丈夫だ」

とにっこりした。

楽屋入りはハイヤーで、黒紋付きの雪雄に地味な無地紋の光乃が下着を入れた包みを持って従い、歌舞伎《かぶき》座に到着すると、楽屋にははやばやと人が溢《あふ》れ、いたるところで、

「初日おめでとうございます」

と、ピンと張り詰めた声が勢いよく飛び交っている。

劇場表に廻ると、扉のわきに「第十一代松川玄十郎襲名披露受付」の机がしつらえられ、弟子やご贔屓たちが詰めかける客たちの応対に追われており、光乃はそれらのひとたちをねぎらい、客たちに挨拶する。

正面の積みものには酒樽《さかだる》、米俵、炭俵から目の下二尺の鯛《たい》まで飾られ、そのわきにはまたつぎからつぎへと受付へ持ち込まれる祝い品がうずたかく積み上げられてゆく。

入場客たちは、すでに開幕まえこの豪勢極まりない景気に圧倒され、いやが上にも期

待をたかめて開幕ベルを待つのだけれど、光乃も今日ばかりは客席に坐《すわ》ることを許され、後方に腰をおろした。

そしてあの、身もひきしまる柝《き》の音を聞いて幕が上がると、正面松を描いた鏡板、左右若竹の描き起こし、長唄《ながうた》連中はふだんの十丁十枚という数をこのたびは唄十二人、三味線十二人の十二丁十二枚と増やしており、そしてまず下手《しもて》より弟新二郎扮《ふん》する富樫《とがし》左衛門が、太刀持、番卒三人を従えてしずしずと登場してくる。

新二郎はこのとき東宝へ移籍しており、この舞台に出演するのは松竹側で難色を示したのを、ようやく了解とりつけての兄弟共演だけに、光乃はすでにその姿がぼやけてくるのをこらえながら、目をしばたたいた。

ほどなく義経《よしつね》を先頭に弁慶一行、花道よりあらわれると、光乃はとたんに大きく胸高鳴り、息苦しいほどであった。

義経の、

「いかに弁慶」

ではじまる一行の科白《せりふ》のやりとりが、弁慶に渡り、

「やあれ暫《しばら》く、御《おん》待《ま》ち候《そうら》え」

「これは由々しき御大事《おんだいじ》にて候」

と続いてゆくと、雪雄が案外と落ち着いている様子が伝わって来、光乃は少し胸を撫《な》

でおろしてその所作をみつめた。

雪雄の苦心は、弁慶が葛桶《かずらおけ》の蓋《ふた》になみなみと注いだ酒を、咽喉《のど》を鳴らしながらぐぐっと飲み干す場面だが、これも家で稽古していたとおり、盃を両手で捧《ささ》げ、表面に発する酒気を吹き払ったのち、はじめはゆっくり、そして後半、勢いをつけてぐーっとさもうまそうに飲み干した。

囃子《はやし》に乗って一操、一合、一調子、順序よく進むのに光乃はいつのまにか引き込まれ、そして最後の科白が終わり、六方を踏んで揚げ幕に入ってしまうと、一度にどっと全身の力が抜けたように思えた。

まわりの客たちもいちようにためいきを吐《つ》き、

「いい弁慶だったわねえ。亡《な》くなったお父さまにはとてもかなわないかと思っていたけど、どうしてどうして」

「やっぱり名が変わると巧《うま》くなるのよ。それに何といっても美男の弁慶だもの」

などといいともかしましい。

光乃は、亡き宗四郎が、

「五十過ぎての弁慶はきついねえ。揚げ幕に引っこんでそのままぶっ倒れちまったこともあるんだ」

といっていたのを思い浮かべ、すぐ楽屋に廻ってみたが雪雄は元気いっぱいで、光乃の縫った肌襦袢《じゆばん》姿で顔を落としているところであった。

簡単な記者会見もあって客が詰めかけており、光乃は黙ってわきに侍《はべ》っていたが、雪雄は一休みすれば今度は夜の部のまず口上、そして助六の顔を作らねばならぬ。

この口上は松竹側が、

「いままでにもなかったし、これからもないといえるもの」

と自信のほどを表明するだけに絢爛《けんらん》そのもの、東西の俳優七十三人が一堂に会し、四列になって舞台に並ぶさまは、客のいう、

「盆と正月がいっぺんに来たよう」

で、このうち二十四人がおのおの口上を述べたてたあと、つぎに紅一点、松川麗扇が終わってからいよいよ新玄十郎となる。

一同揃《そろ》いの、松川家ゆかりの柿《かき》いろ裃《かみしも》に六つの円の紋、雪雄は恒例のまさかり髷《まげ》で、

「吉例によりひとつ睨《にら》んでごらんに入れます」

と巻物を載せた三方を左手に捧げ、右足を踏み出してきっと目玉を寄せて睨む。

そのあと、お手を拝借、で客と舞台一体となって手締めをするのが、このたびの新趣向であった。

襲名興行は大成功、客は東京のみにとどまらず、北海道沖縄からも押しよせ、またハ

ワイからの青い目の観光団も来合わせて、五分だけでも、と強談判《こわだんぱん》され、通路に補助椅子《いす》を出して五分間観劇をしてもらったこともある。

雪雄はまことによくがんばり、役者のなかには客を見て手を抜くひともいるなかで、毎日きちんと判で押したような演技を提供し、いやが上にも人気を高めるのであった。

しかし、病気が完治しないまま退院してきた光乃の体調は次第に悪化しているようすで、めまい立ちくらみがひんぱんになり、襲名公演中の雪雄に知らせてはならぬと気を張っていても、四月末にはほとんど起き上がれぬほどになった。

栄子に付き添ってもらって先の慶応病院を訪れると、腎盂腎炎《じんうじんえん》と肺結核よりも、いまは貧血症状がひどく、入院して輸血の必要があるという。

しかし光乃は、その医者の言葉を雪雄には伝えなかった。寝ていれば目まいはおさまっているし、この公演のまっさい中、女房が入院などと不吉な事態になるのは極力避けたいと思うのであった。

その代わり、家にベッドを買ってもらい、一日中そこに身を横たえていれば、雪雄と子供たちの様子もよく判《わか》るし、家のうちにも目が届いて指図もできる。

雪雄は、戻るとまっすぐベッドのそばに来、栄子に膳《ぜん》を運ばせていつも必ずそこで食事を摂《と》りつつ、今日いちにちの出来ごとを光乃に語って聞かせるのであった。

公演中、どうぞ癇癪《かんしゃく》が起きませんように、という光乃の願いが通ったのか、毎日いとも機嫌よく、今日は助六のむきみ隈《ぐま》の作りがとてもうまく行った、弁慶をやるときは腹が張り過ぎていても減りすぎていてもだめだと親父《おやじ》がいっていたが、今日は三時間前に弁当を食べて試してみたら具合がよかった、などと明るい大声で話しかける。

その様子を見ていて光乃は、ちょうど子供が級長をもらい、毎日学校から帰ってたのしく母親に報告しているみたいだと思い、いつも聞きながらしぜんに笑みが唇《くち》もとに浮かんでくる。

それというのも、雪雄の芸が上出来で、松川十一代の名を辱《はずかし》めず、興行も上々首尾で何もかもうまく運んでいるということなのだけれど、そういう状況に囲まれて光乃は、いま自分はしあわせのまっただなかにいるのだと思う。

雪雄はやさしくなり、子供たちはまっすぐ育ち、これで自分の病気が快《よ》くなれば有り難すぎてバチがあたるかもしれないほどだと考えるのであった。

しあわせの女神は嫉妬《しっと》深いといわれるが、光乃に対し、まだまだ十全の福を与えたくなかったのか、襲名興行の終わるのを待ち兼ねていたようにして光乃はふたたび入院し、ただちに輸血したが、その輸血がもとで血清肝炎をおこし、意識不明の危篤《きとく》状態に陥ったのは、六月上旬であった。

雪雄の襲名は、東京歌舞伎座が五月末で終わったあと、十月大阪新歌舞伎座で同じ演目を披露する予定になっており、それまでの四カ月間はたっぷりと休養できるのだけれど、光乃の容体が悪化してからは、ほとんど病院に詰めきりであった。

昏々《こんこん》と眠り続ける光乃の顔は不健康な黄いろを呈し、尿は濃いコーヒーいろになっており、看護婦が導尿したビーカーのなかのそれを見て雪雄は不安に耐えられず、ひとり病室のなかを歩きまわっている。

主治医が助手たちを引き連れて回診にあらわれ、診察が終わったとき、雪雄は小さくなってもみ手をしながら、

「先生、いかがなものでございましょうか。家内を助けて頂けますでしょうか」

とひたむきな目のいろで懇願した。

医師は雪雄と、かたわらの林の二人に向かって光乃の容体を詳しく説明し、少なからず重症ではあるものの、いまだ吐血や下血の症状が出ていないことで希望を持てる旨《むね》を告げ、万全の治療に当たると約してくれた。

病気の原因はビールス保有の血液からの感染とは判っていても、雪雄の胸を去来するのは自分の襲名のために光乃に無理をさせた悔いばかり、他人に心のうちを見せない雪雄にしては珍しく弱気になり果て、なあ林、と呼んで、

「お光が快くなったら、おれはこれからこいつを大事にするよ。誓うよ」

といえば、無口な林も、

「おかみさんの苦労もこれからが報われるときですよ。いま死んじゃあまりにかわいそ

うです」

と心から相槌《あいづち》を打つ。

そのとき、ドアを軽くノックして内弟子のひとりが入って来、雪雄がふり返って、

「なんだ?」

と聞くと、弟子は憚《はばか》って小声で、

「こんなとき何ですが」

といいよどんでいたが、

「たったいま知らせが入りましたんで。旦那《だんな》の助六の演技が、今年のテアトロン賞に内定しましたそうなんで」

と告げると、雪雄のこめかみがみるみるふくれ、さすがに大声は抑えて、

「女房が危篤なのになにがテアトロン賞だ。そんなもの、どぶに捨ててこい」

あまりの見幕に、隅のほうでちぢこまった弟子に雪雄はもう一度、

「そんなことおれに知らせにくる暇があったら、体の空いている者は手分けして、日頃信仰の神社仏閣全部へ光乃の平癒祈願に廻ってくれ。そのほうがおれは嬉《うれ》しい」

と頼んだが、そういう声がどうやら湿っているのを察して弟子は、

「へい、必ず」

と早々に帰って行った。

林のいうとおり、「これからがようやく苦労の報われるとき」の執念は光乃の意識の底にもあったと見え、ほどなく病状は峠を越すことが出来た。眠っていたあいだのことを光乃はほとんど知らず、一度だけ身のまわりに妙《たえ》なる音楽の湧《わ》き起こるのを聞いて、あ、これは、以前旦那さまのチフスのとき、我が命に代えてと祈願を込めた約束の履行を求められているのだな、と感じたが、それは少しも恐ろしくはなく嫌でもなく、どうぞ神様のお心まかせに、と心のうちでつぶやいたことだけはおぼえている。

しかし今回は、光乃の持つすべての病気が完治するまで入院加療するよう雪雄が強くすすめ、九月末までの四カ月間にわたって光乃は病床ですごしたが、そのあいだ、留守を守る雪雄のまめまめしさには家内一同驚いているという。

用がなくても朝はきまって七時起床、神棚に灯明をあげ、庭に水を打ち、犬の散歩に行き、新聞を読み、稽古を欠かさず、そして子供たちの参観日には必ず出かけてゆく。

二人の通信簿を病院へ持参し、先生の言葉をそのまま光乃に伝えて、

「勇雄はまああだが、雪代は勉強があまり好きではないようだ。女の子だからま、いいやな。稽古事でもみっちり仕込んだほうが本人のためだろう」

などと真剣な顔つきで話すのを見ていると、世間ふつうの父親とすこしも変わりなく、これが自分の得た何よりのしあわせかと思う。

また、洗濯物を病院へ届けにくる栄子は感嘆して、
「旦那さまは礼儀正しく、とても几帳面《きちようめん》なのでこちらが恥ずかしくなってしまいます。やっぱり十一代目にお成りになる方は違う、と皆さまおっしゃっておいでです」
というのへ、光乃は笑いながら、
「それは昔からなのよ。皆さまのお目にとまらなかっただけなのよ」
というが、確かに雪雄は名が変わってからは言葉づかいにも行ないにも細心の注意を払って、仮にも玄十郎の権威を損なうまい、としているところはあった。

秋、光乃は健康を取り戻して家に帰り、雪雄は大阪公演を終えたあとはまた十一月、一月二月と舞台をつとめたが、このころから、玄十郎はごてる、玄十郎は厄介だと一部のひとびとからいわれるようにもなった。

それというのも翌三十八年から演出も手がけるようになり、春に美貌《びぼう》の映画女優との共演が持ち上がったときも、雪雄は憤《いきどお》ってこれを蹴《け》ったという件もある。

雪雄の舞台演出は、「修禅寺物語」にはじまり、「毛抜」「私本太平記」とこころみて、役者から演出の新分野へと一歩踏み出したが、その方法はまことに克明周到なものであった。

狂言ごとに必ず自分の演出台本を作り、青と赤の鉛筆でびっしりと記入してあるそれ

らは後世への貴重な遺産ともいわれるほど丁寧なもので、ところどころ判読できないほど厚く塗抹訂正してある部分が、雪雄の性格をよく物語っている。

女優との共演は、以前東宝在籍のとき映画出演して「江戸の夕映」を撮ってからは絶えてなく、その後は襲名の翌年二月、新派の水谷三重子と「信長とお市の方」を新橋演舞場で演じているが、それが好評だったせいか、美貌の女優との共演の企画がもち込まれたとき、雪雄は憤怒《ふんぬ》のあまり四月の舞台が終わるや、五月から八月までの四カ月休演を宣言し、家にひきこもってしまった。

新派の女優ならよいが、映画女優なら何故《なぜ》屈辱的かといえば、舞台役者のあいだでは板の上での芸はほんものだが、カメラの前でのコマ切れの演技は軽薄だという根強い考えかたがいまだにある。

実はこの考えかたは役者よりも贔屓筋のほうにより深くあると見えて、この噂《うわさ》が伝わるや、

「玄十郎は映画女優と共演するほど成り下がったか」

「伝統ある歌舞伎の舞台に、影法師女優を呼び入れて共演するとはなにごと」

などの強硬な意見が寄せられただけでなく、女性ファンからも、

「映画女優なんかとラブシーンなんかしないで！」

という哀願めいた声もどっと挙がり、もとより玄十郎の名を守らねばならぬ雪雄は、

こんな企画を考える会社側に強く抗議して、以後の役をすべておりてしまった。

このあと、ちょっとしたいざこざから俳優協会に脱退届を出したり、同じ松川を名乗る象之助と意見のくい違いを生じたりで、「よく事件を起こすひと」とかげ口をきかれたりしたが、これらは何よりも雪雄が、松川玄十郎の尊厳を傷つけまいと考えたからに他ならないし、また贔屓筋たちも、そういう凛《りん》とした雪雄を、心から応援しているのであった。

光乃は、こんな雪雄を見て、長い鬱屈《うっくつ》を外へ向けて吐き出し、戦えるようになったのだ、というふうに受け取っている。

いままでは、吐け口はすべて家の内、それも専《もっぱ》ら光乃だったものが、外に向けてはっきり自己主張できるようになっただけ、家では癇癪の爆発は激減した。

明子や蝶子など、顔を合わすたび、

「このごろお兄さまのおやさしくなりましたこと、びっくりするくらい。おうちでもずい分お楽になりましたでしょう」

と必ず口にされ、雪雄の変化は他からも立証されるのであった。

あとから思えば、襲名前から死までの三、四年間の平安と充足は、神が早く召す者に対する最高の贈り物であったかも知れず、そうとは知らぬ人間の愚かしさは、このしあわせが将来にわたって続いてゆくのを疑いもしなかったことをのちのち光乃は悔やむのであった。

このころ、家族揃って一、二泊の小旅行にもよくでかけたし、また夫婦だけで美味をたずねても歩き、ときには酔っ払ってふざけ、光乃を床に坐らせて、女房大明神さまへ日頃の感謝を込めて、などといいながら、さかんに盃を捧げたこともある。

また、光乃の洋服と眼鏡が大嫌いだったのも、最近は大幅に妥協して夏場のアッパッパだけなら、と許してくれたし、腎臓を患《わずら》ってから視力の衰えた光乃のために、金縁眼鏡を買ってくれたのも大きな変化で、襲名以来、どこへ行くにも光乃を連れ歩き、小さなことでも必ず相談して光乃の意見をよく聞くようになったのも、以前には考えられなかった姿であった。

また芸の上でも、襲名すれば必ず腕は上がる、といういわれどおり、その後の雪雄の舞台はいちだんと光輝を増し、誰かが「まるで金の光背を背負うているような」と評したほどであった。

襲名興行のあと、まっさきに演じた「近八」こと「盛綱陣屋」の盛綱は著しい進境を見せ、たっぷりと大きくなっており、同時上演の「若き日の信長」も、激昂《げきこう》した信長はまるで花のように美しかったという。

翌三十八年も、与三郎、実盛《さねもり》、「茨木」の綱、そしてお祭佐七、などで観客をひきつけ、三十九年には「私本太平記」の楠正成《くすのきまさしげ》で、横田黄邨《こうそん》に時代考証で貴重な助言をもらい、これも見事に演じ切って見せた。

　そして昭和三十九年の八月は、十二日から三週間、光乃とともに欧州旅行をこころみた。

　これは、演劇協会でシェイクスピア生誕四百年祭参加ヨーロッパ演劇視察団、という長い名前で旅行団を募集しているのを雪雄が知り、その場ですぐ二人分申し込んでから、光乃には事後承諾で、

「お光、この夏は洋行するぜ。シェイクスピアの芝居をじかに見られるんだ」

と、子供のような喜びようであった。

　舞台も六月を勤めたあとは九月末まであいており、久しぶりの長期休暇で外国を廻り、見聞をひろめようと考えたらしかった。

　光乃のほうはうれしさよりも不安でいっぱい、この旅行団では雪雄はただのひとなのだから、他の団員とうまく融合しなければならず、その辺り話してもうひとり、徳山にも同行してもらうことになった。

　一行二十四名、予定どおり十二日に出発してイギリス、フランス、ドイツ、イタリア、スイス、ギリシャ、オランダ、など各国を廻り、旅を続けたが、目的のシェイクスピア劇「オセロ」は主催者の手ちがいからロンドンではもう終わっており、チチェスターという小さな町まで追いかけて行って、やっとオリビエのオセロを観《み》ることができた。

このとき、いい席が手に入らず、主催者が雪雄だけ特別席を、と交渉すると、雪雄は固辞し、普通席で観たという。

この旅で、雪雄は他の団員といざこざを起こすどころか、いつも必ず率先垂範し、最優等生の折り紙をつけられたという。

時間に遅れず、女性団員には親切で、食事のおかわりのサービスもしてやったり、また荷物はいつも自分が持ち、光乃をいたわる様子には団員一同、感嘆したそうであった。トランクのなかには雪雄の礼装一式も入れてあったが、ザルツブルグで濃緑のチロルハットを買ったのが気に入り、このあとは終始シャツにこのハットという軽装で通したのがたくさんカメラに納まっている。

一度ベニスで、しばらくのあいだ、雪雄が行方不明になったことがあった。サン・マルコの広場ではぐれ、大騒ぎになったとき、光乃は引率者に、皆に迷惑をかけるので、どうぞ予定どおりの観光コースで進んでくれるよう頼み、自分はひとりホテルへ帰って待っていた。

実はこの四月も、四、五人で吉野山の桜を見に行ったとき、一時間近く雪雄の姿が見えなくなったことがあり、一同困惑してその場に立ち往生していたが、まもなく元気な姿をあらわした。

聞けば深い谷間に咲く西行桜《さいぎょう》を見に行っていたという。

このときは光乃もさして気にとめなかったが、今度は言葉も通じぬ異国でのこと、万一の場合を考えると生きた心地もなく、ロビーで必死に目を光らしていたところ、まず帰って来たのは団員の一行で、そしてようやく、気のせいか憔悴《しょうすい》した表情で雪雄が戻って来たのであった。

とても不機嫌で、多くを語ろうとしなかったものの、どうやらベニス名物の迷路に入り込んでしまっていたらしい。ここは危険だから、といわれていたのだけれど、自分の不注意からつい迷い込んだのを、深く悔いている様子であった。

この小さな事件は、何故か光乃の胸にとげのような痛みを残したまま、長いあいだ忘れられなかった。

これという理由もないけれど、あのまま雪雄が帰ってこなかったら、という不安がその後も目先に漂い、そのときの疲れ切った表情とともに、何となく不吉な感じがつきまとうのであった。

この旅で、雪雄はごてる役者、気むずかしいひと、という噂をすっかり払拭《ふっしょく》し、極めて真面目《まじめ》で気さくな方、という好印象を一同に与えて九月一日、予定どおり帰国したが、光乃のみるところ、ずい分、同行者に対して気をつかっていたのではなかったろうか。

それを証拠立てるのは、戻ってのち、湯殿に置いてある体重計は三キロ減を示しており、旅の疲れがただならぬものと考えられるからであった。

昔の舞台俳優は、白粉《おしろい》に含まれる鉛毒にやられる例も多かったが、いまどき、医学的にいって白粉焼けというものがあるかどうか、ただ素顔の黒い役者を指してそのせいだと片づける言葉はなお残っている。

雪雄の場合、子供のころから色は黒く、結核療養のときも、この病独特の透きとおる肌のいろではなかったため、かげでは「黒肺」などといわれたこともあったという。

ヨーロッパ旅行から帰ってきたとき、雪雄の体重減は「白粉焼け」で片づけようとする顔いろとともに光乃の気にならないではなかったけれど、九月はゆっくり休んだし、十月は芸術祭参加公演に「助六」が決まり、

「何度演《や》っても『助六』は判《わか》らないところが出てくる」

といいながら家でも稽古《けいこ》を怠らなかった。

翌春は勇雄の大学受験も控えており、旅から戻れば待ち構えていたように光乃も忙しく、このあたり暦は風にあおられるようにみるみるうちにめくられて行った。

雪雄は十二月は「大菩《だいぼ》薩《さつ》峠」の机竜之助を演じており、光乃は初日にのぞきに行って何だか暗い役だな、とそのとき思った。

その夜、聞こうか聞くまいかとためらったが、家の内の段取りもあることだし、

「お正月には何をお演りになるのですか」

とたずねると、案外機嫌よく、

「一月は休みだ。その代わり二月は宝塚劇場、三月は歌舞伎座で死んだ親父《おやじ》の十七回忌追善公演をやるから、新二郎、優と一しょに出ることになっている」

と話してくれた。

追善公演は以前からうすうす聞いていたものの、一月休演とは驚き、思わず指を折って、

「終戦からこっち、もう十九年になりますかしら。一月に旦那《だんな》さまが出ない年は一度もございませんでしたのに」

と惜しそうにいうのは、雪雄は正月役者といわれ、役は何であれ、舞台に立つだけで新春らしい目出度さと華やかさが漂うのに、来年は何故、という不審を込めてそう糺《ただ》すと、雪雄は気にもしていないふうで、

「たまにはいいさ。『妹背山《いもせやま》』だそうだから、優が出るはずだ」

とこともなげにいって退けた。

配役は大体のところ奥役が決めるが、雪雄どころなら、休演か出演かはほとんど本人の意志どおりにできるはずであり、このとき雪雄が、

「どうも体調がよくないから、この正月は休ませてよ」

といったかどうかは光乃に判らずじまいになり、あとから思えばこれも悪い前ぶれのひとつだったのではなかったかという気もする。

雪雄は、椎間板《ついかんばん》ヘルニアのときの入院でも判るように、短気に見えてとても我慢強いところがあり、少々の容体では医者のもとへ走り込むようなことはしなかった。

あとから思えば、いろいろな兆《きざ》しがあったと考えられるのに、運命とは不可抗力なのか、悉《ことごと》く見逃して過ぎてしまったことを歯ぎしりしたく光乃は思う。

一月は何故か休演し、二月は宝塚劇場で「伊達《だて》政宗」の政宗、「鬼の少将夜長話」の智元、「むさし野兄弟」の徳川慶喜《よしのぶ》、と昼夜ともに奮戦し、三月は「勧進帳」の弁慶と富樫を弟たちと日替わりで演じ、他に「河内山《こうちやま》」の河内山、「酒井の太鼓」の酒井左衛門、とこちらも目いっぱいにつとめた。

振り返って唯一《ゆいいつ》の救いは、これまで三人揃《そろ》って芝居に出ることはあまり無かったのに、この春ばかりは三人兄弟の共演で楽屋に詰め、二カ月にわたって毎日のように顔を合わせていたのは、これも追善興行の功徳《くどく》、宗四郎の親心ともいうべきものであったろうか。

三月には、勇雄の日本大学合格の朗報があり、光乃は一刻も早く知らせたくて楽屋に行ったところ、鏡台のわきに、半分しか箸《はし》をつけていないそばざるが置かれてあった。

光乃は、ちょっと箸を休めているところかと思い、

「もっと召し上がりますでしょう」

とすすめると、

「いや、食いたくねえ。下げてくれ」

といって腹を撫《な》でている。

「何か他に召し上がったのですか」

と聞いたところ、

「何にも食ってはいねえが、満腹なんだ」

といって、すぐ、

「勇雄の合格通知を聞いて胸がいっぱいというところかな。あいつも罪なやつだ」

と笑った。

その笑顔はまことに屈託なく、光乃は雪雄の親心を感じ、こちらも胸がいっぱいになる感じであった。

このころから雪雄は、食欲不振や、吐き気、腹部膨満や、便秘などの症状にときどき見舞われていたのではなかったろうか。

そのたび、

「昨夜は少し飲みすぎたからそのせいだ」

と思い、

「トシなのかな。油っこいものはもたれる」

とも考え、

「なあに、消化《こなれ》のいいものを食っていればそのうち快《よ》くなるさ」

とも自分を宥《なだ》めていたものとうかがわれる。

宗四郎の十七回忌追善公演は、三月の歌舞伎座に引き続いて四月には大阪新歌舞伎座でも演《や》ることになっており、雪雄はゆっくり休むひまもなく、大阪でのホテル住まいに移った。

家での食事なら、胃腸の機嫌を取りながらある程度養生もできるが、旅先では外食ばかり、食欲が無ければそのまま食べず、夜は宴席で盃を受けねばならぬとすると、加速度的にこの辺りから病勢悪化を招いたのではなかったろうか。

悪いことに、まだ本人には少しも病気の自覚が無く、うかつにも光乃も全く気がつかなかった。

ただ、大阪興行の千秋楽が近づいたある夜、ホテルから電話があり、

「楽《らく》の日にはこっちへ来てよ。一緒に帰るから」

といい、あら珍しいこと、と思ったが、大阪の皆さまに挨拶《あいさつ》をしろという意味だと思い、光乃はそれを受けた。

そして楽の前日大阪入りし、翌日新幹線で戻って来たが、車中雪雄は眠り続けであった。

昔、「助六」で人気の出はじめのころであったか、ある評論家と同車で帰る途次、眠

り込んでしまった雪雄をそのひとはつくづくと眺め、寝顔さえ比類なき美しさ、と書いたのを光乃は思い出し、いま雪雄にそっと毛布をかけてやりながら、旦那さまもそのころから見ればすこうし老《ふ》けたかしら、と思った。

役者に年はないけれど、雪雄もことしは五十七歳、一日十四時間も楽屋に詰めて、昼夜人目に体をさらすのも並大抵ではあるまい、とそのときはそう思っただけで、病気とは結びつけて考えなかった。

今年は一月こそ休演だったが、二、三、四とずっと勤めており、できれば五月は休みたかったろうに、東京へ戻ればさっそく「保名《やすな》」の稽古に入る予定になっている。

五月は亡《な》き六代目のこれも十七回忌追善に「対面」をやることになっていて、その舞台で将来六代目の名跡を継ぐと思われる田上栄幸の子、鹿之助が梅之助に、優の子右近が巳之助に、十七代喜左衛門の子寅三郎が錦水に、と三人揃って若手が襲名するはずで、これに玄十郎がつきあわないわけには行かなかった。

初日が開け、雪雄はひとりで「保名」を踊ったあと、突如林を呼び、

「歯が痛いから踊るのは無理だ。明日から休演の手続きを取ってくれ」

と伝えると、さっさと家に帰ってしまった。

歯痛はつらいだろうが、舞台を投げて休んでしまうとは、と関係者はおどろき呆《あき》れ、さっそくおさめ役が家に訪ねて行ったが、雪雄は会わなかった。

とりあえず舞台のほうは、達者な優が「保名」を替わり、穴を明けないようにはからったが、優からは林に「三日ご定法《じょうほう》」ってこともあるから、三日だけは勤めるぜといわれており林の心痛この上ない。しかも単に歯痛とだけでは、

「だったらおれっちも、痔《じ》が痛いって休みてえもんだ。痔と歯は同じようなもんだ」

などとちゃらかす声もあって、これには本音があるだろう、本音を聞かせてもらいたい、と迫られて林が強談判《こわだんぱん》すると、

「大体、松川宗家をバカにしてるぜ。おれに何の挨拶もない」

という言葉が雪雄の口から聞かれた。

が、こういうとき、根掘り葉掘り洗って明らかにはしないのがこの世界のよしあしで、おさめ役と林とで代わる代わる、

「そこを曲げて」

と懸命に宥めているうち、雪雄の歯痛もいく分よくなり、舞台は優を伏し拝んで日延べをたのみ、八日間休んだだけで復帰した。

察するところ、「対面」は遠く初代玄十郎が元禄《げんろく》年間に作と演技をつけたもので、ならば座組の前、羽織袴《はかま》で現玄十郎に出演の許しを受けにくるのが礼、と考えたらしいが、一面また田上家では、現行の演出は六代目梅五郎襲名のときのものが使われているため、その必要はないと解釈したらしかった。

この問題は、どちらも詫《わ》びなど入れないまま、芝居は続けられたが、雪雄休演の八日間、光乃はそばで見ていて、このひとはやっぱり体がきついのではなかろうか、と思った。

気軽に役を受け、八分どおりの呑《の》み込みで舞台を勤める気質ではないし、演るならば徹頭徹尾研究し、稽古を極めて出るひとだから、その上玄十郎の名の重みがかさなれば、少しのことにも苛立《いらだ》つことはよく判る。

それに「保名」は、恋人榊《さかき》の前に死なれた保名が、形見の小袖《こそで》を手に蝶《ちょう》を追いながらさまよい出、狂乱の哀れさを見せるというもので、美しさも美し、哀れも哀れ、という舞台だけに、雪雄にとってはずい分疲れるのではないかと思えるのであった。

初日をのぞいた光乃の目に、〽恋よ恋、われ中空《なかぞら》になすな恋、というおき唄《うた》のあと、花道に走り出た雪雄の美しさに、客席がどよめいたさまがはっきりと灼《や》きついている。若い保名の白塗りの顔はくっきりと輪廓《りんかく》あざやかで、紫の病鉢巻きがよく合い、白地ぼかしの長袴、露芝の繡《ぬ》いのある黒地小袖、と雪雄はまるで、光乃が初めて出会ったころの若々しさであった。

それなのに、衣裳《いしょう》を脱ぎ捨て、家に帰った雪雄は、疲れきったように、

「床を敷いてくれ。寝るから」

といってすぐ横になり、蒲団《ふとん》の上にながながと伸び切っている。

役者とはむごいもの、五十坂越して体力は衰えても、舞台に立てば女性を魅了するような若い男を演じなくてはならぬ、そのせいいっぱいの張りが本人の気持ちの支えになるかも知れないものの、やっぱりこれは苦しかろう、と毎日いかにもしんどそうに歌舞伎座に出かけてゆく雪雄を見て、光乃は心からそう思った。

夜も、眠れないことが多いらしく、ごそごそと起きて便所に行ったり、ときにはスタンドを点《つ》けてブランデーを嘗《な》めているときもある。

ある夜、光乃は、

「やっぱり気分がよくないんですか」

と聞くと、雪雄は暗い声で、

「しばらく休んだほうがいいかな、と思っている」

といい、すぐ、

「いややっぱり、それはご贔屓《ひいき》の皆さんに悪いかな」

といいなおすのへ、光乃は、いままで雪雄がこんな弱気な迷いを見せたことがなかっただけに、

「思い切って長いお休みを頂いたら如何《いかが》ですか。お好きなところへのんびりと旅行でもなさったら」

と励ましてみたが、雪雄は乗らないふうで、

「うん」

と重い返事をしただけであった。

こんな場面が五月中、二度ほどあっただろうか。

六月は予定どおりの休演で、そしてこれも予定どおり宝塚義太夫《ぎだゆう》歌舞伎研究会で「寺子屋」の指導に当たった。この件は以前から頼まれていたもので、綿密ていねいに教え、舞台稽古のときなど、客席から急に立ち上がると、舞台裏まで走っていって、

「源蔵のはけ先をなおして下さい」

と伝えたりする。

源蔵は寺子屋の主《あるじ》、主家の若君をかくまう忠節一途《いちず》の武士で、この源蔵の髷《まげ》の先がならず者のように曲がっていたのでは芝居ぶちこわしだが、雪雄はそれが気になってならず、人伝《ひとづ》てではまどろこしいとばかり、自分で注意しに行ったものらしかった。

この指導も相当きつかったらしく、小休止のあいまには疲れ切ったように椅子《いす》に深く身を沈めていた姿を、多くのひとたちが見かけている。

「寺子屋」指導が終わったのが六月二十三日、その日戻った雪雄は、着替えを手伝う光乃に、

「今日、稽古中、二度吐いたよ。胸がむかむかしてしようがないんだ」

と告げた。

何かの病気に違いない、と光乃が確信したのはこのときで、その晩すぐ林に連絡をとり、翌朝、家に来てもらった。

容体はといえば、食欲が無く、食べると必ず胸がむかむかし、ときにはひどく痛む、という。

絶えず胃腸の薬は飲んでいるが、このごろはだんだん効かなくなってしまった、との雪雄の説明を聞いて、林は、

「先《ま》ず、診てもらいましょう。それによってかなりゆったりと休演させてもらいましょう」

と提言し、これには雪雄も異存はなかった。

このときは林も、

「飲み過ぎですよ、きっと。胃カタルでも起こしているんでしょう」

といい、雪雄もまた、

「飲みはじめると定量で切りあがらないからね。積年の報いかな」

と同意し、誰も軽く考えていたふしがあった。

さて医者はどこへ、ということになれば、以前、雪雄が慈恵医大病院に椎間板ヘルニアで入院したのは、暁星《ぎょうせい》小学校の同級生だった下田先生の手引きだったのを思い出し、今回も内科の権威であるこのひとに診てもらったほうがいい、ということで二人の意見

は一致した。

ただ、下田先生はいま、慈恵医大病院から東大病院に移っており、さっそく林が電話して伺うと、ではこのさい一切の検査を、というすすめで、六月二十六日から四日間、ドック入りをすることになった。

付き添いは不要、という話だったが、家から病院まで林と光乃の二人が同車して従い、光乃は夜だけ帰宅して昼間は病室に詰めることにした。

雪雄はこれまでにも、弟たちに笑われるくらいしばしば検査は受けていたが、これほど念入りにしてもらったことはなく、それだけに、

「体中鼠《ねずみ》一匹這《は》い出るすきもないほど、網を張られている」

と冗談をいうほどであった。

一切終わったのが二十九日、下田先生の所見は、

「まだ検査結果の出ないものもありますが、判っているのは血液中の総蛋白質《たんぱくしつ》が少ないこと、これは栄養失調や肝臓の悪い場合に見られます。しかし肝臓には異常はありませんから、少々栄養失調ぎみというところでしょうか。

また胃は別段悪くはなく、強いていえば食道におかしい個所があるのではないかと思われますが、これは胃と食道のつながっている部分の角度なのです。だから、ひょっとして肋膜《ろくまく》の癒着のあとが攣《つ》れているのかも知れません。

ですから、この部分についてはもう少し様子を見ることにしましょう」

という説明であった。

このとき、下田先生はたぶん、雪雄の胃の部分に不審な部分を発見していたと思えるが、性急に結論を出すのを控えていたものと考えられなくもない。

が、雪雄は、診断がただちに黒、と出なかったことで急に元気を盛り返し、

「やっぱり下田先生は名医だ」

などと喜んで、さっそく懸案の千鳥会の指導計画を立てるのであった。

舞台のほうは、林と相談して、「様子を見る」と先生がおっしゃったからには、いずれもう一度病院を訪れ、治療するなら治療してもらってこの際根治を目ざすとすれば、やっぱり今年いっぱいは休演するのがよかろうと決めて会社に届け、はじめて「玄十郎病気のため六カ月の休演」を発表した。

千鳥会というのは、松川玄十郎一門の若手の勉強会で、もちろん勇雄《いさお》も属しており、第一回の発表会は二年前の七月三十日、砂防会館で「勧進帳《かんじんちょう》」を出し、勇雄には弁慶を演じさせたが、今回も同じ七月三十日、三越劇場で「鏡獅子《かがみじし》」の上演が予定されているのであった。

例によって、雪雄の指導はきっちりと楷書《かいしょ》体で描いたように隅から隅まで目を届かせてきびしく、とくに「鏡獅子」ではじめ腰元弥生《やよい》、あとで獅子の精を演じる勇雄には口やかましく注意した。

このとき勇雄は、これが父に教わる芸の最後となるなどつゆ思わず、白頭《しろがしら》の長いかつらをかぶって振るのに懸命、毎日のように、

「毛に逆らうような振りかたをするんじゃねえ」

という叱咤《しった》を浴び続けであった。

しかし、雪雄の体は快方に向かわず、栄養失調だから少しでも滋養を、とすっぽんの

スープなど針生姜《はりしょうが》をほんの少々浮かせてすすめる光乃《みつの》の前で、一口すすっては椀《わん》をすぐ下に置いてしまう。

励まされてごくりと飲んでみても、すぐ便所へ立って行って吐いてしまい、胃の辺りをてのひらで撫《な》でながら気分わるそうに座に戻ってくる。

のどごしのよいものを、食欲の湧《わ》きそうなものを、と光乃も献立に頭を悩まし、客からもらったシャーベットを一度、とても喜んで食べたから、とふたたび出すと今度は手を振って拒み、そばなら消化もいいだろうとすすめると、長いものはのどにつっかえるという。

また、風呂場《ふろば》に置いてある体重計にひんぱんに乗っかっては、

「どんどん痩《や》せて行く。おいお光、何故《なぜ》だ。何故こんなに痩せるんだ」

体重計を見なくても、「保名」以降の頰や肩の肉の陥《お》ちかたはただならず、光乃はそれを、食べないせいだとして無理にでもすすめようとするが、

「食べたら吐きそうだ」

として拒もうとする雪雄とは毎度小さないさかいを繰り返す。

ある日、珍しく麗扇がたずねて来て、容体を聞き、

「お兄ちゃんそれはきっとイカイヨウよ。うちのお父ちゃんも、そうね、あれはいくつのときだったかしら。舞台で血をどっさり吐いて、築地の南胃腸病院へかつぎ込まれ、

危篤《きとく》だといわれて親族みんな集まったことがあるの。

そのとき、ご先祖さまのご加護かどうか奇蹟《きせき》的に快《よ》くなり、元気になって退院したんだけど、お父ちゃんは暴飲暴食はしたこともないし、どうしてこんな病気になったのかふしぎだというと、先生は、短気で癇癪《かんしゃく》もちのひとが何かを我慢したり、重い責任を負わされたりするとこんな病気にかかることがあるっておっしゃいました。

お父ちゃんもその前、自分が座頭《ざがしら》で旅興行に出たんです。ずいぶん我慢しなきゃならないことも多かったから、きっとそれが原因だろうと判《わか》ったの。

お兄ちゃんもそうよ。松川の名を継いで、いろいろ苦しいことがいっぱいあったでしょ。それよ。それが原因よ」

といい、きっといまに快くなるわ、うちのお父ちゃんもすぐもとの体に戻ったから、と勇気づけてくれた。

雪雄にとって、同じ一門に似たような病人がいて全快したという事実は何よりの薬で、これでしばらく気力をとり直した感じがある。

そして七月二十八日、歌舞伎座の演劇人祭で、兄弟三人揃《そろ》って長唄の「助六」を踊ることになり、前日は一日中、歌舞伎座に詰めて新二郎、優《まさる》と合わせ、稽古《けいこ》した。

光乃は当日、歌舞伎座のロビーで明子蝶子《ちょうこ》に会い、挨拶《あいさつ》を交わしたのち、客席の後方の席に坐《すわ》った。

これが、十一代松川玄十郎の、人前に立つ姿の最後になるとはまさか思いもしなかったけれど、虫のしらせか、何やらしっかり見ておきたいという気がした。

今年いっぱいの休演、を発表したあとではあり、一般客にも、フラッシュは禁止されているのに、カメラを目の高さに上げて狙《ねら》っているひともあり、その緊張の雰囲気のなかで三人揃いの黒紋付きの袴《はかま》姿で兄弟競い立つさまはいかにも美しく頼もしく、白木屋《しらぎや》ゆかりの贔屓客《ひいきぎやく》には垂涎《すいぜん》の舞台であった。

長男は容姿端正、次男は重厚、三男は若々しく凜々《りり》しく、三兄弟いずれをあやめ、かきつばた、舞い立ち舞い替わり、或《ある》いは優美に或いは力強くときに荒々しく、そして粋《いき》に驕奢《きょうしゃ》に流麗に演じるさまはいずれも揃ってまことに立派な男ぶり、これほど目出度い舞台があろうかと、仰ぎつつ光乃はいつのまにか胸いっぱいに思いがふくらんでいるのであった。

三兄弟揃っての出演は、「菅原《すがわら》伝授」など例はあるが、素踊《すおど》りはめったと見られないだけにそれぞれの生地そのままが感じられ、光乃は、大旦那《おおだんな》さまが生きておいでならさぞかしお喜びになるに違いないと思った。

雪雄五十七歳、新二郎五十六歳、優五十三歳という、男ざかり役者ざかりだけに素踊りの魅力いや増す感じだけれど、光乃は心の一隅でやっぱり雪雄のさす手引く手のどことない力無さ、うしろ向きになったときの肩の肉の陥ちかたなど、気にしつづけている。

しかし観客には判らなかったのか、終わるとヤンヤの喝采《かっさい》で、その拍手を背に聞きながら楽屋へ直行すると、雪雄は着替えをしているところであった。

見れば、汗で肌に貼《は》りついている襦袢《じゅばん》の上からも露《あら》わに肋骨《あばらぼね》が数えられ、わずか十四分足らずの長唄だったのに、疲れ切って肩で息をしている。

このひとの若き日、汗が玉のように弾《はじ》け散るのが客席からでも見え、その迫力に圧倒されたという話が嘘《うそ》のように思えるほど、光乃の目には衰えがはっきりと判る。

あとから思えば、この辺りの一日一日は雪雄にとってとても苦しかったろうに、何故その場から病院へ引っ立てなかったろうかと光乃には臍《ほぞ》を噛《か》む思いばかり、この日、舞台のあとも、七月三十日の千鳥会の発表の件で雪雄は勇雄の最後の仕上げを見てやっているのであった。

しかし、見るひとの目には雪雄の痩せかたがふつうでない、と判るのか、光乃の袖《そで》を引いて、

「旦那はどこか具合でも悪いんじゃないの？」

と聞くひともあり、光乃はそのたび、

「いえ、そんなことはございませんよ」

と否定していながら心はあせり続けている。

風呂場に置いてあった体重計も、本人がひんぱんに載ってみては気にするので、光乃

はひそかに隠してあるが、すでに六十キロを大幅に切って、ひょっとすると五十キロ少しかもしれないと思われるし、また無理して摂《と》ろうとする食べ物も日を追うてのどにつっかえ、流動物ならば何とか流し込むところへ病状は進んで来ている。

六月に東大病院を訪ねたとき、下田先生がもう少し様子を見ましょう、とおっしゃったからにはやっぱりまずこちらへ、と律義《りちぎ》な雪雄がきちんと順序を踏んでふたたび東大病院を訪れたのは八月九日、前回のような検査をくり返しながら、下田先生ははっきりとした診断は何も下さなかった。

夜になると不安は暗雲となって雪雄ばかりか光乃の胸のうちまで掩《おお》いつくして容易に眠れず、転々と寝返りを打ちながら、雪雄はいくども、

「先生はお前にだけ病名を明かしたんじゃねえのか。え？　おい。何か隠しているんだろ」

と腹立たしそうに詰め寄るときもあれば、

「いっそ病院替えてみようか？」

といってみたりもする。

光乃も実はそれを考えないでもなく、林にも相談してはいるのだけれど、下田先生にかかっているものならば勝手に転院は、というためらいがある。

八月十日の午後、弟子玉助の親戚《しんせき》筋にあたるひとが結核の検査で慈恵医大病院を訪れ

たところ、たった一日で結果が判り、

「慈恵は早い、患者を焦《じ》らせない、診断が正確だ」

と褒めているという話を、光乃は玉助の口から聞いた。

林も来ていたところで光乃がそれを打ち明けると、雪雄は病院のベッドから身を起こして、

「それだ、慈恵へ行こう。林、すぐに手配しておくれ」

と、いまにも飛び出しそうにはやる。

しかし診察は紹介者が必要だし、誰か該当するひとはいないかと三人頭を寄せ合った結果、あ、こんないいひとがいたのに、と手を打って林が思い出したのは薬剤師の山中文子であった。このひとは大の芝居好き、玄十郎後援会「十八番会」にも入っており、雪雄の椎間板《ついかんばん》ヘルニアのときはむろん、勇雄雪代ともにずっと何くれとなく世話をしてくれている。

翌十一日、雪雄は検査の過程でバリウムを飲み、レントゲンを撮ってもらったあとで、突然荷物をまとめて帰宅準備をし、看護婦には、

「ちょっと調べたいことができましたので、資料のある家へ帰ります」

とだけ告げて病院を出た。

雪雄と林、光乃を乗せたタクシーは目黒へは帰らず、まっすぐ新橋の慈恵医大病院へ

向かうと、待ちかまえていた山中文子は新進気鋭の助教授、伊藤健一郎の診察室へ案内した。

ではともかく、胃部のレントゲン写真を撮りましょう、と伊藤助教授は雪雄を診察したが、さっきバリウムを飲んだばかりの胃はよく写らなかった。

十分に写らないレントゲンでは診察のしようもなく、この日は一旦《いったん》引きとり、中一日休んで八月十三日、朝食抜きで雪雄は光乃ともども再度慈恵医大病院を訪れた。

診察室で雪雄と向き合ったとき、伊藤助教授はその顔いろの悪さにまず愕然《がくぜん》としたという。

助教授は芝居には全く関心のないひとだったから、役者の顔なら白粉《おしろい》焼けもあり得るだろうという無駄な忖度《そんたく》がなく、初診に際し冷静に観察できたのではなかろうか。

顔いろ青黒く痩せ、一目見て悪疾だと思えたが、念のため診察台に横たわらせ、触診すると、やはり胃の上部に明らかに触れるものがあった。

外側からの触診でそれと判るならこれはもう容易ならざる病状だが、伊藤助教授はさりげなく、順序としてレントゲン撮影をすすめ、そのとき、レントゲン科への撮影依頼書にはためらいなく、「カルチノーム（癌《がん》）」と書いた。

撮影のあと、現像まで約一時間、まず助教授が自室でそれを見ると、胃の噴門部に親指大の突出した腫瘍《しゆよう》があり、そのとたん、助教授は深い絶望感に打ちのめされたという。

腫瘍は正しく悪性の癌、しかもこれだけ大きく写真にうつるなら転移も予想しなければならず、もはや内科で手に負える症状ではないと思い、待っていた雪雄を診察室へ呼び入れた。助教授は落ち着いて、

「軽い胃潰瘍《いかいよう》がありますね。外科の中井先生がそのほうの専門ですから、そっちへ移って治療しましょうか」

と説明し、中井教授の予定表を見て、三日後の八月十六日、来院するよう伝えた。

「胃潰瘍でしたか。道理で痛むと思いました。治療すればよくなりますでしょうか」

と聞く雪雄に、助教授は視線をそらせながら、

「大丈夫ですとも。中井先生にすべてをお任せになって下さい。もちろん私もお手伝いいたします」

と、いずれは空手形と判るのを承知でそう答えながら、しかし心のうちでは全力を挙げてこのひとのこの病気と取り組む決意をしたという。

相手がいまをときめく人気役者だからというのではないけれど、雪雄のものごしの礼儀正しさ、生まじめさは、好感を以《もっ》て若き医師の目に映り、同時にそれは、もはや治療の望みもあるまいという哀惜と重なって、伊藤助教授の闘志をかきたてたのではなかったろうか。

その日、助教授は中井教授を訪ねて自分の所見を述べ、これからの雪雄には終始胃潰

瘍の病名で通すよう、打ち合わせた。

伊藤助教授はさらに、雪雄が強く不満を訴えた東大の下田先生に連絡をとったが、こちらも推察どおり初診のときから病名は判っており、データを揃えた上で本人に告げるべく、準備中だったという。

そうとは知らず雪雄は、軽い胃潰瘍、と告げられたことで俄《にわ》かに元気を取り戻し、ふしぎなもので、このあと二日ほどは食欲も増し、あちこちに電話しては明るい表情で病状の説明をしたりしているのであった。

十六日は約束の時間前に慈恵医大病院に到着し、しばらく待って名を呼ばれたとき、いつものように光乃もつき従った。

中井教授は壮年の、いかにも信頼できそうな医師で、雪雄にいろいろと問診をしたあとで、

「先日のレントゲン写真を拝見しました。私の所見では手術して潰瘍部分を除去したほうがいいと考えます。このさい思い切って切りましょう」

その言葉を聞いたとき、光乃は、雪雄の唇のいろがさーっと褪《あ》せるのを見た。

「え？　切るのでございますか」

とおうむ返しになぞるのは如何《いか》にも意外であったに違いなく、それは光乃も全く同感であった。

「薬ではなおらないんでございますか」

という質問に、中井教授は、

「そうですね。なおらないことはないんですが非常に長く時間がかかりますし、一進一退のくり返しで治癒率も低いと思いますよ」

「そうすれば先生、切ったら早く快《よ》くなるのでしょうか」

「私はそう思います」

「もし切るといたしましたならば、どのくらいでなおるものでございましょう」

「ま、切ってみなければ判りませんが、大体、手術後二、三週間ていどで退院、そのあとは自宅で休養ということになりましょうか」

という答えを聞いて雪雄はじっと考え込んでいたが、元来慎重なひとではあり、その場で、では切って頂きましょう、との即断はせず、

「では、また改めてお願いに上がらせて頂きます」

と挨拶し、その日は帰宅した。

帰りの車のなかで雪雄は、

「叔父さんが胃潰瘍になったとき、手術はせず快くなったって坊やちゃんがいっていたな」

と思い出し、光乃もそうでしたね、と相槌《あいづち》を打ちながら、

「あれは突然血を吐かれた、とおっしゃっておいでてしたから、急性なんでしょうね」

と麗扇の言葉を手繰り寄せる。

このとき雪雄の脳裏には、手術をすれば腹に醜い傷痕《きずあと》が残り、舞台で肌を見せなければならぬ役者にとってそれがいかに耐え難いかということが、しきりに往来していたのではないだろうか。

切られ与三《よさ》しかり、弁天小僧しかり、勘平や清心の切腹の場まで入れると、晒《さらし》は巻いてあるものの、胸と腹をくつろげなければならぬ役はたくさんあり、そういうときしみひとつない肌をさらすのと、手術のあとの痛ましさを露わにみせるのとでは演ずる側の心がまえが違ってくる。

ましてやこれまで、天与の美貌《びぼう》に品格備わり、光源氏の役までこなして来た身が、一皮剝《む》けば刃傷《にんじょう》のあと、というのでは観客の夢をぶちこわしてしまう、と恐れていたところは大いにあったらしい。

雪雄はそのあと家にこもって憂鬱《ゆううつ》な日をすごしながらも、何とかしてこの窮状を切りぬける手立てはないものか、とあせり続けた。

一刻も早く快くはなりたいが、正直いって手術はおそろしい。しかし内服薬のみの治療にたよると、今年いっぱいの休演では追いつかなくなるかもしれぬ、病をだましだましながらも舞台が勤まればいいが、いまの状態ではとてもおぼつかないし、と胸のなかでは出口のみえない迷路をいつまでもどうどうめぐりしている。

もちろん松川家先祖の霊には毎日心をこめて祈念をし、礼を怠らないが、病状は相変わらず、こういう雪雄にとっていまのたよりはやはり山中文子であった。

彼女は毎日のように目黒の家を訪れ、薬を運んで来てくれたり、食べ物の助言をしてくれたりし、そしていつも、

「伊藤先生もとても心配なさってらして、その後どんなご様子ですか、と必ず私にたずねられるんです」

と伝え、また、

「胃潰瘍はどうしても貧血の症状が出ますし、その処置は家庭ではでき難《にく》いですから、ぜひ入院をお勧めします、としきりにおっしゃっておいでです」

と、伊藤助教授の気持ちを橋渡しする。

雪雄は迷い、

「山中さん、あなたはどう思いますか」

と文子の判断を聞くときもあり、もちろん彼女は家庭療法の不便不備を嘆くよりも、医薬完備の病院をすすめ、

「ご便宜はいかようにでもお計りします」

といい、その言葉を味方にしてやっと雪雄が入院を応諾したのは、手術をすすめられ

て十日ののち、八月二十六日のことであった。

庭につくつくぼうしがやかましい日だったのを光乃はおぼえている。

この日の入院の様子を、のちに思い出すたび、光乃は涙がとまらなくなる。

明日の運命が判らぬ人間のあわれさ、むごさ、雪雄はこの日を限りに生きて目黒の家の敷居をまたぐことはなかったのに、誰ひとりそのことは思わず、まだ夏休み中の雪代も父親につきまとって玄関まで送りに出、二言三言やりとりして小さな笑い声が上がったほどであった。

ハイヤーに乗るまえ、栄子が小さな声で、

「萩《はぎ》はどうしましょう?」

と光乃にたずねたのを雪雄が聞いてふりかえり、

「ああ、あれね。おれが帰って来てやるから枯れないように毎日根もとに水をやってよ」

といい捨てて車のシートに身を沈めた。

実は、庭のかたえに弧を描いてしだれている宮城野萩の一株を雪雄はこよなく愛していて、今年も紅紫のかわいいちょう型の花がちらほら咲きはじめたのを見て、昨日突然、この萩を植え替える、といい出した。萩は庭の隅なので、はなれの縁側からは視角に入らず、ゆっくりと眺めようと思えば庭に下りてゆかねばならぬ。

このところの体の不調で、縁側に坐《すわ》ったまま、正面から観賞したいといい、スコップを持って庭に下りようとするのを見て光乃はびっくりし、

「いま花の咲いている木を植え替えるなんてそんな無茶なことを」

ととどめたが雪雄は聞かず、こんもりと丸く茂っている萩の根もとにスコップを入れ、掘り返そうとする。

光乃はあわてて、自分もそばへ行き、

「どうぞやめて下さい」

と、腕にとりすがろうとしたが、木ががっくりと傾いたところで雪雄は力尽き、その場に腰をおろして大きく喘《あえ》いでいる。

「花が終わったら植木屋を呼んで植えなおさせますから」

となだめて縁側まで連れ戻したが、体力の予想外の衰えに雪雄自身もおどろいたのか、そのあとは栄子を呼び、

「何とかひっこぬいておいておくれ」

と頼んだものであった。

いずれおれが帰って来て植える、といういまの言葉は、病気全快について自信あるいいかただったが、その場に居合わせた誰一人、それを疑問に思う者はいなかった。疑問どころか一門悉《ことごと》く平癒の日を固く信じており、手を振って出てゆく車のなかの

雪雄に、

「早くお帰りを」

「どうぞお気をつけて」

とふだんの出発と変わらぬ言葉を投げて見送るのであった。

慈恵医大病院に入った雪雄は、即日伊藤助教授の回診を受け、胃潰瘍についての説明を受けたが、まだ容易に手術のすすめに応じる気にはならなかった。

手術前の病人誰もがそう考えるように、切らないでも快くなりはしないかと一縷《いちる》の望みを抱いており、それに、数を制限してあってもやはりどうしても訪れる見舞い客たちの半分は、手術には頭をかしげるということがある。

誰々さんはアロエの絞り汁ですっかり元気になりましたよ、誰々さんは胃腸の神さまへ三七日《さんしちにち》のお願をかけて全快しましたよ、お灸《きゅう》の名人を知っていますからご紹介しましょうか、何々光線の照射で潰瘍の個所はすぐ癒《なお》ったと聞きますよ、と皆それぞれ心から親切にそうすすめてくれ、そのたびに光乃は心ゆらぎ、客が帰ったあとで、

「いまのお方のお言葉どおり、お灸もしてもらってみては如何《いかが》でしょう」

と顔色をうかがってみる。

しかし、自分の体は自分がいちばんよく知っているのか、いまさらもう雪雄は軽々しくそれには乗らず、じっと考え込んでいるのはやっぱり仕事の問題が念頭から離れない

ためもあったに違いない。

八月尽《じん》の日、回診にきた助教授に雪雄は、

「先生、切れば早く癒るのでございますね。ほんとうにさようでございますね」

と念を押し、自ら決心して、

「では手術を受けさせて頂きます」

と告げた。

そのとき光乃は、用達《ようた》しに部屋の外へ出ていたが、戻ると雪雄が静かな声で、

「手術してもらうことにしたよ。先生にいまそう申し上げたところだ。これからぼちぼち体をこしらえて、一週間くらい先になるだろうとそうおっしゃった」

と伝え、光乃はとたんに昂《たか》ぶる動悸《どうき》を気《け》どられまいとし、

「はい」

と、自分自身の覚悟を促すように深くうなずいた。

決意のためか雪雄はひどく昂奮《こうふん》していて、ベッドに半分起き上がり、

「考えてみりゃ、おれもいままでずい分腹を切ったなあ。そうだ、弁天小僧のときの大屋根のあおり返しで立ち腹切るときなんざ、ちょいとばかり派手だったが。

大体、腹に刃を突っ立ててから、どの役も結構科白《せりふ》が長いが、今度はそうもいくめえ。

全身麻酔だっていうから、知らないうちに切腹させられてからまた生き返るってわけ

だ。ここはいちばん、突くなり斬《き》るなり殺すなり、さあどうにでもなすっておくんなせえ、ってところだなあ」

と珍しく口数が多くなっている。

雪雄の身柄はすぐに中井教授の外科にひきわたされ、九月六日と決まった手術日に向かって検査や、栄養補給の点滴など、準備段階に入った。

光乃は中井教授から、

「手術前に、一度病状について説明しておきたいので私の研究室へいらして下さい」

といわれており、雪雄に相談すると、

「お前じゃ判らないこともあるかもしれないから、新二郎に行ってもらいなさい」

という指示で、明子にその旨《むね》連絡しておいたところ、芸術座の初日を開けたばかりの新二郎は、翌日、舞台前の時間を割いてさっそくあらわれた。

「兄貴、腹のなかをきれいさっぱりと掃除する気になったんだって？　よかった、よかった。腹に一物、背に荷物ってのはしゃれにもならねえからな」

と雪雄を励ますため、無口なひとが殊更《ことさら》軽口をいい、そして林と光乃とを伴って中井教授の部屋を訪れた。

教授は、

「ま、おかけ下さい」

と三人を落ち着かせ、先ごろ撮影したレントゲン写真をかたわらのボードに貼《は》ってライトを当て、

「お判《わか》りになりますか、これ。ピンポン玉よりはやや小さいが、そうですね、大人の親指くらいになっています」

とそこで言葉を切ってこちら側に視線を宛《あ》てた。

三人とも咄嗟《とっさ》に理解できず、新二郎が、

「潰瘍の部分ですか」

といいかけて、はっと目を見開き、

「それとも先生」

という言葉が終わらないうち、教授は、

「そうです。癌《がん》です」

と静かに告げた。

その瞬間、三人が三人、大きな衝撃を受け、絶望感に打ちのめされたかといえば、それは正確ではなくて、正直のところ、レントゲン写真を見馴《みな》れていない素人《しろうと》には、癌の大小と症状の軽重とはすぐに結びつかなかった。ただ、容易ならざる状況とだけは十分に知れ、新二郎が思わず身を乗り出して、

「先生、それで、手術してその癌を取り除いて頂けば、快くなりますでしょうか。如何

なものでございましょう」

とたずねると、教授は新二郎の目をまともには見ず、写真を眺めながら、

「残念ながら、手術しても八〇パーセントは駄目でしょうね。いまは残りの二〇パーセントに望みを託して、やってみるより他ありません。経験からいって、ここまで癌が大きくなっていればもはや年内いっぱい、保《も》つか保たないかというところです」

手術が成功しても、よくて年内いっぱいの命、と聞かされたとき、光乃は全身の血が逆流するかとばかりの衝撃で、そんな残酷な事実を告げる中井教授の顔をまじまじと見つめた。

新二郎も光乃以上の驚愕《きょうがく》で、教授の宣告のあと、何ともいえぬ苦しげなうめき声を発したまま、これも言葉がない。

癌が不治の病だとは知っていても、こともあろうにこんなに身近な雪雄が取り憑《つ》かれ、しかももはや手おくれの状態とは、そばにずっと付き添って来た光乃でさえ、夢の端にさえ想像したこともないのであった。

新二郎は、自分を支えるように拳《こぶし》を固く握りつつ、

「先生、それで手術をせず、このまま放置するとどうなるのでございましょう」

とたずねるのは、少しでも雪雄を苦しませたくないためなのだけれど、教授には科学者としての立場もあり、

「まもなく痛みがはじまり、そうですね、やはりあと二、三カ月というところでしょうか。

しかし手術をしても、方々に転移が見られた場合は原発部分の除去ということはできないかも知れません。

何故《なぜ》なら、もとの癌を取ると、転移したほうがどんどん大きくなる心配があります。そしたらあなたのおっしゃるように、このまま放置したほうがいっそ楽ではないかという考えかたもできますが、我々医者としては、低い確率にでも挑んでみるのが使命なのです。

二〇パーセントに賭《か》けざるを得ないのです。或《ある》いは手術の結果で二〇パーセントが五〇パーセントになり得る場合もあるのですから。

ですからあくまでこのたびは試験開腹ということでお任せ願えればと思います」

という説明の前に、新二郎は黙って頭を下げるより他なかった。

三人は力無く立ち上がり、病室に戻ろうとして外来の前を通ったとき、空いているベンチにまず新二郎が虚脱したようにへたへたと坐り込み、それを見ると光乃も一度に全身の力が脱け、最後に林も力なく腰をおろした。

誰も言葉なく、いまの中井教授の「年内いっぱい保つか保たないかというところ」の声音をいくども耳に呼び返し、その意味の大きさに体中を凍らせている。

「困った次第だ」

と沈痛に呟《つぶや》く新二郎に、林は番頭としての自覚からかしっかりした口調で、

「新二郎さんは、もう時間ですからまっすぐ楽屋へいらして下さい。旦那《だんな》には私から、大した話じゃなかったのでお前が報告するように、といって仕事に向かわれました、と申し上げておきますから」

新二郎は林のすすめるまま、その場から芸術座へ直行し、芝居がはねてのち、優をたずねて中井教授の言葉を伝え、兄弟相擁して泣いたという。

日頃感情を外に表さぬ新二郎が悲痛な声で、

「おれたち三人、助けあい、喧嘩《けんか》もしながらここまでやってきたのに、兄貴ひとり先に死ぬなんて信じられない。何てことだ」

と嘆けば、優も、

「おれたちは体張って毎日舞台を勤めているが、兄貴はあまりに律義《りちぎ》すぎて自分の健康を省みるひまがなかったんだ。あれほど病院好きだったのに、襲名以降、ドックへは一度しか入らなかったっていうじゃないか。発見が遅れたんだよ」

と口惜《くや》しがり、怒りをあらわにする。

しかもむごいことに本人は何も知らず、このあと最後まで、兄弟しめし合わせて素知らぬふりをしとおさなくてはならず、正直者の雪雄をあざむくのはどうにもつらい演技

なのであった。

同様に、いま光乃が念じるのは、自分のこの動揺をいかに雪雄に気取《けど》らせないかということであって、正直いってその自信は全くない。

中井教授から宣告を受けた直後、光乃は心を鎮《しず》めるために洗面所に入り、鏡を見るとすっかり青ざめてまだ下肢も小きざみにふるえ続けている。

水を飲み、髪を撫《な》でつけて部屋に戻ると、林はさすがに男、演技とは少しも見えぬしっかりした声で、

「潰瘍部分のレントゲン写真を見せて頂きました。胃をどれだけ切りとるかは開けてみないと判らないそうですが、大きく切っても小さく切っても、食事にはちっとも差し支えないそうです。すぐ馴れるとおっしゃっておいででした」

などといっている。

林がおろおろすれば困るけれど、上手に嘘《うそ》を吐《つ》くのも聞いていて少し憎らしい感じがしないでもなく、やっぱりだまされている雪雄を見ると涙があふれそうになる。

その日、林の帰りぎわ光乃は送って玄関まで行き、手術に備えて、これからずっと付き添ってもらう看護婦ひとり雇い入れる件と、それから、これは相談なんだけど、と前置きして、

「旦那さまの病名ね、私はずっと知らないことにして通してもらえないでしょうか」

といってみた。

林はうなずいて、

「それはそうしましょう。そうしたほうがいいと思います。知っているのはご兄弟と私だけ、ご家族はずっと胃潰瘍だとばかり思っている、これでいきましょう」

光乃が、何故自分が知らないことにして通して欲しいと望んだかといえば、おそろしい癌の宣告を受けたとき、心の底から嘘だわ、嘘に決まっている、と激しく叫ぶものがあった。

根拠はないが、永年ともに暮らしていれば、夫の重病を妻が気付かずにいるはずは絶対にない、という自信めいたものを持っており、ひょっとしてこれは医師の誤診ではないか、と同時に疑いも兆《きざ》している。

癌の発生は推定二年ほど前から、と聞いても、先《ま》ず東大の下田教授がすぐその場で手術してくれていたら手おくれにならなかったかもしれないし、伊藤助教授も胃潰瘍だなどといっていたのは、あれはきっと診立てちがいにちがいない、と全く医学を知らぬ者はいまの場合、いちずに医者を怨《うら》みたくなってくる。

いま自分は悪い夢を見ていて、現実は、病人は軽い胃潰瘍で、手術をすればすぐもとの体になるのだと光乃はなるべくそう考えたかった。少々病みやつれてはいるものの、まだまだ病室では光乃に叱言《こごと》をいうし、何よりもしきりに芝居のことを考えている。

こんなにありありと、いまを生きている人間の死期を予想する医者とは何という非情なひとだろう、と思い、そしてこの辺りから光乃は医者という職業を心のうちでひそかに毛嫌いするようになってゆくのも、無理からぬことであったに違いない。

また、神のご加護を以《もっ》て順調に松川家を継ぐことのできた雪雄が、こんなに突然、将来のなくなる宣告を受けるなんて、絶対にあり得ないとも光乃は信じており、以後は、医師たちに向かって冷静な対応ができ得るとはとうてい思えなかった。

林は、ことの重大さからして女が先に立って処理できる問題ではないと思い、光乃の気持ちを十分に察して、その申し出を受け入れ、このあとは男三人で対処することにしたのであった。

雪雄は、手術は安全だという説明を、納得できるまで受けたせいかどうか、意外に落ち着いていて、いよいよ九月六日を迎え、立ち会う身内の者に笑顔で挨拶《あいさつ》してから手術着に着替え、手術室に運ばれて行った。

新二郎は舞台で外せないが、幸い優は九月は休みだったからずっと詰めてくれたし、もちろん番頭二人に弟子は玉助のみ、それに光乃と子供たちで見送り、そのあとは皆病室へ戻って手術の終わるのを待った。

試験開腹だが、癌の除去が容易なものであったらその場で切り取る故《ゆえ》に、大体三時間乃至《ないし》四時間、と医者から聞かされている。

病室内ではそれぞれ少ない椅子《いす》をゆずりあい、

「どうせまだまだ出ては来ないですから、皆お茶でも飲んでいらしたら」

と林がすすめ、優も腕時計をのぞいて、

「そうだな」

とうなずき、

「おい勇雄、雪代もそこらへんをぶらぶらしてみるか」

といった。

しかし手術室へ病人を入れたままでは何となく気がかりで誰も席を立たず、ぐずぐずしていたのは虫のしらせでもあったろうか。

そのあとすぐ、突然看護婦があらわれ、

「ただいま手術が終わりました。どなたかお身内の方を、と中井先生がお呼びになっていらっしゃいます」

と告げたとき、室内の全員総立ちになり、林が時計を見て、

「たった三十分」

と小さく呟《つぶや》いた。

優はすぐに応じて、

「おれが行ってくるから」

と看護婦に続いたが、もちろん光乃はその場を動かず、林が自分にいい聞かせるように、

「きっと結果がよかったんですよ。盲腸よりも簡単でしたものね」

というのへ、大きくうなずいてみせた。

しばらくののち優が戻り、入り口で林を手招きしたときも光乃は、

「どうぞ。私はここにおります」

と譲り、林ひとり室外に出て手術の結果を優の口から聞きに行ったあと、もう大丈夫だから、と子供たちや弟子などを順番に帰らせた。

光乃ひとりになった病室へ林は戻り、いい難《にく》そうにいく度も咳払《せきばら》いしながら、

「問題にならない、とまず先生はおっしゃったそうです」

といった。

「悪くはなかったんでしょ」

と光乃がさぐると、

「いや」

と暗い顔で林は首を振り、

「もう胃以外にもいっぱい転移していて、腹膜やらリンパ腺《せん》やら、手のつけられない状態で、開けたとたんにすぐ閉じてしまったそうです。だから早かったんです。何もしな

かったのですから」

と、低い声で告げた。

林の報告を聞いたとき、心の奥底からまたもや嘘だ、嘘にちがいない、そんなはずがあるものかという強い否定が大音声となって聞こえて来、光乃は口惜しさにふるえながら、

「先生方は旦那さまの体をなぐさみものにしていらっしゃるのではないですか。何もしなかったのなら、何故手術なさるんです」

と林に向かってせいいっぱいの抗議をしてみたが、ふだんから声を荒らげたことのないひと故に、その言葉は悲しい呟きとしか林には受け取れなかったらしい。

これで雪雄の病状は正確に捉《とら》えられ、同時に余命の時間も、伊藤助教授、中井教授の推察どおりになることはもう間違いなかった。

病人はそれを知らず、どんな夢を見ているのか集中治療室で昏々《こんこん》と眠り続け、ようやく覚めてのち、病室に戻って来たが、光乃はその顔を見るたび、ともすれば自分の眉根《まゆね》にしわが寄って来るのを押しこらえるのに懸命であった。

弟二人は役者だから、明るく振る舞うことはできるけれど、光乃にはそういう器用な芸当は不可能で、なるべく顔をそむけてごまかそうとしている。

雪雄は朦朧《もうろう》状態から少しずつ日常感覚を取り戻し、わずかながら流動物を摂《と》るように

なったとき、光乃に話しかけて、

「おれは長い夢を見ていたなあ。死んだ親父《おやじ》と連れ舞を舞って川のそばで遊んでいた。ひょっとしてあれは三途《さんず》の川だったかも知れない。渡らなかったから生きてこうして帰れたんだな。大手術だったんだろう？」

と、ひと仕事なし終えたあとの安堵《あんど》を見せ、また回診の教授には、

「先生、悪いところをきれいさっぱりと取って頂きましたので、気分も至極よろしゅうございます」

と、感想を述べている。

そして気力の上で少し自信も取り戻したのか、光乃にも暇をくれることになり、雇い入れた専用看護婦の栗田《くりた》町子にすべてを頼んで夜間は家に帰るようになったのは九月半ばごろではなかったろうか。

実をいえば光乃もあまり体調はよくなく、このところずっと、体内で何かしらの病勢が確実に進んでゆく感じがあった。家に帰ったのは、お前も夜だけでも休養しろ、と雪雄がすすめてくれたこともあり、せめて短時間でも熟睡を、と願ったのだけれど、やはり病人のことが寝た間も頭を離れず、とろとろとまどろむあいだには魑《ち》魅魍魎《みもうりよう》の類《たぐい》が飛び交って苦しく、全身汗まみれで覚めることもしばしばであった。それに用事は山積しており、子供たちへの母親としての心づかいがうすれている悔いもあって、これでは家

と病院の両方から責め立てられているようなものであった。

術後八日目だったろうか、雪雄は回診のとき、突然、

「先生、切り取った私の胃袋というのはどんなものでございましょうか。いっぺん見せて頂けないかと考えまして」

といい出し、その場に居合わせたものは一瞬うろたえた。

ちょうど優も同座しており、はっとして教授の顔を見ると、教授は意外に落ちついていて、

「は、はあ、そうですね。ひょっとしてアルコール漬けにしてあるかも知れませんが、手配してみましょう」

といい、優に目配せしてゆっくりと部屋を去った。

午後、教授が看護婦にアルコール壜《びん》を持たせてあらわれ、

「ちょっと傷の部分が判別できないかも知れませんが、こんなものですよ」

とベッドにそれを差し出し、雪雄は、首を左右に傾けながら、

「ほう、ほう」

と眺めていたが、納得したのか、

「人間の臓物は動物のと同じなんですね。牛屋のレバーそっくりですね」

とさっぱりした表情であった。

この胃袋は、折よく三分の一を切除した患者があり、それを偽って見せたものだったが、こんなにまでしてだまし通さなくてはならぬのもつらければ、だまされている雪雄を正視するのもこれからはいよいよつらくなる、と光乃は思った。

それに、雪雄が一人歩きできるようになると、廊下で同病の先輩患者に行き合うこともあり、そういうとき、私の胃潰瘍《いかいよう》はこれこれで、手術は何時間で、そのあとはこんな経過を辿《たど》って、などと経験を語られると雪雄が自分の症状に不審を持つようになるかもしれず、そういう危険から守るためにも、病院側と相談して面会謝絶、をいっそう強化するのであった。

光乃は朝、目覚めるとまず天地の神々に祈り、起きると神棚に向かって祈り、そして愛読の聖書に向かって長い祈りを捧《ささ》げる。

どうぞ一日でも延命を、さらに本復を、と願い、そして特別のご加護を以て、ふたたび舞台に立てる日を、とくりかえしくりかえし念じ、念じているあいだだけは気持ちが落ち着くのであった。

いまは一日一日がいいしれぬほど大切で、光乃は心のなかに彫り刻むようにして過ごす。

毎日雪雄の大好きなメロンをしぼり、ガーゼで漉《こ》したのち壜に入れて病院へ持参するのだけれど、

「きれいな色だね」

と吸い呑《の》みを口にする日は稀《まれ》で、

「そこへ置いといてよ」

と見向きもしない日のほうが多い。

だまされている雪雄はむごいかもしれないけれど、考えようによってはしあわせなのかも知れないとも光乃は思う。

知っていて知らないふりをするのは胸がはり裂けるように苦しく、ときどき、発狂でもすればいっそ楽かしらなどと考え込んでいる自分に気付いて我に返るときもある。

二人の子供にはむろん打ち明けてなく、知らないことにして欲しいとの光乃の意を林が新二郎と優に伝えたからには、知っている男三人は誰も光乃に病気の話はしないが、いま光乃が恐れているのは、一向に快方に向かわない病状について雪雄が疑問を抱くことであった。

事実、傷口が恢復《かいふく》してくると、雪雄は運動不足だ、これはいけない、などといいながら室内を歩きまわり、ときに看護婦を伴って屋上まで上がったりするのに、相変わらず食物がなめらかにのどを越さないのに腹を立て、

「ほんとうに先生は悪い部分を切って下さったのかねえ。ここんところで突っ張ってて通さねえんだ。もの判《わか》りの悪い富樫《とがし》がいる」

という立つときもあるが、また教授に、

「胃袋を切り取っているんですから、そう簡単に食物はなじみませんよ。徐々に通りますからあせらず待っていて下さい。経過は順調ですから」

となだめられると、きき分けのよい子さながら、極めて素直に、

「はい、判りましてございます」

とうなずき、頭を下げる。

手術のあと、病気はどんな過程を辿るのか、想像するだにおそろしいが、光乃の祈りが効いたのか九月中は病状はさして進まず、病院から月末には退院してもよい、という許可が下りた。

このときの雪雄の喜びようは、光乃が思わず涙ぐんだほどで、

「まっさきに引っこ抜いておいた萩《はぎ》を植えよう」

とか、

「ゆっくり風呂《ふろ》に入りたいな」

とか、

「全快祝いの配りものは何がいいだろう」

とか、すっかり昂揚《こうよう》している様子であった。

しかし、教授から、

「まあ当分は養生専一にして下さい。湯治とか、それも効きめがあるかも知れませんな」

といわれるとその気になり、

「そうだ、家へはすっかり元気になってから帰ることにしよう。病院から湯河原の宿へ直行して、しばらくのんびりしたほうがいい。

空気のいいところで温泉に浸れば、食欲も出てくるに違いない」

とその手配を林に命じるのであった。

湯河原の山西旅館は、雪雄の古くからの馴染《なじ》みで、襲名興行の前、勇雄を連れてしばらくこもり、芸の想を練ったこともある。

九月三十日、看護婦たちから花束を贈られた雪雄は、藍《あい》大島の着流しでハイヤーに乗り、山西旅館へと向かった。

ハイヤーは二台、先の車に雪雄と光乃、雪代が乗り、うしろに勇雄と看護婦、それに入院中何くれとなくめんどうを見てくれた山中文子が休暇を取って付き添ってくれることになった。

雪雄は晴れ晴れと上機嫌で、窓外の景色をくい入るように眺めながら、

「やっぱりシャバはいいねえ。どんなによくしてくれたって病院は牢獄《ろうごく》だ」

と浮き浮きして感想を述べ、光乃もそういう雪雄を見るといっとき心も浮き立ってく

る。

湯河原ではゆったりと一日を送り、何度も湯につかったり、散歩に出たり、ときには勇雄を相手に芝居の話をしたり、気の向くままに自由な時間を過ごしたが、食物だけはやはり受け付けなかった。

文子は薬剤師だけに料理にこまかく気を配り、調理場にまで入って行って、

「どんなに柔らかいものであっても、五ミリ角に刻んで下さい。ソバのように長いものでも二センチ以上にはしないで下さい」

と口やかましく注文し、毎度幼児食のような膳《ぜん》をととのえさせたが、雪雄は食欲を見せず、一度、フキの煮付けがのどにつかえ、背中を叩《たた》くなどしてやっと吐き出させたあとは、

「食べ物はもういいよ。帰ってから栄養剤の注射か点滴かをしてもらうから」

といい、光乃には胸を絞られるようにつらかった。

結局、湯河原滞在中、するりとのどを通ったのは重湯と、うなぎの切れっぱしの二度だけで、にもかかわらず、光乃には雪雄が次第に肥《ふと》ってきたように見えた。

「そうよ、お父さまおなかが出て、カンロクよ」

と雪代もはやしたが、事実は症状が進み、腹水がたまりはじめているのであった。

雪雄は滞在八日目からがっくりと体力が落ち、昼間でも横になっていることが多くな

ったのを見て、光乃はこのままではいけないと強く思った。

文子と相談の上、雪雄に気取られぬよう東京へ連絡を取り、林から中井教授へ、中井教授からまた林へ、そして湯河原へと電話があって、

「いまだにはかばかしくないのは、血清肝炎の疑いがある、とご本人に伝えて、こちらへお戻り下さいと先生がおっしゃっておられます。

病院は、外部から医師を呼べる山王病院に相談してみて下さるそうです」

山王病院は赤坂に在るけれど、外来には限られたひとしか来ないし、患者が自分の医者を連れて入院もでき、入り口のチェックもきびしい故にプライバシーが十分に守られるといういろいろな利点がある。

一行は十日前に出た東京へ、さらに一段と弱った病人を車に乗せて戻り、そのまま病院につけて、予《あらかじ》め用意された四階の四〇〇号室へ入った。

院内清潔でしんと静まっており、病室もゆったりとしているが、光乃は病院に足をふみ入れたとたん、何ともいえぬ嫌な気がした。

偶然かどうか、死に通じる四の数字ばかりの病室もさることながら、ここが雪雄の最《さい》期《ご》の場所となるのではないかという予感があり、一切の準備をととのえてくれた林の話では、

「もはや治療という段階ではなく、ここでは対症療法のみで、痛くないよう苦しまない

よう、旦那《だんな》を楽にすごさせてくれるそうです」

ということで、それを聞くと光乃はいっそう暗く気分が陥《お》ち込んでくる。

雪雄には、手術後の血清肝炎症状が見られるので、静かな病院で治療をこころみるから、と先生の言葉通りをいい含め、雪雄もそれを信じている様子であった。

担当の吉松先生はおだやかな人格者で、毎日丁寧に回診し、必ず、

「はい、べつに変わりはございません」

といい、雪雄はまたいつも、

「先生、ほんとうにさようでございますか。悪くなっているのではありませんか」

と念を押して、一瞬安堵した顔つきになる。

事実、こちらへ来てからしばらく容態は落ちつき、散歩、入浴、もちろん手洗いも、すべて自分で始末しようと懸命につとめているのであった。

吉松医師はしばしば、

「苦痛があれば我慢しないでよろしいのですよ」

とすすめるが、雪雄は、

「大丈夫でございます」

と気を張り、少しでも体力の衰えを防ぎ、元気になろうと念じているらしかった。

あとから思えば、入院後二週間ほどのあいだは、病人には必ずある神のお目こぼし、

病気との仲直りの期間ではなかったろうか。

食物こそ受け付けなかったけれど、気力も盛り返し、ベッドで珍しいほどよくしゃべったし、とりわけ恢復後の舞台復帰について意欲的であった。

そして、癌《がん》とは知らぬ会社側が、このぶんならば恢復まちがいなし、としてファンのために記者会見を計画したところ、雪雄は快く応じ、十月二十一日、病院内の喫茶店を会場にして七月末以来、はじめてマスコミ陣の前に姿をあらわした。

山王病院へ入って以来、ファンクラブのひとたちは花束を持って毎日ひきもきらぬ有り様だったが、面会謝絶はずっと守りつづけ、この日も、記者証を持つひとだけに絞っての集まりであった。

癌特有のどす黒い肌のいろ、がっくりと肉の落ちた肩、形のいい鼻がいっそう高く目立つ雪雄を見て、記者たちはいちように驚きをかくせなかったらしい。

しかし本人は至って元気で、質問に答え、

「お休みして皆さんにご迷惑をおかけしていますが、来年の正月興行には復帰できると思います」

と約束し、

「何を見せて下さるんですか」

と楽しみにする記者には、

「正月芝居といえば、曾我《そが》物でしょうが、やっぱり十八番もので『助六』あたりはどうでしょうか」

「いっそお得意の新作は如何《いかが》でしょう」

「いまからではとても無理だと思いますよ」

「では元気のいいところで、正月から水入りを見せて下さい」

などのやりとりが二十分ほどあり、付き添いの林がストップをかけて、雪雄は病室へと引き揚げた。

この模様を、テレビニュースで見た優は、思わず顔をそむけた、といい、新二郎も、

「おれもはらわたを絞られるようだった」

と電話口で互いに悲憤し、涙を流したという。

光乃はもちろん、この席には出なかったが、偶然廊下を通りかかり、しゃべっている雪雄の声を聞いたとき、思わず立ち止まったほどその声には力がなかった。

容姿とともに雪雄の口跡には定評があり、「車引《くるまびき》」の松王の出で、

「待てえぇ」

の科白《せりふ》など、文字どおり小屋が揺らぐほどの音量があり、それがよく澄み切ったいい声だっただけにこんなかぼそい、まるで消え入るような話し声と接し、光乃は何者かの手で、

「そろそろ覚悟を」

と背中を叩かれたような気がした。

死は宣告されても、光乃はこの恐怖と、ひょっとして誤診かもしれぬ疑いと戦う思いをなお抱いており、声の衰えを聞いた心細さを振り払うようにしてその場を離れた。

しかし癌の悪辣《あくらつ》な毒牙《どくが》は一時小休止していただけで、確実に一歩一歩近づいて来、この記者会見の直後から、雪雄には耐え難い苦痛がはじまるのであった。

雪雄の痩《や》せた体は、腹水が溜《た》まってまるで蛙《かえる》の腹のようにふくれ、息苦しさだけでも並大抵でないと思われるのに、転移した部分を含め、癌末期の痛みはとうてい見るにしのびないものがある。

咽喉《のど》を鳴らして喘《あえ》ぎ、体を曲げてうめき、額に大粒の脂汗《あぶらあせ》を浮かべて懸命に耐えようとしても体力はすぐ尽き、

「早く注射を」

と助けを求めるようになっている。

光乃は、林を通じて医師からモルヒネの使用許可を求められた際、とうとう来るべきときが来たと思った。

心臓に刃《やいば》を突きつけられた感じがあり、林は痛ましそうに首を振りながら、

「もう、旦那を楽にしてあげたほうがいいかも知れませんねえ」

と嘆息したが、光乃はその言葉をもっともだとは思いながらも、すぐ首をたてに振ることはできなかった。

モルヒネを打つと痛みは麻痺《まひ》するものの習慣になり、そのうち徐々に体中の組織をむしばんでいって、遂《つい》には廃人になるという。

要するに、モルヒネ使用はいちばん最後の手段といわれており、この薬物を体内に注入したとたんから、雪雄はふたたび引き返すことのできぬ死の道を静かに歩みはじめるのであった。

その日は十一月二日、ひる下がりのひととき、どういうわけか室内には誰もおらず、雪雄は束《つか》の間《ま》の眠りに陥っている。

光乃はベッドの枕《まくら》もと近くに坐《すわ》り、じっと雪雄の寝顔を見つめた。

窓に近くやや色づきはじめた銀杏《いちょう》の木があり、その葉のかげのせいか、全く生色のない雪雄を眺めていると、いつか産婆《さんば》の下村かねがいった、「あなたさまと玄十郎さんは宿世《すくせ》の縁《えにし》」との言葉が思い出されてくる。

確かに、医者も見放したチフスのときも、光乃の命を賭《と》した献血で雪雄はかろうじて死地を脱したし、あのとき以来、血の混じりあった二人は、どんな病気の際でも助けあい、励ましあい、ここまで手をとりあって生きて来ている。

ようやく晴れて結ばれ、これから共白髪の安泰を得ようという頃になって、癌などに取られてなるものか、と光乃は強く唇を嚙《か》みしめながらそう思った。

旦那さま、死ぬのはご一緒でございます、あなたさまおひとり先に逝《い》かせはいたしません、光乃は今夜からお百度を踏み、水垢離《みずごり》を取り、天地の神々にこの一命を捧げて旦那さまの平癒を祈念いたします、きっと私の手で治してさし上げますから、とくり返しくり返し胸のうちで念じ、その寝顔をみつめていると、心なしかほんの少し、笑みが浮かんだように思われ、光乃は自分の決心が雪雄に伝わったことを確信した。

光乃はその夜、更《ふ》けてのち栄子を連れてそっと家を出た。行き先は目黒の不動尊、家からは歩いてゆける距離にある。

月もない夜、境内は黒く静まり返っており、下駄の音が敷石に響くのをつとめて抑えながら、まずご本尊と百度石のあいだをはだしで往復して長い祈念を込めたあと、御《み》手洗《たらし》のそばの立ち木のかげで帯を解き、着物を脱いで栄子に手渡す。

はじめおびえていた栄子も、自分の役割を心得たのか、水場を背にして立ち、辺りに目を配ってくれている。

したたる御手洗の清い水を槙《まき》の桶《おけ》に受け、心を鎮《しず》め、念じる言葉はただひとつ、

「夫、第十一代松川玄十郎の病を、私堀留光乃の一命に代えてどうぞ本復させて下さいますよう、特別のご加護垂れ給《たま》わんことをおん願い申し上げます」

祈禱《きとう》とともに満々たる桶の水を頭からざあーっとかぶる。

もう夜寒の始まった十一月初旬、水は千万本の小針を含んだような痛さ冷たさで光乃の全身を打擲《ちようちやく》し、危うくその場に気を失いそうになるのを、身ぶるいして立ちなおり、ふたたびみたび祈念しては、くり返し桶の水をかぶる。

奥歯が砕けると思うまで嚙みしめていても、全身骨のずいまで冷水は浸みとおり、終わったあと感覚はすっかり麻痺してしばらくはその場から立ち上がれないほどだったが、光乃はすこしもつらいとは思わなかった。

冷たく透きとおり、清浄極まりない神の水で洗い清めた自分の体を神に召して頂き、その替わり、新しい命を雪雄に与えてくだされるものならば、喜びこれに過ぎるものはない、と考えているのであった。

腎臓《じんぞう》と結核の持病に、夜半の水垢離がどれだけ悪影響を及ぼそうと、いまは全く光乃の念頭になく、宿世の縁があるならば神仏はこの赤心をみそなわし、雪雄の上に奇蹟《きせき》を起こしてもらえるものと信じて疑わなかった。

水垢離のつらさは、祈禱の最中よりも帰途の寒さであって、濡《ぬ》れた浴衣《ゆかた》を着替え、ショールで肩を掩《おお》っていても歯の根は合わず、その音がもろに聞こえる栄子は、あまりのむごさにそっと涙を拭《ぬぐ》っている。

また帰れば帰ったで、夜を徹し、ほとんど未明まで法華経《ほけきよう》を写し、眠る暇もないほどの信心三昧《ざんまい》で、いまは神といわず仏といわず、森羅万象すべてのものに向かって祈るのであった。

光乃の水垢離は七日のあいだ、当の病人には知らさずに続けられたが、心だけは通い合っていると思い決めており、しかし雪雄の病状は悪化の一途を辿《たど》るばかり、弟二人と林は医師からあと十日は保《も》ちますまい、と告げられていたらしいが、光乃は知らなかったし、聞かされてもまだまだ信じる気にはならなかった。

わずかな時間まどろみ、朝目ざめるといつものように長い祈りのあと、一縷《いちる》の望みをかけて病院へおもむくが、モルヒネは眠気を誘うのか、雪雄はとろとろしていることが多かった。

モルヒネを打つという最後の治療に入ったころ、雪雄の頭のなかを去来するものはいったい何だったろう、と光乃は考えることがある。

案外本人は早くから癌だと悟っていて、懸命に下手な芝居をするまわりの人間を内心笑っているのか、或《ある》いはまた、癌は思考能力さえ冒し、何ひとつ思いわずらうことなく、ただうつらうつらと夢を見ていたのかも知れないと思われる。

いまとなっては後者を願うものの、目覚めているときさえほとんど意欲を失っているかのような雪雄を見ると、このお方はもはや現世を見限っておいでなのではないか、と光乃には見えるのであった。

光乃はあせり、死地におもむこうとする雪雄を引き戻そうとして、人目のないときを見計らってはその手を握りしめ、ときには打ち振り、引っ張っては、

「旦那さま、必ず快《よ》くなります。光乃がおそばについております」

と耳もとに唇を寄せてささやき続けた。

「どうぞお元気になって、昔のように癇癪《かんしゃく》を起こして下さい。光乃をぶつなり足蹴《あしげ》にするなり、思いっきりあばれて下さい。光乃は、癇癪を起こすほど元気な旦那さまのほうが好きなのですよ」

と、日に日に薄くなってゆく感じのベッドの上の病体を、毛布ごしに撫《な》でさすってみるが、ときに重い瞼《まぶた》をひらくだけで、明らかな反応は見られなかった。

一度看護婦が、

「ゆうべ二時頃突然お目ざめになり、『源蔵の足袋が黒だったが、あれは鼠《ねずみ》にしておくれ』とはっきりおっしゃいました。どういう意味なのでしょうか」

と首をかしげて報告したが、光乃はすぐ宝塚の「寺子屋」指導のことだと判《わか》り、やはり病床で見る夢は芝居のことばかりなのだな、と思った。

十一月八日は満願の日、光乃は一入《ひとしお》念入りにお百度を踏み、水を浴び、何とぞ明日から法力を以《もっ》て神助の証《あか》しを見せ給え、と不動尊に祈念して家に帰り、写経にいそしんでから束の間浅い眠りに落ちてからすぐ、けたたましい電話のベルで起こされた。

声は栗田看護婦からで、

「旦那さまがただいま危篤《きとく》に陥られました。お身内の方々にお知らせを、との吉松先生のお言葉でございます」

といわれたとき、光乃は思わず、

「え、何ですって？」

とうわずった声で看護婦を叱《しか》った。

こんなことがあるだろうか、満願の翌日、命を召し上げることなんてあるだろうか。夜はまだ明け切っておらず、柱時計は六時、光乃は気をとりなおし、勇雄と雪代を伴ってどんなにあわてて走ったやら、タクシーの遅さ、赤信号のもどかしさ、それにも増して神にも仏にも見放された口惜《くや》しさでおこりのように体がふるえてくる。

病院の玄関でけつまずき、勇雄に助けられて病室に入ると、優はすでに枕元に詰めていて、

「兄貴、しっかりしろ」

と大声で励ましているところであった。

医師団も非常態勢で、雪雄に酸素マスクを当て、聴診器で心音を聞きながら、注射を打ち続けている。

光乃は、昏睡《こんすい》状態の雪雄の顔から視線を離さず打ち守りながら、心のうちで不動尊を

念じ続けていた。

「なにとぞいま一たびの生還を」

なにとぞ、なにとぞ正気に戻らせ給え、と一心込めて祈り続けていると、まわりの様子は視界からはるか退《すさ》り、この部屋に雪雄と自分とただふたり、ひっそりと向き合っている感じに包まれてくる。

どのくらいのときが流れたか、息を詰めていた医師団のあいだにふっと安堵に似た空気が流れ、同時に雪雄の瞼がぴくりと動いて、うっすらと目を開けた。

「兄貴、判るか。みんないるぞ」

という優の声に、雪雄は目をあげたが、けだるそうにまたすぐ閉じてしまった。

昏睡からは覚めたものの、弱り果てた心臓はいつ停止するかも知れず、雪雄には依然酸素マスクを付けさせたまま医者はずっと侍《はべ》り、知らせるべきひとにはすべて知らせて、いよいよそのときを迎える態勢に入った。

光乃は、自分がすっかり青ざめ、ほとんど人心地を失うまでの状態にいるのはほぼ自覚していたが、いかに憎んでもあき足らぬ死の魔神が、かけがえのないひとを連れ去ろうとする瞬間を、きっとこの目で見極めずにはおかぬ、と一途《いちず》に思いつめている。

ベッドのわきで、化石のように動かぬ光乃のまわりにはおいおいに人が集まって来、雪雄の顔を憂《うれ》わしげに見守り、その視線のなかでその日中、雪雄は正気と意識混濁のあいだを行ったりきたりしているらしかった。

意外にはっきり目を開くときもあれば、声をかけても全く反応のないときもあり、そのうち玄十郎危篤の報は徐々に拡《ひろ》まって行き、その夜のテレビニュースで全国に流されるや、翌朝から花束を抱いたファンが続々詰めかけ、山王病院のロビーはかつてないほどの大混雑となった。

十一月十日の昼まえ、医師は雪雄の酸素マスクを外したが、それは最後の言葉が身内に聞きとれるよう、配慮もあったのではなかったろうか。

マスクを外した直後、雪雄はうっすらと目を明けて、まわりを見まわし、

「すまないねえ、みんな」

といい、そのなかに横田黄邨《こうそん》夫妻の顔をみつけ、

「先生、すまない」

と意外にはっきりと呟《つぶや》いた。

呟いたあとまた眠り、午後三時ごろであったろうか、ちらと歯を見せて笑い、これも明瞭《めいりよう》に、

「きのね、か」

といったとき、すかさず優が、

「きのねって何だ？」

と顔を寄せて聞いたが、雪雄の顔からは笑みは消えていた。

きのね、と聞いた瞬間、光乃の胸の中には激流のようにあふれてくるものがあり、ぐっと奥歯を嚙んでこらえ、手のなかのハンカチを握りしめた。

きのねを知っているのは、雪雄と太郎しゅうだけ、きっと雪雄は、光乃の若いころに重ね、あの緊迫の柝《き》の音ではじまる舞台に立ち、いま万雷の拍手を浴びている夢のなかにちがいなかった。

魂はもう肉体を離れつつある、と光乃が感じたとおり、次第に引き息になり、また盛り返しの波のなかで、雪雄にいちばん近く坐っている優が、合掌して、

「南無妙法蓮華経」

と高らかに唱えはじめると、ベッドの裾《すそ》に陣どっている新二郎は、

「南無阿弥陀仏」

の念仏でそれに唱和する。

室内には人あふれ、麗扇をはじめ、松川家一門、白木屋《しらぎや》一門、親交のあった黄邮はじめ劇作家のひとびとすべて顔を揃《そろ》え、いままさに昇天しようとする十一代松川玄十郎に、心からなるつつしみを捧《ささ》げて別れにのぞむのであった。

窓辺に夕やみが下り、雪雄の息がすうーっと長く、潮のように引いていったあと、脈を見、心音を聞いていた吉松医師が聴診器を外し、深く頭を垂れて、

「五時二十三分、ご臨終でございます」

と静かに、おごそかに告げた。

その瞬間、雪代が、

「お父さまあ、お父さまあ」

と絶叫して雪雄の体にとりすがると、誘われたように室内には歔欷《きよき》の声満ち、勇雄は天井向いたまま、あふれるものをこぼすまいと懸命に耐えている。

光乃は、呆然《ぼうぜん》とただ呆然と、言葉を失ったまま、心音の停止とともに悲しい亡骸《なきがら》と変わりつつある雪雄をみつめ続けるのであった。

このひとが死んだなど、どうして信じられようか、少々面やつれしてはいても、白髪など一本も見当たらぬ若々しい漆黒の髪、閉じられた切れ長の瞼、形のいい鼻梁《びりよう》、そして朗々と科白を語った男らしい唇、とひとつひとつ目を当てていると、またもや、まわりの一切はたちまち白い霧におおいつくされて遠ざかり、もの音の絶えた世界に雪雄がひとり横たわっている姿が浮かび上がってくる。

旦那さま、目を覚まして下さい、さあもう幕が開きますよ、とその体を光乃はゆすぶり続けていたが、しかしそれはほんの束の間の自失であったらしい。

当代一の人気役者が薬石効なく、遂《つい》に永眠、という事実は日本中のニュースであり、これから始まる大混雑に対処するため、泣き悲しむ暇もなく、ただちに皆忙しく立ち働かねばならなくなる。

ぼんやりと立っている光乃のそばへ、しきたりに詳しい明子が涙を拭《ふ》きながら近寄り、

「紋服のご用意はありますの？」

と聞いたが、もとよりそんな事に思い至るわけもなく、光乃が力なく首を振ると、

「松川家の方の旅立ちは経帷子《きょうかたびら》でなくて羽織袴《はかま》だと聞いていますから、もしよろしかったら使いをやっておうちから取り寄せなさったらいかが？」

とすすめてくれた。

死とは非情なもの、遺族の者は、いましばらく見守っていればひょっとして生き返るかも、と考えていても、一同死に水を取ったあとでは病院側はもうさっそく湯灌《ゆかん》の手配をし、清めた亡骸は霊安室へと移されてしまうのであった。

光乃はその群れからひとりだけ抜け、ふらふらと病院から出てタクシーをひろい、家に帰った。栄子が泣きながら走り出て来て、入り口で塩を撒《ま》いてくれたのもかすかな記憶で、手縫いの襦袢《じゅばん》から足袋まで一式揃え、病院へと戻ったが、ただふわふわと夢のなかをさまよっている足どりであった。

着替えは女たちが手伝い合って一枚一枚、合掌しながら着せていったが、癌にむしばまれ尽くした肉体は顔をそむけるほどの衰えで、肋骨《あばらぼね》が浮き上がり、そしてつい二カ月

前の手術の傷あとはいまだ凶々《まがまが》しい切り口を見せている。

光乃は入れかわり立ちかわりする人波のなかにいて、ひとつのことをずっと考え続けており、遺体が霊安室に安置されたのち、誰にも相談せずひとりで院長室を訪れた。

頼みごとというのは、病院の慣例に従えば遺体は病院の裏口からひっそりと担《かつ》ぎ出されるのだけれど、雪雄の場合だけ、表玄関から堂々と帰らせて欲しい、といい、一代の千両役者として最後の花道を踏ませてやって下さいとのたっての懇願なのであった。

ときはちょうど菊花の季節、深更というのにかおり高い花束を抱いた大ぜいのファンに見守られ、雪雄は変わり果てた姿で山王病院を後にし、目黒の自宅の離室《はなれ》に落ち着いた。

通夜《つや》は十二日、松川家のしきたりに従って枕刀は用いず、弔問客はいずれも、紋服のまま生ける如《ごと》くに横たわっている雪雄に対し、泣き、憤《いきどお》り、地団駄踏んで口惜しがるのに、光乃は無言で礼を返すばかりであった。

告別式は十三日午前九時から青山斎場で神式によって行なわれ、各界代表者が揃って参列するなか、ときの首相の代読弔辞にひきつづき、松竹社長がせつせつと訴えた、

「君の突然の死にあい、残された者たちの口惜しさはとうてい言葉にいいあらわすことはできないでしょう」

という悲痛な追悼の辞は改めて参列者一同の胸をえぐって共感され、すすり泣きは斎

場に充《み》ちた。

一般参列者は外国人も混じって三千人を越し、二日間泣き通したというファンや、玄十郎の消えた歌舞伎《かぶき》など何の興味もない、と嘆くひとなど、延々と青山の丘に長い列を作り、最後の別れを惜しむのであった。

テレビ新聞もいっせいに大きく取り上げ、六代目梅五郎、山村幸右衛門、竹元宗四郎などの名優亡《な》きあと、ただひとり歌舞伎界の救世主としてこの世界を支えてきた玄十郎が去れば、このあと歌舞伎はどうなるか、などという悲観的な記事をのせる雑誌も多かった。

嘆き、怒り、悲しみの声や姿は至るところで聞かれ、見られ、ある評論家の、

「何ということだ。この若さで!!」

という絶叫に近い哀惜の言葉は、当時のファンたちの気持ちを最も端的に表していたものといえようか。

享年《きょうねん》五十六年と十カ月、松川玄十郎襲名後三年半、玄十郎としての舞台はたった十六回であった。

芝居の世界でいえば五十六歳はいよいよ充実期に入ろうという頃あいで、美しさの上にこれから芸の厚みを積み上げてゆこうとするときだっただけに、その死は悔やんでも余りあるものであった。

このあと、節目節目の祀《まつ》りもすみ、ようやく百日祭を終えると、光乃はやっと人心地に戻ったような感じでまわりに目をむけてみると、季節はもはや春であった。

この百日間、光乃はふと気がつけば離室に坐り、宮城野萩《はぎ》をぼんやりと眺めている自分に気がついている。雪雄入院の日、ひっこぬいた萩の株はすぐ栄子が望みどおりの位置に植えておいてくれ、雪雄が生きていたらきっとここに坐って、こうして眺めるに違いないと思われる場所に、彼の愛用していた紫ちりめんの楽屋座蒲団《ざぶとん》をおいてある。

去年の秋の悲しい出来ごとは、ひょっとして一場の悪夢であったかも知れない、などといまだに頭の隅では考えたりしているが、夢でない証拠に、離室の祭壇の前に雪雄ははかない一片の骨と化して安置されている。

考えてみれば雪雄は何故か襲名ごとに大病にかかるめぐり合わせになっており、銀次郎から桃蔵になった直後に結核が発病し、次は桃蔵から鶴蔵へと変わったあと、三年半たってチフスで生死の境をさまよい、そして今回、玄十郎と大きく名が変わってこれも三年半、とうとう癌のために命まで奪われてしまった。

年は五十を過ぎていても、光乃にとっては青年のように若々しい雪雄であり、若死にというに似つかわしく、いま思い返せばさまざまの前兆があったことが振り返られる。

この三、四年、円満な家庭人に徹して二人の子を愛し、光乃にやさしかったこと、そして吉野山で突然いなくなったとき、ベニスで姿を消したとき、あれはあの世からの喝《かつ》采《さい》にいく度か迎えられていたのではないかと思われ、そう考えていると、このひとは未来永劫《えいごう》、やっぱり大きな人気役者なのだと思われるのであった。

光乃にはまだ重責が残されており、雪雄が息を引き取った直後、新二郎が涙ながらの大声で、

「勇雄、これからお前がしっかりしなくちゃいけないんだよ」

と呼びかけた言葉が、いまなお光乃の耳の奥に痛いほど響きつづけており、それは即《すなわ》ち、自分への叱咤《しった》と受け取っている。

葬儀の日、まっさきに玉串《たまぐし》を捧げた二十歳の勇雄を守《も》り立て、突然の死で父親から十分に伝えられたとはいえない家の芸を、人一倍の努力をして身につけさせなければならぬのは、考えようによっては光乃にとって、日蔭《ひかげ》の身に耐えたころのつらさよりもなお数倍、至難のわざにちがいなかった。

もともと、芝居のことはよく判らぬ母親なら、勇雄自身の自覚にたのむより他なく、それには下村かねの、「頭《こうべ》に神を頂いた子」という言葉が、何よりの力綱となる。

そして光乃は、これから先、前にも増して松川家一切を引き廻して行ってもらえるのは林以外にはないと思い、百日祭のあと、改めて手をついてたのみ入ったところ、意外にも、

「それについては、こちらからお話し申し上げようと思っておりました」

という、辞任の意思表示であった。

林の実家は日本橋の大きな繊維問屋で、十八歳のとき、父親に連れられて宗四郎の弁慶を見たのがやみつきとなって、以後菊間の家に出入りするようになったのだという。

ただ、一人息子ではあり、家業も捨てられないまま、家は番頭手代に手伝ってもらって主人の役を受け持ち、かたわら菊間家の一番番頭としてずっと二足のわらじを続けてきたのであった。宗四郎が亡くなったとき、これで自分の役はようやく終わった、として身を退《ひ》こうとしたところ、雪雄からは懇《ねんご》ろな頼みがあって、いましばらくは体を貸して欲しいといわれ、いましばらくとはいつまでなのか、はっきりした取り決めもしないまま、永遠の別れを迎えてしまった、と林はいい、

「結局私は、大旦那《おおだんな》に惚《ほ》れてこの道に入り、弁慶も千回は見せてもらったものでしたが、それ以上にまた雪雄旦那の魅力に取り憑《つ》かれて、ここまでずるずる来てしまったということでした」

としみじみした述懐であった。

そんなこととはつゆ知らず、光乃が菊間に奉公したときはこのひとと屋代《やしろ》、そのうち屋代に替わって徳山が二番番頭を勤めるようになっても、菊間家のゆるがぬ重石《おもし》として信頼してきただけに、いま去られるのは何よりの痛手となる。

しかしこんなとき、言葉を尽くして慰留懇請することなど光乃にはとてもできず、心

に大きな穴を感じたまま、繊維問屋の社長専一に戻る林を祝福してやらねばならなかった。

幸い、新二郎優は、力を合わせて父親の代わりを買って出てくれており、大学に通いながらずっと役者を続けられるのは、わずかながらも幸運であったといえようか。

叔父二人の後ろ楯《だて》と、亡き玄十郎の遺児ということで応援を得、勇雄は翌年二月、東横ホールで「鏡獅子」を踊り、そして七月の千鳥会で切られ与三《よさ》を演じたところ、父親そっくりという声が高く、九月の歌舞伎座本舞台でその与三を無事に勤め、光乃の胸にさまざまの感慨を呼び起こすと同時に、前途に光明を見た思いであった。

叔父たちのもとへは始終教えを乞《こ》いに行っており、ある日、優の家から戻って来て、

「ねえお母さま、煙管《きせる》の握りかたにもいろいろあるんだね。こうすればお百姓さんのやりかた、これは商人、まん中を三本指でつまむのは侍だって」

と伝え、

「お父さまはこんなに細かくは教えて下さらなかった」

というのへ、光乃は笑みを浮かべながら、

「お父さまは口下手だから、見てておぼえろってことだったのよ」

と親子でしばらく亡きひとの芸を語りあうひととときもある。

いまは、勇雄の舞台が亡きひとを偲《しの》ぶ唯一《ゆいいつ》のよすがとなり、父親に目鼻立ち生き写し

のその姿を見たさに光乃は前にも増して見物に行き、お世話になったひとびとへの挨拶《あいさつ》もまめに果たすのであった。

そして気は張っていても、雪雄の看病の疲れが光乃にようやくあらわれ始めたのは、死後半年もたたぬ翌年春ごろであった。

玄十郎襲名のあとの入院で完全治癒したと思っていても、その後の心労が重なったためか、かつて覚えのある体のだるさ、朝夕の微熱を自覚しはじめたとき、これは間違いなし結核の再発だと思った。

父親亡きあと、自分もまた病に倒れれば子供たちはどれほど心細いか、と思うと猶予《ゆうよ》はしていられず、五月初め、光乃は白金《しろがね》にある北里病院を訪れた。

北里病院は、北里柴三郎が明治二十六年に創立した胸部疾患専門の療養所で、「養生園」と呼び、明治大正昭和の三代に亘《わた》って結核患者の治療に当たっていたが、戦後は東洋医学をも含めた総合病院となって一般患者も受け付けるようになっている。

が、もと療養所という伝統はそのまま残っていて、市街地の白金というのにここだけはなお閑静で、清潔な雰囲気があった。

光乃は誰の紹介状も持たずここを訪《おとな》い、診断を受けると、重症とはいえなくとも両肺に空洞が見られ、かなり進んでいる状態であるという。

このときから光乃の主治医となる安達先生は強く入院をすすめ、光乃は一旦《いったん》家に帰って勇雄に相談ののち、手廻りの荷物をまとめて病院にはいったのが五月はじめであった。

結核は戦後、ストレプトマイシンなどの特効薬が出現してから激減し、この病気で亡くなる患者は極めて僅《わず》かとなったが、光乃の場合は何故か不運な道を辿《たど》って行ったらしい。というのは、かつて慶応病院でストマイ、パス、ヒドラジッドの投与を受けており、菌が陰性となったのを確認されたのちに退院はしても、さまざまの条件のなかで菌には薬の耐性ができ、ふたたび三たび病は目をさまし、活動状況に入る。

北里病院への第一回の入院で光乃は新しいカナマイシンなどで治療を受け、ようやく陰性という結果を得て退院できたのは、翌四十二年の三月末であった。

この十一カ月の入院中、光乃はしっかりと気を張っていて、全快を疑わず、病床から連絡して家の指図を怠らなかったし、子供たちもまだ母親を頼りにしていて、しばしば病院を訪れたものであった。

入院後一カ月ほどのちの雨の日のこと、午後の面会時間に突然蝶子があらわれ、光乃をおどろかせた。

蝶子は、雪雄と前後して体調があまり良くなく、雪雄の最期《さいご》のときもすぐ近くの病院に入院しており、一しきり人波が退いたあいまを見計らって優が別れをさせるため連れて来たとき、病衣の上にガウンを羽織ったままであった。

雪雄の亡骸《なきがら》に取りすがって、「お兄さま、お兄さま」と呼び、ハンカチをぐしょぐしょにして泣き続けたが、病人故《ゆえ》に、死はとりわけ切実に悲しみを誘ったものでもあったろうか。その後、蝶子は快《よ》くなって退院したという電話を受けており、今日は珍しく洋服で手には大きな果物籠《かご》を提げている。

　光乃の入院を知らせてあるのはほんの身内だけ、それも見舞いには来て下さるなと言《こと》伝《づ》けてあっただけに光乃はいたく恐縮し、身を起こしてかたわらの椅子《いす》をすすめた。

　打ち見るところ蝶子の顔いろはあまりよくなく、病気は胆石とやらで、一しきり病状の話のあと、

「きょうは折り入ってお願いがあるの」

　と光乃の顔いろを見い見い、打ち明けたのは、思いがけなく新橋の芸者小奴《こやっこ》こと、小倉克代のことであった。

　雪雄の遊びざかり、わけのあった克代に雪雄は襲名のときさっぱりと縁切りをいい渡し、以後は座敷で会ってもそれ以上には進まなかったが、克代のほうはどうしても思い切れず、いまだに悶々《もんもん》としているという。蝶子とは直接の知り合いではないものの、昔の朋輩《ほうばい》という伝手《つて》を頼ってたのまれ、きっぷのいい蝶子は断り切れず、

「いえね、大した望みでもないんですよ。最初はお兄さまの骨の一片でも頂かして欲しいなどととんでもないことといい出して、置屋のお母さんも困ったらしいんだけど、いまはどうにか宥《なだ》めて、何でもいいからお形見をひとつ、ということなんです」

と少し遠慮がちに説明するのを聞いて光乃は急に胸が昂《たか》ぶり、しばらく目を閉じて動《どう》悸《き》のおさまるのを待った。

蝶子はすまなさそうに、

「大丈夫ですか、すみません。ご病人にこんな話を持ち込んだりして」

と顔をのぞき込み、眉《まゆ》を寄せているのへ、光乃は瞼《まぶた》は開かないままでゆっくりと、

「判りました。近いうち何か捜し出して、徳山さんにお宅まで持たせますから」

と答えた。

そして、

「どうぞその方によろしく」

と言葉を添え、蝶子にも、

「わざわざ有り難うございました。ご厄介をおかけしました」

と礼を述べた。

あれは何年前か、雪雄入院中に訪ねて来て病室で泣いたそのひとの名を光乃は決して忘れておらず、いま思いがけず蝶子の口からその名を再び聞いたとたん、身内にむらむらと燃えるものがあったけれど、光乃はびっくりするほど冷静に対処した自分にかえっておどろいているのであった。

蝶子が帰ってしばらくののち、まわりを憚《はばか》ってサイドテーブルの曳《ひ》き出しにしまって

ある雪雄の写真を取り出してじっと眺めながら、光乃は低い声で呟《つぶや》いた。

「旦那さま、お光もやっと役者の女房として一人前になりましたでしょう。わけはどうあれ、亡くなってのちまで恋い慕ってくれるひとに、いまはお礼をいいたい気持ちなのですから」

といささかの自慢をこめて告げ、その気持ちに嘘《うそ》はなかった。

そのあとまもなく、光乃は栄子に命じて雪雄の袷《あわせ》一枚をたとうに包ませ、徳山に命じて蝶子の家に届けさせたが、その折、

「お姉さんはよくできた方ですねえ。断られても仕方ないと思いながら伺ったのでしたのに」

と蝶子が感嘆していたよし、徳山の口から聞き、光乃は心足りた思いであった。

雪雄の一年忌はまたたく間にめぐって来、関係者揃《そろ》って年祭をいとなみ、涙を新たにしたが、光乃はその日、病院を脱け出して参列した。雪雄は、松川家墳墓の地、青山の丘の、一きわ大きな九代目玄十郎の墓碑のわきで永遠の眠りについており、この一年、ファンのひとたちの香華《こうげ》は絶えることがなかったという。一年の月日は、蝶子の件でもみられるように、光乃の自覚を促しており、いまは人々のうしろに隠れて泣いてばかりもいられず、病を押して関係者一同に対じ懇ろに勇雄の将来を頼むのであった。

一年忌のあと年を越し、節分すぎのある日、家からの使いで光乃は蝶子の死を知った。さきごろ光乃の病床へあらわれたあと蝶子の病状は急速に悪化し、面会謝絶がずっと続いていたそうで、危篤《きとく》となってのちは勇雄も雪代もずっとその枕許《まくらもと》に詰めていたが、光乃には知らせなかったのだという。

享年《きょうねん》は四十九歳、まだまだ死んではいけない若さで、よき伴侶《はんりょ》を失った優はこのさきさぞ困るだろうと思われ、光乃はまわりのとめるのもきかず、葬儀には参列した。みぞれの降る寒い日で、自分も雪代に支えられながら、憔悴《しょうすい》した優と残された二人の子供を見ると涙せきあえず、雪雄を皮切りにこうしてひとりずつ菊間三兄弟の家の者が減っていくかと思うと、いいようもなくさびしかった。

退院後、光乃は通院しながら引き続き薬は飲んでいたが、昭和四十四年、勇雄が大学卒業の年の秋、いよいよ父親の鶴蔵の名を継ぐことになり、この年の十一月に歌舞伎座で、翌年五月が大阪新歌舞伎座で、十月が名古屋御園座で「勧進帳」の富樫や、ゆかりの「助六」、また「鏡獅子」の弥生などの襲名披露興行を行ない、このあと体の内部にはまたもや結核菌が活動しはじめた。

息子の襲名ともなれば、夫のそれよりもさらに忙しく、この間三、四年、病院通いも不規則になり、大した自覚症状もないまま、ときに半年も訪れないときもあった。雪雄在れば、光乃は挨拶だけにとどまるが、いまは苦手な金銭のことまで知らねばならず、莫大《ばくだい》な襲名費用の工面に駈《か》けずりまわり、自分の体など念頭にもない日が多かった。

　そして四十六年十一月に菌はまたもや陽性となり、家を空けられない事情を訴え、新薬のリファンピシンを飲みながら通院しているうち、幸か不幸か陰性になってしまい、また一年余り、病院へはすっかり遠退《とおの》くのである。

　結核ではもはや死ななくなった、という戦後の常識を光乃がしらずしらずのうちに過信していたか、或《あ》るいは治療しなければと思いつつ、雑用に追われて思うに任せなかったか、いずれにしても結核菌の徹底撲滅を試みなかったことが、不幸な結果を招くことになるのであった。雪雄の死後、第一回の入院のあと、ほぼ六年間が小康を得ていた期間であって、このころようやく母子三人、肩を寄せ合って暮らしてゆくかたちが出来上がっていたのだといえようか。光乃は子供たちを声を荒らげて叱《しか》ったことなど一度もなく、何事も静かにじゅんじゅんと説き聞かせる母親だったが、それを体して、むずかしい年頃の子供二人とも、至極従順なのは何よりの救いだと思われた。

　しかし執拗《しつよう》な結核菌は、光乃が子供たちとの家庭生活を続けることを許さず、ふたたび入院したのは昭和四十八年の三月から十月末までの八カ月で、このときもまだ気力はしっかりし、体力もあった。何といっても、女親だけで息子を役者として大成させようとするのは並み大ていの骨折りではないし、なお親としての任務をいえば、結婚してよい家庭を作らせ、究極は父玄十郎の跡目を継いで十二代目を名乗らせなければならぬという思いもある。

　このごろは世帯もぐっと細め、雪代にも家事を手伝わせてつつましい暮らしを続けているのもすべて、子供たちの将来を思ってのこと、そして何より光乃は自分の健康が欲しかった。

　二度目の入院は、勇雄が南座で弁天小僧を演じているときで、ちょっとのぞいてから病院へは入りたいな、と思ったが京都はあまりに遠く、電話で励ましただけでとうとう会わずじまいになった。

　療養とは、我が身の不甲斐《ふがい》なさを嘆く思いとの闘いであって、またもや八カ月のあいだ光乃は懸命にそれと格闘し、とうとう捻《ね》じ伏せて退院の日を迎えることができたが、しかし、長期間にわたる結核との戦いではまたもや結核菌が粘り強く勢力を盛り返し、今度は明らかに息切れが始まって、とうとう最後の入院となったのは昭和四十九年の十月であった。

　二度目の入院から三度目までのあいだはわずか一年足らず、光乃もこのたびはなみなみならぬ決意で、入院前夜、いつもすれ違いの多い勇雄をやっとつかまえて、

「今度は長いかも知れないからね。きちんと治すまで退院はしないつもり。芸のことは必ず叔父さまたちに相談し、その他のことは徳山さんに頼みなさいね。病院には来なくていいから。私のことは心配しないで、いいお芝居して頂戴《ちょうだい》」

といったが、これが事実上の遺言になろうとはこのとき二人とも少しも思わなかった。

十月七日、光乃はタクシーを北里病院の手前で乗り捨て、鞄《かばん》ひとつさげ、ひとりで外来の受付を訪れた。

光乃に用意された南側病棟の担当婦長八木晴子は、このとき初対面の挨拶を交わしたが、そのあまりの衰弱に言葉もなかったという。

身長百五十五センチの光乃は病みおとろえて体重は三十キロを割っており、顔は血の気がなく、息切れがひどくてそろそろとしか歩けなかった。

カルテを見ると、両肺の空洞のうち、とくに左上の部分が大きくなっていて、八木婦長はすぐ、これだけの肺機能ならば呼吸面積は著しく狭められる故に、肺活量はおそらく千ccはないだろう、成人男子の四分の一、八百ccくらいではないか、と思った。

これではさぞかし苦しかろうと思えるのに、この患者は大げさに訴えることはなく、日中はベッドを半分高くし、ただじっと沈黙してうつらうつらするばかりの様子であった。

長い期間にわたってさまざまの薬を使った挙げ句、すでに光乃の病気に効くものは無くなっており、手術さえ不可能だったし、もはや万に一つの奇蹟《きせき》が起こる他は行き着くところの運命は判っていたが、八木婦長の見るところ、光乃は極めて静かな、礼儀正しい患者であった。

亡き玄十郎の妻という身分は八木婦長にもほどなく伝わって来たけれど、光乃は少しもそれをひけらかすでなく、看護婦たちが何かしてやると丁寧に頭を下げて、

「有り難うございます」

と必ず礼をいう。

身につけるものも質素で、寝巻きはいつも水をくぐった浴衣《ゆかた》ばかり、室内に気ばらしの道具など持ち込むでなし、ただじっと病苦に耐えて日をすごす姿は、虔《つつま》しささえ感じられ、八木婦長はいつも、

「堀留さんは稀《まれ》にみる模範患者よ」

と看護婦たちに話している。

それでも、新聞広告を見て、

「いま鶴蔵さんは歌舞伎座ですね」

などと話しかけるとうれしそうにうなずき、歯をこぼして微笑《ほほえ》むときもあった。

十月に入院して秋も深まり、十一月十日の雪雄の忌日もベッドで迎えたのち、年あらたまって昭和五十年が明けた。

光乃は見舞い客を好まず、一切断ってもらってわずかに雪代が洗濯物の交換にやってくるだけだが、正月明けには久しぶりに姉たき子があらわれ、光乃の衰弱に早くも涙しながら、

「みいちゃん、あんたとうとう雪雄さんに命まで捧《ささ》げることになりかねないよ。いまの病気はあのひとから伝染《うつ》されたんでしょ」

と身びいき故に口惜《くや》しがるのであった。

しかし光乃は、雪雄危急の際、二度にわたって神仏に自分の命と引き換えの祈願を込めているし、結核菌が若き日の雪雄から伝染したものであろうとなかろうと、それはどうでもいいことであった。

光乃の病歴でも判るように、菌が陰性になって排菌なしと保証されても、知らないうちに陽性に転じていることもあり得るし、昔、逗子《ずし》の療養所から全快して出て来た雪雄が、またいつのまにか微量排菌者となっていて、そこに全く菌に対して抵抗力のない十八歳の光乃が接触し、伝染していたとは考えられなくもないが、またそうでないとは誰もいえないことでもあった。

そして他にも、光乃は老人結核の六円をしばらく看取《みと》っており、いま光乃を追い詰めようとしている菌が誰のものなどという詮索《せんさく》は、これは医師にさえできない問題なのであった。

ただ、若い者への感染は用心しており、雪代があらわれても長居させないよう、すぐ帰すし、息苦しさも加わってなるべく言葉を交わさぬよう気をつけている。

いまの光乃にとって唯一の支えは聖書であって、気分のよい日はパラパラとめくり、たとえ一行でも有り難い教えを目で追ってゆくが、気分の悪い日はその気力もなく、ただ両手で押し戴《いただ》くだけのときもある。数えてみればこの聖書も、光乃の精神安定を助けてもはや四十年、布貼《ば》りの表紙は汚れ、角は擦り切れているが、なお病床の唯一の友であった。

病床の日中はとても長く、夜はさらに長い。

昼間まどろめば夜はきっかりと目が冴《さ》えて不眠の苦痛と戦うことになり、それが判っている故になるべく窓の外に目をやっているのだけれど、陽あしは遅々として進まない。その陽あしが次第に伸びるにつれ、一時安定していた症状はまた少しずつ進みはじめたという感じがある。

結核患者にとって、冬は比較的すごしやすいが、春夏は大敵で、これからこの季節をのり切るのは大へんだとは、安達先生からその都度診察結果を聞かされている光乃自身にもよく判っているのであった。

案の定、四月ごろから咳《せき》がひどくなり、五月に初めて血痰《けったん》を見たときには、さすがに光乃は不安にふるえた。

咳をすれば肺はけいれんし、その衝撃で喀血《かっけつ》することになり兼ねず、用心のためにはひたすら安静を守り、週二度の入浴はおろか、清拭《せいしき》さえもおっくうとなり、嫌でも下《しも》の介助を頼まねばならなくなる。

暑さが増してくると、呼吸は苦しくなり、たまりかねて苦しさを訴えると酸素マスクを宛《あ》てがってくれ、以後は一日のうちに何度かこれを使うようになった。

長いあいだ結核患者を見て来た八木婦長は、この夏はもう越せないのではないかと見ていたが、気息えんえんという状態のままとうとう九月に入り、風立つ季節には少し生気を盛り返して、三日に一度はひとりで廊下を伝ってやっと手洗いにも行けるようになったのは喜ばしかった。

が、九月末からまたもや悪化し、一日中酸素マスク離せずうつらうつらしていることが多くなり、雪代がその顔をのぞき込んで、

「十一月にはお父さまの十年祭を青山墓地でやって下さるそうよ。お母さま出席は無理でしょうね」

と聞いたとき、ゆっくりと目を見ひらき、しばらく空をみつめていて、かすかに首を振った。

雪雄死んでもはや十年、光乃には一足とびに過ぎ去った十年であり、汗を拭《ふ》き拭き、喘《あえ》ぎながら登って来た長い坂道でもあったように思う。

その間、雪雄は片ときも離れず光乃のそばにおり、困ったときにはあの大声で、

「くよくよするなってことさ。なるようにしかならねえんだから」

と背を撫《な》でてくれたのを、それを頼りに今日まで生きてこられたと思っている。

その雪雄の幻が、鮮明に瞼のうらにあらわれはじめたのは十一月に入ってからであった。眠るともなく覚めるともなく、半眼に閉じている目の前に、何故かいつも助六の扮《ふん》装《そう》で闇《やみ》の底からせり上がってくる。

「お光、苦しいだろう。そろそろこっちへおいでよ」

と手招きする雪雄に、光乃は首を振って、

「まだおそばには行けません。勇雄は三十、雪代も二十七になりましたのに、二人ともまだ独り身です。それぞれに身を固めさせ、勇雄には旦那《だんな》さまのおあと玄十郎のお名を頂かせてもらい、行く末を見届けてからでないとそちらへは参れないのです」

というと、助六の雪雄は大声で笑い、

「お光は相当に頑固だな。二人とも十分ひとりでやっていけるさ。心配しなくていいんだよ」

といいつつ後退《あとずさ》りに遠ざかってゆく。

十年祭の日、何故かその日は意識が鮮明に澄み、さまざまの思いが光乃の脳裏を過《よぎ》ってゆくのであった。

雪雄が生きていれば六十七歳、どんなに想像しても老いた姿は浮かんで来ず、そう考えていればこれはやはり神の大いなる配慮から、人々の胸に若く美しいままの雪雄を灼《や》きつけて天に召されたのかと思ったりする。

そのあと光乃は急速に弱り、手足の浮腫《ふしゅ》は顔にまで及んで、一見肥《ふと》ったかに見えるものの、両手両足はいつも氷のように冷たいままであった。

もとより安静状態を続けていたが、秋も深まった二十三日の夜、はじめての喀血をみた。

消灯後の九時四十分、軽い咳が続いていて、突然、腹の底から体をゆすぶりながら、わうーっと噴出してくるものがあり、たちまちそれが口腔《こうこう》いっぱいに満ちて、歯のあいだから噴きこぼれ、飛び散った。

その鮮血を見たとたん、光乃が気丈にも手をのばして枕もとのブザーを押したのが辛うじての幸運というべきで、すぐ担当医が駈《か》けつけて止血剤を打ち、酸素マスクを宛てがって絶対安静に入ったが、光乃の呼吸はいかにも苦しそうで、浅い弱い息を、肩を使ってようやく繰り返している。

吐血量は二百cc、牛乳瓶いっぱいほどで、肺が破れてこれほどの出血をみれば恢復《かいふく》も容易ではあるまい、と八木婦長はそのとき思ったという。

翌二十四日、気になるまま、八木婦長は勤務のあいまを見て病室を訪れ、様子をうかがったが、光乃は目を閉じたまま、ほとんど反応を示さなかった。

さぞかし苦しいだろうに、と思い、虫のしらせか、一言でもよい、この方と言葉を交わしたいなと強く思ったが、口をひらくのもかえって苦痛を増すばかりだと考えなおし、足音をしのばせてその場を離れた。

そしてその夜、八木婦長は当直になっており、勤務を終えて床に就くとき、何故かしきりに戸外の、落ち葉降る音が耳についてならなかった。さびしい夜だな、と思い、ひょっとして明日の朝は霜が下りるかもしれない、と呟きつつ、夜具をあごの下まで引き上げたことをおぼえている。

十一月二十五日の早朝五時、あたりはまだ暗く、暁《あけ》がたの寒さが肩のあたりにしのび寄ってくる時刻、光乃ははっきりと目覚め、キーンと澄み切った柝《き》の音を聞いた。

いま幕が開く、幕が開く、旦那さまの助六が出てくる、と胸を昂《たか》ぶらせ、舞台に向かって走ってゆく自分の姿を高いところから見おろしている図が瞼の裏に浮かんだのが、光乃がこの世で見た最後の風景であった。

ブザーの音に、まず病棟詰め所の看護婦が駈けつけてみると少量の血を吐いて苦しんでおり、急いで当直医を呼んだが、もうそのときは瞳孔《どうこう》がひらき、意識はなかったという。

ただ、絶え絶えにかすかな呼吸があり、当直医は懸命に人工呼吸をこころみたけれど、光乃の魂はもはやふたたび現世には戻らなかった。

八木婦長が異変を聞いたのは六時十分すぎ、光乃の病室に向かってどんなに走ったやら、しかしそこで見たものは、

「六時十五分、ご臨終です」

と頭を垂れて最期《さいご》を告げた当直医の姿であった。

光乃の喀血はどうやら午前五時十分ごろであったらしく、虚空《こくう》を掻《か》いてあえぎ、のたうち、ようやっと枕もとのブザーに指を触れることのできたのが四十五分、そのあと二十分ほどの人工呼吸のあいだはもうすでに魂の飛び去ったあとの骸《むくろ》であった。

とすると、三十分ほどのあいだ、手助けするひともないまま、文字通り血みどろで苦《く》悶《もん》と闘い、とうとう力尽きてひっそりと雪雄のもとへ旅立って行ったらしかった。

かつて、たったひとりで子供を産んだ光乃は、いまもまた、たったひとりで息を引き取ったが、いかにも光乃らしい最期であったといえようか。

もちろん雪代もすぐに駈けつけ、勇雄も巡業さきの京都からあわただしく戻ってきたが、二人が対面したのは、すでにものいわぬ母の姿であった。

雪代があらわれるまでのあいだ、八木婦長は遺体の寝巻きの乱れを正してやろうとして掛け蒲団《ぶとん》をめくったところ、そこにしん、と心も凍るような不思議なものを見た。

痩《や》せて骨ばかりになった光乃の足の指のさきにいちめん脂汗《あぶらあせ》がにじみ、爪《つめ》のあいだからそれがぽとり、ぽとり、としたたっているのであった。

臨終の苦しさもさることながら、白いシーツに、黄いろい染《し》みを印しつつしたたり落ちるものを見て、この汗と脂は、このお方の六十年の生涯の忍耐の、凝縮した玉の粒だと思うと、八木婦長は大きな衝撃を受け、思わず床に跪《ひざまず》き、そのなきがらに合掌してこころから敬虔《けいけん》な祈りを捧げずにはいられなかった。

光乃はいま、青山墓地の夫のかたわらに寄り添うように、永遠の眠りに就いている。

噴出する思い

檀　ふみ

五年連用日記をつけている。今年で三年目。日記をつけるのは面倒くさく、時に苦痛でさえもあるが、連用日記には、前の年の同月同日、はたまたその前の年の同月同日の、自分の心のありようがくっきり浮かび上がるという、面白みがある。

先日、とくに書くべきこともない退屈な一日を過ごし、日記を開いて、ボンヤリと前年の段に目をやったら、突然、「宮尾登美子」という躍るような字が飛び込んできた。

――宮尾登美子さんとお会いして、感動。その好奇心、作家魂……

興奮は、その日に割り当てられた短い行数ではおさまりきらなかったのか、月終わりのメモのところまで、びっちり「宮尾登美子」色に塗りつぶされている。

――今回の対談の準備のため、まず手に取ったエッセイ集に、「『一弦の琴』は前後十七年かけて書いた」とあった。私はその本を二十年近く前に読んでいるはずなのに、「硬質な読みづらい文章」と感じたことしか覚えていない。「へぇー」と思って再読してみたら、これが力作、名作である。この二十年に、私も少しは進歩したということか。それとも、二十代があまりにもアホだったというべきか。とにかくお目にかかる前に、宮尾さんを読みまくる……

その読みまくった宮尾作品のなかに『きのね』があった。そして、この小説を読みたてのホヤホヤで宮尾さんにお会いし、お話を伺えた幸運に、私はいま深く感謝している。

宮尾さんの作品には、おおまかにいえば二つのヒロイン像があるような気がする。

一つは、勝ち気で賢く、自分で自分の人生を切り拓《ひら》いていこうとするタイプ。『藏《くら》』の烈、『序の舞』の津也、『春燈』の綾子などがそれであろう。

もう一つは、無口で辛抱強く、想像を絶する献身のうちにひっそりとした幸せを見出《みいだ》す陰の女たち。『藏』でいえば佐穂、『櫂《かい》』の喜和、そして『松風の家』の由良子。『きのね』の光乃《みつの》は、圧倒的に後者である。後者の代表といってもいいかもしれない。

このまったく正反対のタイプの女たちを、それぞれの心のひだの奥にまで分け入って、魅力的に描き切ってしまう手腕には、いつも唸《うな》らせられる。同じ忍従一筋に描かれていても、佐穂と由良子と光乃では、まったく肌合いが違うのだ。

女優なら誰だって、生涯にいっぺんでいいから、細胞の一つ一つまで役になりきれる瞬間が巡ってこないかと、切望している。そして、宮尾さんの描くヒロインは、どれも「これこそがその役だ」という幻想をやすやすと抱かせてしまう。だから、毎度毎度、女優たちが（私も含めてだが）身をよじるようにして、宮尾作品に出たがるのである。

感情移入がしやすい。宮尾作品が世の女性の、圧倒的な支持を受けているのも、そこがツボなのだと思う。人は、自分とあまりにもかけはなれた人物には感情移入しない。たとえば、この作品の光乃の献身は確かに想像を絶する。同じ道を歩める女性は、二人といまい。しかし、では光乃は自分からまったく遠い人間かというと、そうでもない。光乃が知らず知らず雪雄から目がはなせなくなっていくとき、読者の私たちもいつの間にか雪雄に魅《ひ》かれているし、亮子への嫉妬《しっと》に身を焦《こ》がす光乃の心の動きを、読みながら一つ一つ弁解している自分がいる。

女優は、役を作るとき、自分の中にあるありったけの感情を心の抽《ひ》き出しからひっぱり出して、その役に合うものを拾い、合わないものを捨てて、少しずつ役に近づいていく作業をすることがある。

ひょっとして、宮尾さんもヒロインを造りあげる際には、同じようなアプローチをなさるのではないだろうか。ご存知のように、宮尾さんの半生は、深く、濃い。女としての、いやヒトとしての、ありとあらゆる感情を経験してきたといっても過言ではないかもしれない。その抽き出しには、キラキラした宝物がいっぱい詰まっているに違いない。光乃を書くとき、光乃の人生を、宮尾さん自身が追体験する。光乃とともに、夢み、涙し、耐え、祈る……。その、一つ一つの真実の感情が、私たちの心を打つのだ。

宮尾作品は、女優たちの垂涎《すいぜん》の的であることは、すでに書いた。女優たちばかりでなく、世のプロデューサーも涎《よだれ》を垂らして我がものにしたがっている。時代を、そして生活を、そのまま鏡に映したような緻密《ちみつ》な描写が見事だから、舞台化されたり、映像化される回数も多い。

もちろん『きのね』にも、鮮やかな映像が浮かぶ場面がいくつもある。ヒロインの造型も、太郎をはじめとする脇役《わきやく》たちの性格描写も秀逸だから、「やりたい」と溜《た》め息をついている人たちがたくさんいても不思議ではない。かくいう私も、女優としてこんな役ができたら、本望と思う。

だが、そこにはどうも、険しい峰が立ち塞《ふさ》がっていそうである。ご承知の通り、『きのね』は、現実から掘り起こした小説である。玄十郎のモデルは一世を風靡《ふうび》した十一代市川団十郎。活字の世界ではそれを許したファンも、天下の美男、不世出の役者「海老《えび》サマ」に扮《ふん》するような厚顔無恥な役者がいたら、罵詈《ばり》雑言《ぞうごん》をヤリのように降らせることだろう。

なにしろ、先代団十郎のお墓には、いまだに花が絶えないというのである。

宮尾さんが、この小説を書こうとしたときにも、相当な反対があったと聞く。

「でも、『コレ書かなきゃ死ぬ』って思って」

と、宮尾さんはおっしゃった。

「私なんか馬力がありますからね、やっぱり喧嘩《けんか》したって、どんなことしたって、これだけは書こうと思って」

そういった、「コレ書かなきゃ死んでも死にきれない」というものが山のようにあって、夜中にそのことを考え出すと眠れなくなって、精神安定剤を飲む、というような話を、むかしどこかのエッセイで読んだ記憶がある。

団十郎夫人を書いてみたいと思ったのは、一枚のグラビア写真がきっかけだった。

「今の団十郎さんが小学校に入ったときにね、制服着て制帽かぶっているのを、お母さんが下から覗《のぞ》いていたの。そのお母さんを見てびっくりしたのは、髪はひっつめ、絣《かすり》の着物に、たすきに前掛け……、これが今をときめく海老サマの奥さんかと思って……」

するともう、その思いから離れられなくなって、調べて調べて、やがて書きたくなる。

もちろん、団十郎サイドから色よい返事はもらえない。母親を描くということはすなわち、十一代のすさまじい癇癪《かんしゃく》や打擲《ちょうちゃく》に耐えた姿を描くということでもある。いまだに父親の夢を見ているファンを失望させたくないという、その名跡を継いだ息子としては当然の気遣いがあったろう。

「でも、この書きたいという噴出する気持ちはね、いかにね、どんなことがあっても、押しとどめることはできません」

と、半ば見切り発車的に、連載は始まった。

当然、取材は難しかろうと覚悟していたが、なんと取材を進めていくうちに、十二代団十郎を取り上げた産婆が、九十歳でまだ健在であることが分かる。早速、話を請《こ》うと、「お話しましょう。でも、テープだめ、ノートだめ、私の話を聞くだけ」と言う。

「で、あなた、私、緊張の極みよ。一時間、ギッチリと話聞いた」

そうやって、この小説の白眉《はくび》ともいえる、『聖母子』の章は生まれた。まったくいのちの誕生を描いて、あれほど輝かしく、力強く、感動的な一編があるだろうか。

「書きたい」という気持ちを抑えて、ゆるゆると人が納得するのを待っていたら、産婆とは巡り合えなかったかもしれない。反対に、はやる心にまかせて何年か前に書き始めていても、口を開いてはもらえなかったかもしれない。まさに、時が宮尾登美子という作家を待っていた……そんな気さえしてくる。

『序の舞』の連載中も、読者からの手紙で、上村松園の若い恋人の存在を知り、蔵に眠っていた松園の恋文を発見したと聞く。

宮尾さんは、非常に「運」のいい作家なのだろうか。いや、むしろ「運も才能のうち」という言葉を体現しておられるように思う。

私は、十一代団十郎を知らない。だから、この小説によって、ファンの抱いていたイメージにどのような影響があったかも分からない。ただ、読み了《お》えたとき、役者の端くれとして「一度、先代の芝居を観《み》てみたかった」という、遅れてきた者の痛恨が残った。癇癪も打擲も、いささかも偉大な役者の風格を損なわない。そこには、芸術に身を捧《ささ》げた、芸術にしか身を捧げられなかった人間の、深い苦悩が見える。それはきっと、その苦悩を受けとめた女性の愛が、この上なく崇高に描かれているからだろう。

若き光乃は、何度となく「これは覚えておこう」と思う。「こういうこともひとつひとつしっかりと胸に記憶して行こう」

この言葉こそ、宮尾さんの心の抽き出しから出た、宮尾さんご自身の言葉ではないだろうか。複雑な生い立ち、満州での終戦、無一文の難民生活、引き揚げ、病気、離婚……、幾多の修羅の中でも目を伏せたりせず、「胸に刻んでおこう」と、宮尾さんはしっかり目を見開き、感性を研ぎ澄ましていたに違いない。

そうやって胸に刻んだどんな小さなことも、今、宮尾作品の中に豊かに結実している。

「作家というのは、自分が世間から雨あられのごとく非難を受けてね、血が流れたって書かなきゃいけないというものがあってこそ、作家なんですよね」

と、幾度となく、宮尾さんはおっしゃった。

「これは覚えておこう」「この言葉は忘れまい」……、昨年の日記の興奮は、『きのね』から始まったのである。

（平成十一年二月、女優）

この作品は平成二年五月朝日新聞社より刊行された。

きのね(下)

新潮文庫　み-11-10

平成十一年四月一日発行
平成十五年五月二十五日十刷

著者　宮《みや》尾《お》登《と》美《み》子《こ》

発行者　佐藤隆信
発行所　株式会社新潮社
郵便番号　一六二―八七一一
東京都新宿区矢来町七一
電話　編集部(〇三)三二六六―五四四〇
読者係(〇三)三二六六―五一一一

価格はカバーに表示してあります。

乱丁・落丁本は、ご面倒ですが小社読者係宛ご送付ください。送料小社負担にてお取替えいたします。

印刷・二光印刷株式会社　製本・株式会社植木製本所

ISBN4-10-129311-2 C0193